Art of the Post-Anthropocene

ポスト人新世の芸術

山本浩貴

美術出版社

図0-2（52頁）
John Cage
Seventeen Drawings by Thoreau 1978
color photoetching on Hodomura paper
sheet: 62.2×92.7 cm (24 1/2×36 1/2 in.) image: 55.9×71.1 cm (22×28 in.)
Gift of Kathan Brown
National Gallery of Art, Washington

上＝図1-2（69頁） AKI INOMATA《インコを連れてフランス語を習いにいく》2010
下＝図1-3（74頁） AKI INOMATA《犬の毛を私がまとい、私の髪を犬がまとう》2014
いずれも©AKI INOMATA, courtesy of MAHO KUBOTA GALLERY

図2-1（100頁）
本田健《夏草I（庭）》2019
キャンバスに油彩
65.3×65.3cm

上＝図2-4（111頁）本田健《山あるき－九月》2003
パネルに紙、チャコールペンシル 300.0×400.0cm 岩手県立美術館蔵
下＝図2-6（119頁）畑山太志《草木言語 #5》2020　キャンバス、アクリル　60.6×72.7cm　個人蔵

図3-2（144頁）
山本裕司《氏神の祠》1988～1989

図3-7（170頁）
遠藤利克《無題》1987
撮影＝山本 糾

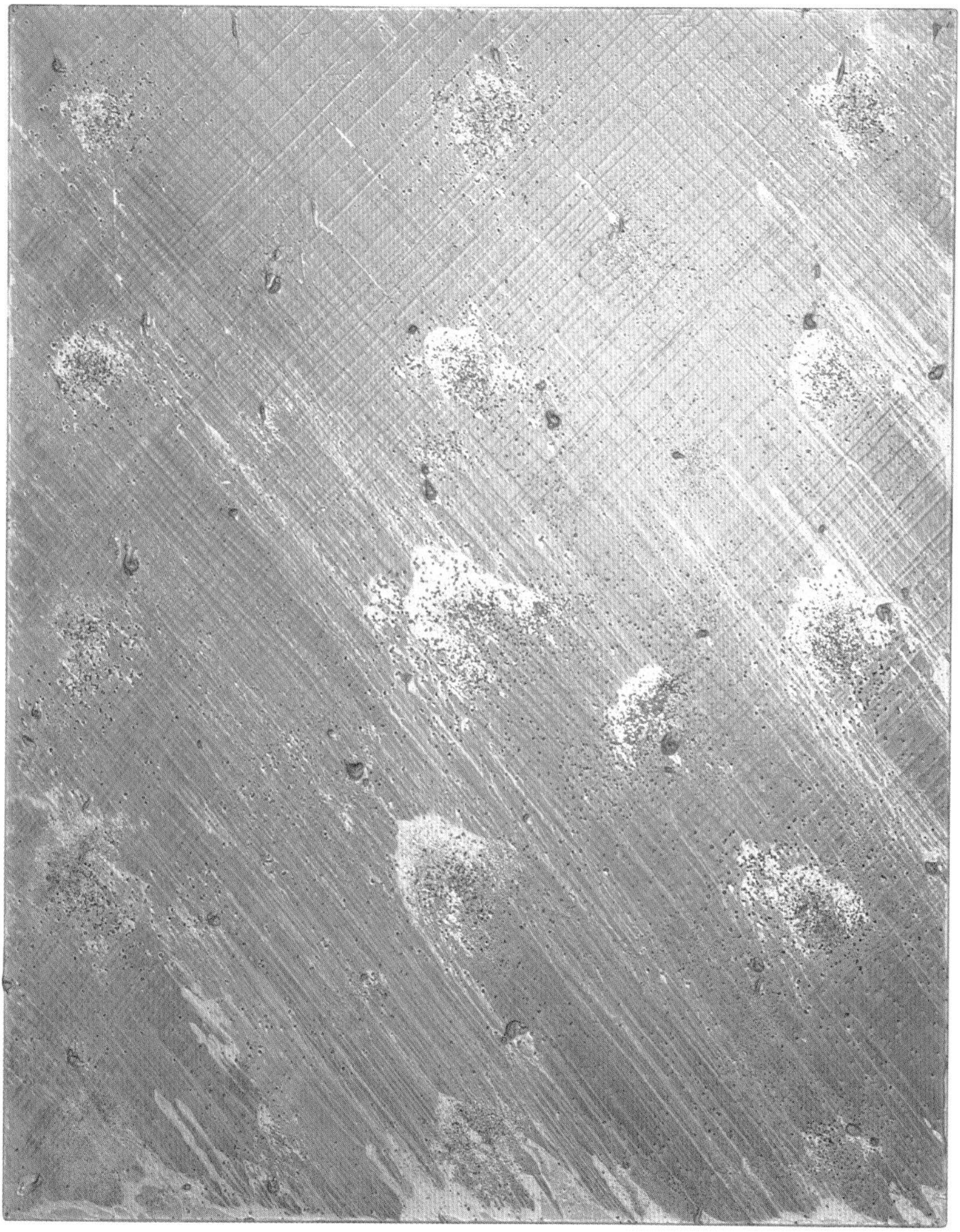

図4-4（217頁）
森山安英《アルミナ頌 01》1987頃
撮影＝四宮佑次

図5-1(240頁)
桑田卓郎《青化粧金彩梅華皮志野垸》2013
磁土、釉薬、顔料、金
H12.5×17.0×16.0 cm

はじめに――アフター・コロナの芸術論

この文章を書いている2020年6月下旬時点、筆者が勤める東京藝術大学（現在は金沢美術工芸大学に移籍）を含む多くの大学では授業がオンライン上で行われている。その原因は新型コロナウイルス感染症（COVID‐19）の世界的流行（パンデミック）であり、この感染症は「SARS‐CoV‐2」という病原体が人体に侵入することによって発症する。複数の報道によると、この疾病は2019年末に中国の湖北省武漢市で最初の感染者が確認された。ウイルス学の研究者である宮沢孝幸によれば、その感染源としては「コウモリを起源とすることが有力視されている」[1]。

COVID‐19は特徴的な味覚・嗅覚の低下を伴うが、その症状にほとんど特異性は見られない。無症状あるいは発熱・咳などの風邪に近い軽症から、重篤化するとウイルス性肺炎を引き起こして最悪の場合は死に至る。高名なイタリア人哲学者・美学者のジョルジョ・アガンベンは感染拡大の初期段階、この感染症を「毎年繰り返されるインフルエンザとそれほど違わない通常のインフルエンザ」と述べて各方面からの厳しい批判に晒された[2]。

アガンベンの意図は、今回のパンデミックに乗じた例外状態の拡大と政府権力の拡張に早い段階で警鐘を鳴らすことにあったと考えられる。ジャーナリストのナオミ・クラインも、この混乱のなかで経済的強者がさらなる利権を貪るような状況を「コロナウイルス資本主義」と名付けて警戒している。[3] クラインによれば、コロナウイルス資本主義は「壊滅的な出来事が発生した直後、災害処理をまたとない市場チャンスと捉え」る「惨事便乗型資本主義」の亜種である。[4]

とはいえ、「通常のインフルエンザ」というアガンベンの見通しは大きく外れたと言わざるを得ない。この文章の初稿を執筆中の2020年6月22日に朝日新聞デジタルに掲載された記事によれば、この日の時点で世界全体の死亡者は46万5880人に上る。[5] また厚労省集計のデータでは同年6月24日時点で日本国内の感染者数は1万8024人、死亡者数は963人と算出されている。[6] 最初の校正の段階にある2021年9月上旬の時点で、国内外の状況は改善の兆しが見られないどころか全般的に悪化している。東京や大阪の感染者数は連日2000人をこえ（8月19日には5534人を記録した）、9月5日現在は21都道府県が緊急事態宣言の対象地域となっている。

こうした未曾有の事態に対し、世界中の知識人たちが次々と反応を示した。ベストセラー歴史家のユヴァル・ノア・ハラリは、タイム誌に寄せた論評のなかで新型コロナウイルスとの「戦い」において現在ほどトランスナショナルな（国家をこえた）連帯の構築が必要とされている時期はないと強調する。[7] この意見は「国家間の違いを超越して、核戦争と生態系の崩壊と技術的破壊の脅威に対するグローバルな解決法を見つける」必要性を繰り返し訴えてきた彼の、

21世紀の人類が直面している現在進行形の問題を論じた『21 Lessons』（2018）における一貫した主張と地続きの関係にある。[8]

YouTubeで視聴できるハラリとの対談で、台湾の若きIT担当大臣オードリー・タンは、パンデミック対策ではテクノロジーがきわめて有効な役目を果たすと主張する。[9] そして、タンはテクノロジーがプライバシーのない監視社会を招くのではないかというハラリの懸念をきっぱりと退けている。コンピュータを中心とする技術革新と複雑に絡み合いながら形成される現代の監視社会――「統治や管理《コントロール》のプロセスにおいて通信情報テクノロジーに依拠するすべての社会」――の様相を描き出した社会学者デイヴィッド・ライアンらの研究を考慮に入れると、こうしたタンの断言が現代の高度に情報化された社会においてはいくぶんナイーブに響くこともまた事実だ。[10] コロナ禍におけるディストピア的監視社会の到来を防ぐためには、デジタル・テクノロジーの慎重な運用や監視する権力自体を監視する制度の考案などが必須とされるだろう。

このように人類は明らかにコロナ禍の只中にいるが、すでに巷には「アフター（ポスト）・コロナ」の世界について語られたビジョンがあふれている。「アフター・コロナの芸術論」と銘打たれたこの文章も、その一つと言える。新しい生活・労働様式を指南するあまたの「ニューノーマル」論を、この長いリストに加えることもできるだろう。当然ながら、そうした傾向に対して疑義を呈する論者もいる。例えば、作家・マンガ原作者の大塚英志は過去の「ポスト3・11」言説の過剰な氾濫を引き合いに出しながら「「ポストコロナの世界」を論じようとする人を信用」しないと手厳しい。[11]

大塚の発言に代表されるようなこうした疑義は、一般的な「ポストコロニアリズム」批判と通底している。ポストコロニアリズムは1990年代以降の学術界を席巻した批評理論の一つであり、植民地主義「後」の世界を思考する。この理論に関して、特に「ポスト」という接頭辞をめぐって激しい論争の応酬がなされてきた。一例としてインド出身のポストコロニアル理論家であるアーニャ・ルーンバは「ポスト」には「イデオロギー的な意味で、後からやってきて取って代わる、という」含意があると指摘し、「植民地支配が生んだ不平等はなくなっていない。植民地支配の終焉を宣言するのは早すぎる」と警告を発した。[12]

だが、ポストコロニアリズムは決して植民地支配の歴史を現在から切り離そうとする思想ではない。ポストコロニアリズムは過去の植民地主義に対する厳しい自己省察を伴うが、同時に別の肝心な役割も担う。文化研究者の上野俊哉と毛利嘉孝の言葉を借りれば、それは「われわれが今生きている現在の政治的文化を生み出す」ことである。[13] すなわち、ポストコロニアリズムの思想はむしろ現在という時間軸の生成にきわめてパフォーマティブでアクチュアルな仕方で関わっていこうとする側面が強いと言える。

より適切には英文学者の本橋哲也が言うように、ポストコロニアリズムを理解するためには「過去と現在と未来という三つの視座の連関において考える必要がある」[14]。換言するとポストコロニアリズムの理論は「過去」を批評的に審問し、それを通して「現在」に残る不正義を暴き出す。そして、そうしたことは最終的により公正な「未来」を築くことを目的として行われる。加えて、これらの「三つの視座」は決して一直線に連続するリニアな時間のことを指しているわけではないことを指摘しておきたい。それらは全て複雑に折り重なり合いながら、現在進行形の「今」を形成している。では、現在を生きる私たちにとって「三つの視座の連関」が重要になるのはなぜか。

歴史学者のテッサ・モーリス＝スズキは「連累」という概念を用いて、その解の一つを与える。これは英語に訳すと「implication」であり、「密接な関係」や「強い関わり合い」を意味する。「今生きているわたしたちをすっぽり包んでいるこの構造、制度、概念の網は、過去における想像力、勇気、寛容、貪欲、残虐行為によってかたちづくられた、歴史の産物である」という事実を出発点に、モーリス＝スズキは私たちの過去との不可避的な絡み合いを説く。[15]人々は過去の出来事が作り上げた現在の構造のなかに埋め込まれており、歴史から完全に切り離された個は存在しないことを「連累」概念は教える。私たちはそれゆえ常に過去を振り返り、自らが現在の問題とどのように関わり合っているかを不断に精査する必要がある。それはすなわち未来に対する私たちの責任であり、倫理である。

ゆえにコロナ後の世界にまつわる議論もまた、過去・現在・未来を貫く視座を備えることが望ましい。そのために再検討しなくてはならない事項があり、その一つが「ウイルスが世界を一変した」という考えである。「家にとどまろう（ステイホーム）」は全人類共通のスローガンとして喧伝された。多くの学校ではオンライン授業を中心としたカリキュラムが組まれ、たくさんの職場でメールやテレビ電話を利用したリモートワークが奨励された。この病原体が私たちの生活を劇的に変えたことは疑いない。

しかし、そうした変化はあくまで生活様式の変化にすぎないことを見落としてはならない。決して世界そのものが、以前とは何も関係のない実体に突如として変貌したわけではない。私たちが真に目を凝らすべきは、そうした表面的変化の深層ではっきりと可視化された事態であろう。一例として、「自粛、自宅隔離、そして社会的距離の保持は誰もが等しく実践できるわけではない」（平田周）という事実がある。[16] 医療従事者などを除くと、「自粛、自宅隔離、そして社会的距離の保持」の実践が難しい——つまり、感染のリスクを背負って自宅から外に出ざるを得ない——人々のなかには日系ブラジル人移民や東南アジアからの出稼ぎ労働者を含む雇用の不安定な非正規労働者が多いことは容易に予想される。

要するに、ある土地における民族・言語・文化的な少数派はコロナ禍の社会のなかで等閑視されている。同時に、世界には斉一化された集団が姿を現す。作家のパオロ・ジョルダーノはコロナ禍のイタリアという文脈において「今回の緊急事態があっという間に、自分たちが、望みも、抱えている問題もそれぞれ異なる個人の混成集団であることを僕らに忘れさせた」ことだけは「忘れたくない」と誓い、危機に際して文化的・人種的・民族的に斉一な想像上の統一体として現れる排他的な空気に対する警戒心を喚起した。[17] 重要な例外もあったが、日本でもCOVID-19関連の情報は基本的に日本語で周知された——まるで日本語を解することのできない人は、この国にいないという前提に基づいているかのように。

そのような不可視化は、コロナ禍において跋扈《ばっこ》する人種差別やゼノフォビア（外国人嫌悪）と合わせ鏡の位置にある。アメリカやヨーロッパ各国、あるいはアフリカ各地で中国・アジアにルーツがある（とみなされた）人々に対する理不尽な暴行が相次いで報道された。[18] こうしたレイシズム的蛮行は、しばしば「インフォデミック」と呼ばれる誤情報の蔓延を通じて拡散する。歴史的な視座を導入すると、黒死病（ペスト）の流行時にも「疫病の原因となる毒を、ユダヤ人たちが井戸に投げ込んだ」という根拠のない噂が広まった（小長谷正明[19]）。

この根も葉もないデマのために、ヨーロッパ各地の罪のないユダヤ人が殺された。特に1349年の仏ストラスブールでは女性や子どもを含む約900人が一度に焼殺され、その凄惨な様子はオイゲン・バイエール作《一三四九年のストラスブールにおけるユダヤ人の迫害》（1857）などの絵画に生々しく描写されている（宮崎揚弘『ペストの歴史』[20]）。危機に際して特定の民族への潜在的な差別感情が凄惨な暴力として噴出する構図は、関東大震災時の朝鮮人虐殺――文化人類学者のソニア・リャンが「日本が近代国家として登場する過程での論理必然的な産物」とみなす出来事――と相似形をなす。[21] 大正末期の日本で発生した巨大地震の混乱のなか、「暴動を起こそうとしている」、「井戸に毒を混入した」などの流言飛語のために日本で生活していた朝鮮の人々が民間人で組織された自警団によって殺害されたという史実は忘れてはならない。

ゆえにこうした現象は、決して病原体が一瞬のうちに生み出したものではない。日本社会やその他の国と地域に長らく伏在していた病理がコロナ禍という危機のなかで再び顕在化した、という表現の方がより正確である。言うまでもなく、「コロナウイルスは存在する。そのことに異論の余地はない」（美馬達哉[22]）。事実、たくさんの人々の尊い生命が不条理に奪われた。しかし、COVID-19の大流行に起因するとされる事象のほとんどは目新しいものではない。それらは人類が歴史的に抱えてきた問題に深く根ざしており、今回のパンデミックはそうした問題の所在を改めてはっきりとした形で暴露してみせたと言える。

アート界においても、不可視化されていた様々な問題がその輪郭をはっきりと現した。その一つが「ブロックバスター」と称される展覧会形式であり、この用語は観客の大量動員を見込んだメディアと美術館の共催展を指す。「新聞社やテレビ局が展覧会を企画するのは、日本独自の方式」(古賀太)であり、その背景には特殊な歴史的事情が絡んでいる。[23] この展覧会形式が一様に悪とは断言できないが、それに伴う弊害も生まれていることは確かだ。例えば収益重視の大衆受けする企画だけが美術館で開催され、そこに所属する学芸員たちの専門知はほぼ未活用のままになっていることも少なくない。

ウイルスの仕業により、ブロックバスター型の展覧会は一種の機能不全に陥った。大規模な集客のためには、目玉となる有名作品を海外から呼び寄せる必要がある。しかし、コロナ騒ぎで空輸がストップした。さらに、「価値」の高い作品の貸し出しに同行する「クーリエ」と呼ばれる人々の来日も難しくなった。新聞社の社員として数々の展覧会企画に携わった経験のある古賀太によれば、クーリエの招聘にかかる費用や高額の作品輸送費は「すべてマスコミが負担する」。[24] こうした諸問題も踏まえ、2020年から横浜美術館の新館長に就任した蔵屋美香は「ブロックバスターが見直される時期」かもしれないと語った。[25]

歴史を振り返ると、芸術家は制約を創造に変えることを得意としてきたことがわかる。一例として、具体美術協会（具体）の「距離の相互詩学」（ミン・ティアンポ）が挙げられる。戦後、日本美術はニューヨークやパリといった「中心」との懸隔という難題を抱えた。１９５０年代から60年代にかけての具体の芸術実践に見られる距離の相互詩学とは、自らの制約である「周縁」という立場を逆手に取ることで文化的・地理的距離を「創造の源」へと転化する術であった。[26]現代のアーティストたちもまた、目下ウイルスがもたらした様々な制約を創造的な仕方で乗り越えようとしている。そのように考えると、芸術はコロナ危機が生み出す制約的状況をポジティブなものに転換する大きな希望のひとつになるかもしれない。少なくとも、これまでに蓄積された美術史の研究成果はその可能性が十分にあることを示唆している。

感染症の史実をさかのぼれば、14世紀のヨーロッパで猛威を振るったペストは西洋の死生観に多大な影響を及ぼした。美術史家の小池寿子は、その変化を「死の舞踏」と総称される図像群に看取している。小池によると、当時の人々は「この舞踏行列から、人は身分の貴賤に問わず老若男女すべて必ずや死ぬことを学んだ」[27]。美術評論家の椹木野衣はペストが招いたこうした死生観の変化が「神への疑い」、「自我の芽生え」、「既得権を持つ僧侶と特権階級の没落」、「自分の肉体に対する信奉」などを人々にもたらし、ひいては人間中心的なルネサンスの到来を導いたと考える。[28]

すなわち「ペスト菌」と名付けられた感染症史に残る細菌の存在は同時に、文化・芸術の歴史における重大なターニングポイントを運びこんだキャリアでもあったとみなすこともできるということだ。昨今のコロナ危機もまた、芸術の世界に新しい変革を招来するだろうか。現段階でこの問いに明確な解答を与えるのは、だが余りにも難しい。

とはいえ長期的な視座に立てば、「資本主義」と「国家」がその問いに答えるためのきわめて重要な鍵になるだろう。ペストは中世ヨーロッパの人々から絶対的な存在である「神」を奪ったが、現代ではこの2つの概念が中世における神に相当すると思われるからだ。夭折した文化研究者マーク・フィッシャーが引用した有名な一節（フレドリック・ジェイムソンのものとされる）を孫引きすれば、「資本主義の終わりより、世界の終わりを想像する方がたやすい」[29]。また、国民国家成立以降の長い時間のなかで、「想像の共同体」（ベネディクト・アンダーソン）にすぎない国家のためにこれまで「数千、数百万の人々が（略）殺し合い、あるいはむしろみずからすすんで死んでいった」[30]。これらの事柄は、近代において資本主義と国家がどれほど強力に私たちの実存と生を拘束しているかを如実に示す。

ＣＯＶＩＤ-19の爆発的拡大は、資本主義と国家のこうした絶対的覇権に風穴を開けるかもしれない。というのも、現下、それらを支えるシステムの大部分がいわば仮死状態に追いやられているからだ。しかし、国家と資本主義は不可分に結びついていることも忘れずにおきたい。思想家の柄谷行人は「資本＝ネーション＝国家」という概念で両者の密接な連関を前景化し、「資本主義」が引き起こす諸問題を「国家」による政策を通して解消しようとすることの瑕疵《かし》を指摘する。そして、柄谷は「資本の揚棄という場合、いつも、国家の揚棄を念頭においておかなければならない」と警戒を促す[31]。

多くの論者が指摘するように、そもそも人類と疫病の歴史には資本主義と国家が密接に関わっている。感染症を引き起こす病原体が人間の暮らす領域に「侵入」してきたのは、環境破壊によってウイルスの生息地が奪われたことに一因がある。そして、「資本主義が環境破壊を取り返しのつかないペースで推し進めている」（斎藤幸平）ことには異論の余地がない。[32] グローバル資本主義を特徴付ける飽くなき貿易や投資の膨張を通じて、世界各地の経済的な結び付きが強化された。結果として、「1980年代に開放改革へ向かった中国がグローバル経済に組み込まれ、人や物の交流が増大したことが、SARSやCOVID-19の急速な世界への拡大の背景にある」（美馬達哉[33]）。

『疫病と世界史』（1976）を著した歴史家のウィリアム・マクニールが指摘したように、天然痘など多くの疫病は人間と動物の接触機会が増大したことに端を発する。狩猟や農耕を通じて「自然界のバランスを変形させる能力」の向上は、人類が罹患する可能性のある病気の範囲を劇的に拡張した。[34]『コレラの世界史』（1994）の著者・見市雅俊の見方では、19世紀のコレラは「土地の開墾、道路建設、灌漑事業などの開発によってある地域の生態系のバランスが大きく崩れた」ことが伝染病の蔓延を助長した「開発原病」である。[35]

さらに2000年代以降に頻発するインフルエンザ・パンデミックを調査したフレデリック・ケックは、「ここ30年に起きた人間の食糧用に飼育される動物の数の増加が、ウイルス転移という出来事の増殖を引き起こした」と結論付ける。[36] これらの指摘は、いずれも感染症の拡大が国家や文明の発展と分かち難く結び付いていることを示す。

伝染病を「国家支配の下での集中定住から生じる最悪の損失」の一つに数えるのは、人類学者のジェームズ・スコットである。[37]国家の誕生は「捕虜を使った強制的な人間労働をシステム的な基盤とする大規模社会」を生み出し、瞬く間にウイルスを拡散・進化させたとスコットは主張する。[38]こうした見解は国家という支配体制の成立と感染症のあいだの見逃されがちな、しかし重大な連関をはっきりと照らし出している。

グローバルな結び付きが強まった現代世界においてもなお、国家という鉄鎖は肉体的・精神的に私たち人類を著しく拘束している。文化人類学者のアルジュン・アパドゥライが分析したように、特にマイノリティに対する自民族中心的なナショナリズムの暴力はむしろグローバル化の進展と手を携えて世界中で顕在化している。なぜならば、「グローバルな流動によって例外なしにアイデンティティーは不確実なものになるが、暴力は、その不確実性を和らげる目的でも使われる」(アパドゥライ)からだ。[39]本邦においても、こうした暴力性は在日コリアンの人々への排外主義的なヘイトスピーチなどの形で現出している。

社会学者の大澤真幸は、現今のコロナ禍を「人間と自然の関係の全体の中で位置づけ[て]」考えるべきだと提言する。[40]この大澤の提言の正当性を考えるにあたり、スロベニアの哲学者スラヴォイ・ジジェクの発言は示唆に富む。彼は、ジジェク節とも呼べる独特の言い回しで一連の事態をこう表現する。

おそらく、これは、現在のウイルス感染拡大から我々が学びうる最も憂慮すべき教訓であろう。つまり、自然がウイルスをもって我々を攻撃している時、ある意味、我々自身のメッセージが我々に送り返されているのだ。そのメッセージは、こうだ。「あなたたちが私にしたことを、今度は私があなたたちにしているのです」[41]

これまで述べてきたことを念頭に置いて、本書の意義を明確にしたい。本書の目的は、人間と自然の関係を軸とした美術史を構築することである。その中核にあるのは、例えば次のような問いである。アーティストはいかにして自然と対峙しながら創作してきたのか、あるいは作家の自然をめぐる認識――および、その変遷――がどのような形で過去の芸術作品に表出しているか。先述した大澤の言を借りて言い換えれば、本書は「人間と自然の関係の全体の中」に再び芸術を位置付けてその歴史を語る試みである。

さらに、そうした試みは美術史の脱人間中心化に向けた足場を築くことに寄与するはずだ。人文科学の領域のなかで、しばしば「芸術」や「美」の観念はあたかも人間の専売特許のごとく扱われてきた。しかし、「なにかを見たり聞いたりしたときに感じる経験」（渡辺茂）としての美意識には動物や植物と共通の基底が存在することを近年のいくつかの研究は明らかにしている。[42]

実際、アルゼンチン出身のトマス・サラセーノのように自然の意匠や他の生物種がデザインした「建築物」の構造から学んだインスタレーションを制作する現代アーティストもいる。サラセーノが2019年のヴェネチア・ビエンナーレで披露したサウンド・インスタレーション《雲の消失について》は、その好例である。ゆえに本書は美術史や文化研究で支配的な人間を中心に据えた視点を脱却し、人類という種を相対化した目線から芸術の歴史を捉え直すことも目指す。そのとき、どのような新しい展望が眼前に開けるかは筆者自身にもまだわかっていない。

本書の構成

序章と終章を除くと、本書は第1章から第5章までの全5章から成り立つ。序章では美術史における過去の様々な「脱中心化」の試みを概観し、本書が企てる「美術史の脱人間中心化」の骨子を浮かび上がらせる。終章では各章での考察を踏まえて、脱人間中心化された「人間と自然の美術史」の構築に向かう本書全体の結論——当然ながら、それは常に暫定的なものとして構想される——を提出する。

第1章ではAKI INOMATA、第2章では本田健、第3章では天地耕作（村上誠、村上渡、山本裕司）、第4章では集団蜘蛛（森山安英）、第5章では山本鼎の芸術実践を取り上げる。本文に目を通せばわかるように、それぞれ世代、ジェンダー、表現媒体も様々な程度で異なる芸術家（芸術集団）である。多様性の観点から、あえてそのような幅広いセレクションにした。とはいえ、ある程度の限定を設けなくてはならないという理由から、本書は日本を中心的な舞台にして展開された芸術活動の歴史に焦点を絞る。

それゆえ各章は独立した論考として読むこともできるが、いずれも「自然」という観点から多彩な芸術活動を分析している点は共通する。第1章から第5章へと進むにつれて、より現在に近い時点からだんだんと過去にさかのぼる構成になっている。こうした構成はあくまで便宜上の理由からなされており、芸術の歴史のなかで人間と自然の関係は直線的・漸進的に（より「良い」方向に）発展してきたといった進歩史観的な思想に支えられているのではないことは強調しておきたい。

目次

終章 世界を再魔術化する芸術

カバー作品
齋藤帆奈《食べられた色》
SAITO Hanna《Eaten Colors》
粘菌、食用色素、オートミール、寒天培地、アクリル
H15 × W15 × D5cm
2020
https://tavgallery.com/non-human-control/
Photo by Toru Sakai

ブックデザイン
鈴木成一デザイン室

人新世以後の芸術

Art of the Post-Anthropocene

序章

美術史の脱人間中心化

「脱中心化」とは何か

「はじめに」において、本書は美術史の「脱人間中心化」を進めることを宣言した。「脱中心化」とは何か。スイス生まれの心理学者ジャン・ピアジェは、子どもが成長の過程で「自己中心的な形の因果や世界観」から抜け出す現象を指してそう呼んだ。[1] 一般化すれば、脱中心化とは固定された単一の「因果や世界観」以外の複数の視座から別様に世界や物事の様相を眺めようとする試みであると規定できる。

脱中心化のためには、その前段階としての相対化が必須である。例えばある歴史記述を脱中心化しようとすれば、まず何よりもその歴史を語るうえで絶対視されている——すなわち、唯一のものとして措定されている——視座を相対化しなくてはならない。ドイツのユダヤ人家庭に生まれナチスに抗して命を落とした文芸批評家・思想家のヴァルター・ベンヤミンは、その絶筆となった小論「歴史哲学テーゼ（歴史の概念について）」（１９４０）で歴史記述はいつも「いま地に倒れているひとびとを踏みにじって」きた「こんにちの支配者たち」の視点から編まれてきたことに注意を促した。[2] それゆえ、ベンヤミンは「歴史をさかなで」するという行為の重要性を強調する。

イタリアの歴史家カルロ・ギンズブルグはこうしたベンヤミンの議論に触発され、「もし歴史的証拠、とりわけ意図的な歴史的証拠の生産が、大部分、生産関係に（そしてより一般的にはある特定の社会内での権力関係に）根ざしているとするなら、歴史を逆なでしながら読むということは、その証拠のうちに抑圧の痕跡を見てとるということに帰着する」と述べる。[3] このギンズブルグの主張は、歴史資料として残されているものの大部分が権力関係に絡めとられていることに対する警戒心を前提とする。だから、歴史をひもとく者は既存の資料のなかに明示的に現れていないもの――「抑圧の痕跡」（ベンヤミン）――に注意深く目を凝らさなくてはならない。

そのようなことを踏まえて哲学者の鹿島徹は歴史を「逆なでする」とは勝者から次代の勝者へと受け渡されてきた伝承の過程に潜む抑圧された「被支配層の苦役」を明るみに出し、「これまでとはまったく異なったしかたで歴史をとらえる・叙述する」ことであるという理解を提出する。[4] そのために歴史記述の脱中心化は権力関係のなかで「中心」として措定され、自明視されてきた視点の絶対性を疑う。そしてその反作用という形で「周縁」として遺棄され、等閑視されてきた（諸）視点の存在を回復することを目指す。そのことを示す好例が、若いインド史研究者たちによって結成されたサバルタン・スタディーズ・グループによる１９８０年代以降の仕事である。

そのメンバーの一人ラナジット・グハは、インドに関する既成の歴史記述には「国民形成も、その過程に息吹を与えたナショナリズムという国民意識の発展も、エリートのみが達成したものだ」という偏った前提が散見されると批判した。[5] そのためグハらはイタリアのマルクス主義思想家アントニオ・グラムシの「サバルタン（従属階級）」概念を援用し、帝国主義者や現地の支配層を含むエリートの目線「だけ」ではなく名もなき民衆の視点「も」導入することで歴史を新たに捉え直そうとした。グハらの言説においてエリートと民衆の視座がともに含まれていることは、非常に重要なポイントである。

ただし、「脱」中心化の後に「再」中心化がなされることは慎重に回避されなくてはならない。すなわち、ある絶対化された視点を脱却する過程で別の視点の絶対化が伴われてはならない。なぜならヒエラルキーを生産してきた構造自体は（その外面をすげ替える形で）温存され、結局は新しい抑圧を作り出すことに加担してしまう危険性があるからだ。ゆえに、私たちは「他の形態の中心主義の罠に陥る」（ゼバスティアン・コンラート）ことを注意深く避けながら歴史叙述の脱中心化の過程を進めなくてはならない。[6]

そうした抑圧の再生産を避けるためには、既存の「中心」と「周縁」の緊張をはらんだ複雑な関係を丁寧に分析する必要がある。サバルタン・スタディーズの研究者たちが支配階級にまつわる様々な要素を歴史記述から完全には排除しなかったのは、そのような理由による。彼・彼女らは、「従属に論理的に対応する支配というものを理解しなければ、従属そのものも捉えられない」ことに優れて自覚的であった。[7] ここでは「中心」と「周縁」という二つの概念が、お互いを存立せしめるような不可分のものとして示されている。

「中心」と「周縁」の歴史を切り離すことのできないものとして考えることは、後者の物語を「小文字の歴史」に貶《おとし》めようとする力に抵抗する有効な戦略となる。小文字の歴史とはすなわち、しばしばアリバイのように「重要ではあるが」という留保の枕詞を付与される「サブ・ナラティブ」のことである。「周縁」の物語を規範的な「大文字の歴史」（「メタ・ナラティブ」）

に接続したとき、その結節点に浮かび上がってくる綻《ほころ》びこそが私たちの認識論的盲点を明確に指し示す。

しかしここで、常に「周縁」が「中心」との比較を通してのみ論じられてきたことへの疑義も提出されていることを忘れてはならない。例えば、ともにトランスナショナルな出自を有する文化研究者の史書美《シ・シュウメイ》とフランソワーズ・リオンネットによって提示された「マイナー・トランスナショナリズム」概念を取り上げよう。この比較文化的な方法論は「マイナーな主題は、お互いに、そして他の少数集団と相対してではなく、しばしば支配的言説との対立において自らを同定している」という反省的認識に立ち、意識的に「異なる周縁のあいだの関係性を探る」ものである。[8]

さらに、歴史記述を脱中心化することは明確に政治的な色合いを帯びる。それは目下「規範」とされてきた歴史の語りが唯一のものでも、必然的なものでもないことを暴き立てるからに他ならない。このことは、「イデオロギー批判とは要するにつねに、不可避なものとして提示される社会状況が実は偶然的なものだと論証することとである」というフランスの若き哲学者カンタン・メイヤスーの指摘を想起すればよりはっきりと理解できる。[9] 現在の私たちが直面する現実は決して不変的なものではなく、概して歴史のなかで構築されてきたものである——メイヤスーの指摘は、そうした社会状況の偶有性を示唆する。このような偶有性の暴露はしばしば不公正な現状を変革することが可能であることを明証し、実際の変革へと至る道を切り開く。

そして、歴史記述の脱中心化は既存の語りがしばしばある特定の政治的イデオロギーを体現する視点から構築された限定的なものであることを白日の下に晒す。ゆえに、こうした試みは必然的に「私たちの生の根底的な偶然性を繰り返し認識する」（齋藤純一）ことを促す。政治学者の齋藤純一の見解では、そうした偶然性への自覚こそ「人びとの社会的・空間的分断」が拡大していく現代の世界において「社会的連帯を維持するために必要」な要素に他ならない。[10]

美術史における脱中心化

美術史の領域における傑出した脱中心化の試みの一つとして、美術史家リンダ・ノックリンの論考「なぜ女性の大芸術家は現われないのか？」（1971年）が挙げられる。ノックリンは「可能性やいわゆる才能天分がどれほどあっても（略）男性と同等の立場に立って、女性が芸術上の成功をおさめたり、他に抜きん出たりするのは不可能だった」ことを実証的な仕方で示したが、そうした社会状況を生み出したのは芸術制度にまつわるジェンダー間の不均衡な権力関係であった。[11] 同時に、その論考では構造的に女性芸術家を排除してきた「美術史という学問そのものの限界」もはっきりと前景化された。[12]

「なぜ女性の大芸術家は現われないのか？」が執筆された時期、第二波フェミニズムが欧米（特にアメリカ、フランス、イギリス）で大きな盛り上がりを見せていた。このノックリンの記念碑的論考は、そうした社会背景の下で実った果実でもあったのだ。「参政権の要求を主軸にとらえた」第一波に対し、一般的に「第二波フェミニズム」はより広い意味での「女性解放」を求めて展開されたフェミニズム運動と説明される（吉原令子）[13]。「個人的なことは政治的なこと」というよく知られたスローガンを掲げた第二波フェミニズムでは、「私的」領域に幽閉されて争点化されてこなかったイシューをより広い社会構造との関係において問い直すことが目標とされた。

この動きに対して提出された重要な批判の一つが、多くの白人フェミニストが「性と人種と階級の抑圧の相互関係を満足に理解して」いないというものであった[14]。そうした相互関係を見落とした結果として、第二波フェミニズム運動は「白人でもなく、物質的特権にも恵まれず、中産階級でもなく、大卒でもない女性」との連帯を満足に築くことができず、むしろそうした女性たちの「周縁化を助長」した面があったとブラック・フェミニズムのパイオニアの一人ベル・フックスは分析している[15]。つまり、そこにおいては二重の排除が複合的な仕方で発生していたということである。

イギリスを拠点に活動する黒人女性アーティストのクローデット・ジョンソンは、次のような言い回しでそうした「抑圧の相互関係」を表現している――「黒人女性は黒人男性とは異なる仕方でレイシズムに苦しんでいる。同様に、黒人女性は白人女性とは異なる仕方でセクシズムに苦しんでいる」[16]。そのためジョンソン、ルバイナ・ヒミッド、ソニア・ボイスらイギリスの黒人女性アーティストたちは（とりわけ1980年代以降）黒人コミュニティ内部の女性蔑視にも批判的眼差しを向け、芸術を通してジェンダーと人種の二重化された抑圧と格闘してきた[17]。

こうした複合的な差別の絡み合いは近年、「現実の歴史の中では従属が（略）常に複数の従属と交差している」（梁英聖《リャン・ヨンソン》）ことを含意する「インターセクショナリティ（交差性）」という概念の下で理論化されてきた。[18]この概念を最初に提起した人物は、黒人法学者のキンバリー・クレンショーであった。1980年代後半、クレンショーは「差別は、交差点を通過する往来のように、ある方向に流れているかもしれないし、また別の方向に流れているかもしれない」ことに注意を促した。[19]

とはいえ、フェミニズム研究者の清水晶子はクレンショーらが提唱した「インターセクショナリティとは、複数の差別が折り重なる、限られた特別な領域への着目を促す観点ではないことに注意を促す。[20]「インターセクショナルな分析とは、焦点を絞り込む作業というよりは（略）焦点を絞り直して視野を広げていく作業だ」と清水が述べるとき、そこで求められているのは周縁化の力学のなかでこれまで視野に収められてこなかった部分を包摂的に捉えることである。[21]

2016年に上梓された単著（*British Black Art: Debates on the Western Art History*）で、美術史家のソフィー・オーランドは「一般的に美術史を、特にイギリス美術史を構築するメカニズムによって長らく美術史から排除されてきた」ブリティッシュ・ブラック・アート（イギリスの黒人作家たちによる芸術）の歴史を紡ぎ直している。[22]オーランドの著作は長らく美術史一般を特徴付けてきた白人中心の認識論に挑戦するものであるが、その意義はそれだけではない。同書は、美術史の白人中心主義と男性中心主義を同時に脱中心化することに挑んでいる。だが、それは黒人と女性を新たに「中心」の座に据えた美術史の語りを紡ぐこととは全く異なる。脱中心化はある絶対化された視点からの脱却を志向するが、その代わりに別の絶対的な視点を措定することを目指すものではないことは繰り返し押さえたい。

　そのため、オーランドはかなりの分量を割いて1990年代におけるソニア・ボイスの作品を同時期に制作されたトレイシー・エミンやサラ・ルーカスの作品と比較する。[23] エミンやルーカスは一般に「ヤング・ブリティッシュ・アーティスト（YBAs）」に数えられる作家であり、1990年代に台頭した若いイギリス在住アーティストたちの総称であるYBAsはその挑発的作風でよく知られる。YBAsの作家たちは長らくイギリス現代美術史の「正史」、すなわち「中心」に位置付けられてきた。そうした作家群を「周縁」化されてきたブリティッシュ・ブラック・アーティストたちと比較検討することで、オーランドは新しい「中心」を打ち立てることなしに美術史において確立された「中心」と「周縁」の二項対立を揺さぶることに成功している。

　美術史家・キュレーターのミン・ティアンポによる著書『GUTAI』は、1950年代半ばから1970年代初めにかけて日本で躍動した前衛芸術集団・具体美術協会（具体）について書かれた数少ない英語のモノグラフの一つである。「モダニズムを脱中心化する（Decentering Modernism）」という副題の付された『GUTAI』の序論で、ティアンポは非西洋の一芸術運動を中心に据えて論じる同書は「既存のモダニズムの歴史記述の方法論への介入行為」であると宣言し、その理由を次のように敷衍《ふえん》する。

　　大学での美術史教育から、美術館での展示、また学術的研究にいたるまで、モダニズムの歴史は概して西洋を中心として語られ、20世紀の「大きな物語」は欧米中心だと言っても過言ではない。欧米の主要都市以外で起こる展開は、長く〈中心〉で起こることの繰り返しや模倣であると考えられてきた。[24]

この引用箇所では近現代美術の諸制度に内在する西洋中心的な視点が批判的に前景化され、それが同書における脱中心化の標的であることがわかる。

キューバ・ハバナ生まれのキュレーターであるヘラルド・モスケラは美術史や美術批評に見られるモダニズム的西洋中心主義を「あらゆる異質な存在をウイルスのキャリアとして認知する」認識論的病理と捉え、それを「マルコ・ポーロ症候群」と名付けた。[25] ヨーロッパを特権的な中心とみなすこの排他的な認識論は植民地支配の拡大とともに蔓延し、「普遍的価値という神話」に基づいて非西洋の美術を西洋の劣った模倣かエキゾチックな好奇心の対象という二項対立のなかでのみ評価してきたとモスケラは分析する。[26]

ゆえにティアンポによる「モダニズムの脱中心化」とは、常に西洋中心的に語られてきた美術の歴史を「周縁」から語り直す試みであると定義することができる。そこではモダニズム神話に登場する「主人公たるヨーロッパ」(ドリーン・マッシー)は徹底的に相対化され、近現代の芸術を叙述する物語を構成するあくまで一つの——とはいえ、不可欠な——要素として捉え直されている。[27]

人新世という概念

本書の試みも、美術史における脱中心化の系譜の末席に位置付けられる。そのときに脱中心化される当の対象は、「人間」という存在である。動物、植物、鉱物、事物など私たちを取り巻く「自然」の様々なアクターを人間の等価物とみなすとき、芸術の歴史はどのような異なる様相を呈するのか。

このような問いの立て方は部分的に、フランスの人類学者・社会学者であるブルーノ・ラトゥールが発展させた「アクターネットワーク理論（ANT）」から着想を得ている。この理論は人間と非人間を等価なアクターと考え、「それ自身は社会的でない事物同士のある種の結びつき」を探求するものである。[28] ラトゥールのANTにおいて、社会的世界や自然的世界を考えるにあたってこれまで人間が保持していた特権的地位は剥奪されている。そこでは全ての人間的・非人間的存在が平等に扱われ、それらが複雑な仕方で形成するネットワークこそが探求の対象となっている。すなわち、人間というエレメントは徹底的に脱中心化・相対化されているのだ。

人間と非人間をともに含む多様なアクターとの相互関係に対する関心の高まりは、「人新世（アントロポセン）」という用語の2000年代における台頭と深く関わる。その発端は、2000年に開催された気候変動に関する国際会議でのパウル・クルッツェンの発言であった。オゾンホールに関する研究でノーベル化学賞を受賞した大気化学研究の大家であるクルッツェンの造語「人新世」には、「人間の活動が地球に地質学的なレヴェルの影響を与えている」(吉川浩満)という含意が込められていた。[29] この用語は瞬く間に学術界を席巻し、いわゆる文理を問わず様々な領域で取り入れられた。

環境史家のJ・R・マクニールとピーター・エンゲルケは、人新世の開始を「1945年」に設定する。その根拠としてマクニールはこの年を境に「いくつかの異なる仕方で計測され、判定される、地球と生物圏に対する人間の影響」を示す数値が飛躍的に増大したことに言及し、この現象を「グレート・アクセラレーション(大加速)」と命名した。[30] グレート・アクセラレーションをもたらした要因は、特に産業革命以降の人間活動を特徴付ける諸要素(工業化、人口増加、都市開発、グローバリゼーション、核実験など)の複合的な絡み合いに同定することができる。

人新世を論じた著作の多い社会哲学者の篠原雅武は、「人新世をめぐる議論において問われているのは、人間が人間だけで自己完結的に生きるのではなく、地球において生息している様々な人間ならざるものとの連関のなかで生きているという現実をどう考えるのか、という問題である」と述べる。[31] 当然ながら、「様々な人間ならざるもの」には動植物や昆虫といった生物のみならず鉱物や日用品といった非生物も含まれる。こうした包括的な視野から、篠原は「自然」の捉え方を拡張していくことを提案する。そうした拡張された見方では、自然は広く私たちの生を「とりまくもの」として把握される。[32]

このように「人新世」は自然に対する新しい認識の仕方を提示しうるという点で非常に有効

な概念であるが、この概念に対する批判も提出されていることに留意したい。例えば美術史家のT・J・ディーモスは自らの言説において「人新世を正統的な用語として採用することに対し究極的には異を唱え」、その著書『人新世に抗して』（2017年）のなかで二つの主要な理由に言及する。[33]

第一に「その主体が「私たち」という集合的代名詞で語られている」ことからもわかるように、人新世に関する議論では「人新世の主体なるものが存在していることがほのめかされている」[34]。だがディーモスに言わせれば、これは「気候変動を引き起こした諸原因の責任を、万人が等しく負っているかのような口ぶり」である。それゆえ、こうした欺瞞的とも言えるレトリックに対して「自己同一化したくないと抵抗する人間が多くいる」ことは故なきことではないと彼は考える。

第二に「人新世を描写したイメージ群でよく示される「諸活動」は、「人間の」それであるとは言いがた」く、「大半は大企業による産業「活動」」である。[35]そのような産業活動は、「最大限の欲求をつくりだし、原料とエネルギーとの最大限流量から最大限利潤を実現しつつ、最大限の商品材とサービスとによって、その欲求を満足させよう」（アンドレ・ゴルツ）とする資本主義の論理に駆動されている。[36]人新世の幕開けを告げるグレート・アクセラレーションの諸要因が資本主義生産様式を確立した産業革命に求められることは、その証左である。ゆえに、経済思想・社会思想を専門とする斎藤幸平は「「人新世」の環境危機においては、資本主義を批判し、ポスト資本主義の未来を構想しなくてはならない」と指摘する。[37]だが、こうした事実は「人新世言説のなかでは概して隠蔽」されるとディーモスは考える。

代わりにディーモスは、「資本新世」という言葉を用いることを提案する。この言葉は環境史学者のジェイソン・ムーアらによって案出され、「資本主義、権力と階級、人間中心主義、「自然」と「人間」という二項対立的な枠組み、国家と帝国の役割に関する問い」が「支配的な人新世視点ではしばしば除外されている」ことに対する懸念が含意される。[38]「人新世」という名称をめぐる論争には本質的な問題が含まれているように思われるが、本書の目的はそうした論争に参戦することではない。冒頭で述べた通り、本書は美術史の脱人間中心化に貢献することをねらいとする。

人新世の議論に関連してエコロジーの思想を深化させてきた哲学者のティモシー・モートンは、「本当にエコロジカルな政治と倫理と哲学と芸術を阻む観念の一つが、自然の観念そのものである」と述べている。[39]このように述べるときにモートンが否定しているのは、人間がその全貌を把握しうる一つの本質を備えた実体としての「自然」という概念であるように思われる。代わりにモートンは「人間」と「自然」の境界線や「自然」の輪郭線の不分明性を強調し、それを拡張することの重要性を説く。モートンの議論に例証されるように、人新世というフィルターを通すことで私たちは(「人間」や「自然」といった)様々な概念を再定義することができるようになる。

すなわち、「人新世」は世界の交わりにおける私たちの認識を押し広げることを可能にする概念装置であると言える。本書はこうした人新世議論のエッセンスから学び、芸術の文脈で人間を拡張された自然概念におけるアクターの一つとして位置付け直すことによって美術史の脱人間中心化を達成することを企てる。そうすることで、「人新世以後《ポスト・アントロポセン》の芸術《アート》」とでも呼べるものの輪郭をおぼろげながらではあるが描き出してみたいと考えている。

脱人間中心化された美術史

人新世と深く関わる近年の思想潮流として、しばしば「思弁的実在論」の名が挙げられる。この潮流は2007年にロンドン大学ゴールドスミス校で開催されたワークショップに参加した4人の哲学者（レイ・ブラシエ、イアン・ハミルトン・グラント、グレアム・ハーマン、カンタン・メイヤスー）を始祖としているが、彼らは「相関主義を拒否するという一点において団結」していたとハーマン自身は回顧する。[40] 続けて「相関主義」とは「思考も世界も、相互的な相関においてのみ存在する一対のものである」と想定し、「互いに孤立した思考や世界を考えることは不可能である」という考えであるとハーマンは説明する。[41] すなわち、この哲学的立場は人間の思考から独立した世界の存在を決して認めない。

相関主義に対する拒絶は、メイヤスーの思想に最も明白に表出している。「人間という種の出現に先立つ」現実を表す「祖先以前性」の概念を通じて、彼は相関主義の円環から脱出を図ろうとする。[42] 一言で言えば、メイヤスーは「人間なき世界」を（にむけて）思考しようとしていると理解できる。ゆえに彼が「大いなる外部」と呼ぶそうした世界は、「私たちに関係しないものであり（略）私たちがそれを思考しようとしなかろうとそれ自体として存在していた」領域として示される。[43]

この「人間の消失」という点で、思弁的実在論は人間と自然の境界が不分明化しているという認識に立脚する人新世哲学と深く共鳴しているように思われる。ただし本書が目指すのは「人間なき」美術史ではなく、あくまで「脱人間中心化された」美術史である。脱人間中心化された美術史は「人間」存在を抹消するのではなく相対化し、拡張された「自然」概念のなかに含まれる他の様々な生物・非生物との連関を土台にして紡ぎ出される。

近年では現代美術の領域でも、オーサーシップ（作家性）の観点において人間と自然の境界を曖昧化する作品が目立つようになっている。その一例として、アーティストの齋藤帆奈による《食べられた色》（2020年）が挙げられる（図0-1）。齋藤は食用色素で色付けしたオートミールを粘菌に食べさせ、粘菌の移動による色の痕跡を平面作品として提示した。《食べられた色》では芸術作品における制作主体としての人間の自律性が審問にかけられているが、これは第1章で論じるAKI INOMATAの芸術実践とも共鳴する問題意識である。

バイオアートの領域だけではなく生命現象の研究者としても活動する齋藤は、『現代思想』に寄稿した論考（「石のチューリングテスト　思考する物質として生きること」）のなかで「「私たち」の境界線をその都度引き直す」ことの意義を強調する。「「私たち」の境界線」を絶えず特異な仕方で「引き直す」ことによって「他者と共に生き続けること」の意味を再考する役割のなかに、彼女は芸術の新しい可能性を見いだしているように思われる。[44]

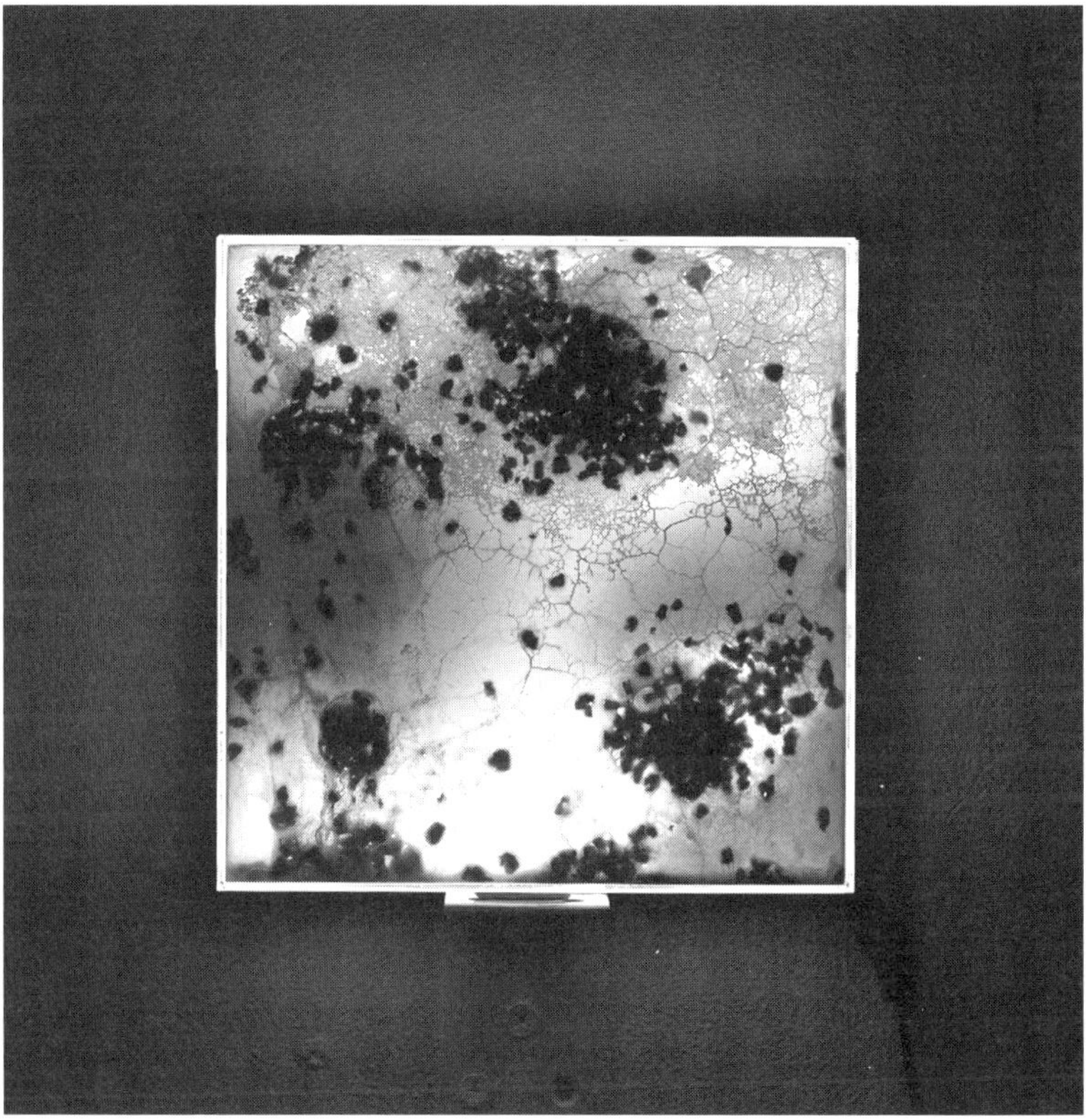

図0-1
齋藤帆奈《食べられた色 / Eaten Colors》2020
粘菌、食用色素、オートミール、寒天培地、アクリル
H15.0×W15.0×D5.0 cm
撮影＝酒井透

こうした芸術実践は、人間と自然の二項対立に疑義を呈する。歴史的に見て、自然と人間を明確に切り分ける二分法は後者による前者の支配を助長してきた。そうした二分法の起源は少なくとも17世紀にまでさかのぼることができ、それは「近代」という時代区分の到来と不可分に結び付いている。

イギリス経験論の祖フランシス・ベーコンは１６２０年に「新しいオルガノン」を意味する『ノヴム・オルガヌム』という名の書物を公刊し、近代哲学への道を開拓した。古代ギリシアの哲学者アリストテレスによって体系化された論理学（オルガノン）の根本的な刷新を目論んだ同書では、「人間の自然に対する支配権」を強固にする力は「ただ技術と学問にのみ」宿るという主張が提出された。[45] すなわち人間が自然を制御するためには実験や観察に基づく科学的知識が不可欠であるとベーコンは考えたが、こうした考え方では自然は客観的な知の対象とみなされる。

ルネ・デカルトはイギリス経験論と双璧をなす大陸合理論の起源であり、「近代哲学の父」と呼ばれる哲学者である。哲学的な方法論の点ではベーコンと真逆のアプローチを採用したデカルトであったが、彼は知を通じた支配を前提とする自然観をベーコンと共有していた。主著『方法序説』（１６３７）のなかで理想とされた「実用的な」哲学は、人間を「自然の主人にして所有者たらしめる」とデカルトは力説した。[46] ベーコンやデカルトに代表される近代的自然観は科学的知識の蓄積を積極的に促進し、人新世の開始を刻印する最初の産業革命を18世紀後半のイギリスにおいて準備した。

こうした歴史的経緯を踏まえて様々な芸術の運動や作品を再考することは、人間と自然にまつわる美術史にとって新たな解釈を提出しうるかもしれない。例えば、「ダダ」を取り上げる。人類史上初の世界大戦が暗い影を落とした1910年代半ば、その芸術潮流は中立国のスイス・チューリッヒを震源として世界各地に拡散した。その創始者であるルーマニア出身の詩人トリスタン・ツァラの言葉を読み解き、フランス現代思想と表象文化論を専攻とする塚原史――彼はダダやシュルレアリスムに関する著作も多い――はダダの本質を「「強烈さ」と「無意味」の結合による「破壊と否定」の提案」と規定する。[47]

塚原によれば、ダダは「最初から提案すべき思想内容をもっていたわけではなく、戦争の現実に対する嫌悪と既成の価値観への不信という、強烈ではあるがおぼろげな内容の精神状態から出発」したという。[48] それゆえ、まとまりのある「イズム」としてダダを定義する確固たる思想信条や形式上の統一的特徴を探すことは困難である。実際のところ、ダダに深く関与したアーティストのハンス・リヒターも「新しい芸術的な倫理」とそこから生まれた多彩な「新しい表現形式」があっただけだと回顧する。[49]

しかし、ダダに関与した芸術家に共通の関心として「偶然性」概念の重視を挙げることは可能だ。その起源譚の一つは、このことをはっきりと証明する。「ダダ」という名称の由来を伝える逸話は多数あり、いずれも神話の域を出ない。有名な逸話の一つが、その単語は喧噪のなかでツァラが辞書から無作為に抽出したものであったというものだ。この話の真偽それ自体は、ここではさして重要ではない。真に重要なことは、その始まりからしてすでに偶然という要素がダダの芸術運動の根幹にあったという歴史的事実である。

ダダの芸術家にとって、偶然性を芸術制作の過程に取り入れることは表現に不可避的に付き纏《まと》う意味を排除するためのメソッドであった。塚原も述べるように「ダダの最大の攻撃目標は言語そのもの」であり、「あくまで言語の意味作用を破壊することをめざした」[50]。よく知られた例として、寸断して袋に入れた新聞記事を無作為に取り出した言葉を並べることで詩を作る通称「ダダの作詩法」がある。絵画の領域から例を挙げれば、画家のハンス・アルプによる《偶然の法則によるコラージュ》（１９１６）は特筆すべき作品である。アルプは大きな紙の上に色とりどりの四角い紙片を滑らせ、偶然にできた配置を利用してこの絵画を作った。

偶然性を重んじる姿勢は、戦後の「ハプニング」にも確認される。これは１９５０年代末のアメリカを発祥の地として１９６０年代には欧州各地でも盛んに見られるようになった芸術形式であり、現代美術では一般的なジャンルになったパフォーマンス・アートの起源である。その発案者であるアラン・カプローはそれを一回性や非再現性という要素を備えた演劇に近いものと捉えており、ゆえに彼はハプニングの再演を「変化という概念全体を危機にさらす」行為として忌避した[51]。このことは、カプローの芸術実践において偶然性の要素がどれほど中核的であったかを如実に示す。

カプローは当時ニューヨークで教鞭を執っていたジョン・ケージの授業に頻繁に顔を出しており、20世紀実験音楽の父と呼ばれるこの作曲家から強い影響を受けた。１９３０年代に作曲活動を始めたケージは、次々と斬新な作品を発表していく。その筆頭が代表作《四分三三秒》

（1952）であり、この曲では始まりと終わりを示す以外の一切の指示は演奏者に与えられない。そのため観客は5分近く、演奏者が何もせずにいるのをただただ眺めることになる。この作品において、ケージは予想外の事態に狼狽する観客のざわめきや外界のかすかな物音を音楽に変換しようとした。

こうしたケージの試みには、一度限りの偶然性を強く意識するハプニング（カプロー）との共鳴を見いだすことができる。偶然性への並々ならぬ関心を示すさらにわかりやすい例は、1950年代初めにケージが開発した独自の作曲メソッド「チャンス・オペレーション」である。このメソッドを用いて作られた曲に、中国の古典『易経』をベースとした《易の音楽》（1951）がある。作曲プロセスに偶然の要素を介在させることで、チャンス・オペレーションは「大胆な不確定性を導入する」ことを意図した。[52]

ダダ、アラン・カプロー、ジョン・ケージはいずれも各々の独特な仕方で人間支配を超脱した偶然性や不確定要素を芸術に取り込むことで、予測可能性に立脚した近代の科学的合理性に対して叛旗を翻したとも解釈できる。そして、彼・彼女らはそのような関心を有した芸術家たちのほんの一握りにすぎない。先述の通り、近代に出現した科学的合理性は自然を十全に操作可能な客観的対象として認識することを通じてその破壊・略奪を原理的に正当化してきた。そのように考えるとき、ケージが今日まで続くエコロジー思想の開祖の一人ヘンリー・ソロー——彼の思索や生涯には、集団蜘蛛（森山安英）のパフォーマンス実践について論じた第4章でもより詳しくふれる——による手書きのドローイングに着想を得た作品を数多く残していることは単なる偶然ではないように思われてくる。

常に「人間を社会の一員としてではなく、むしろ「自然界」の住人、もしくはその重要な一部分として」眺める眼差しを備えたソローは、湖畔に建てた小屋で自給自足の生活を送りながら日に何時間も森を歩いた。[53] その散策の過程で残された数多くの動植物のスケッチは、「人間の創造的な直感を揺り動かし、繊細な芸術作品を生み出す源泉となってきた」（今福龍太[54]）。文化人類学者の今福龍太は、その好例としてケージのフォト・エッチング《ソローによる一七のドローイング》（１９７８）に言及する（図0-2）。この作品以外にも、ケージはソローをインスピレーション源とした作品を多数生み出している。

こうした芸術実践は、人間にはコントロール不可能な現象や認知することの難しい世界の一端を前景化する。ベーコンやデカルトの思想に代表される近代的合理性は、知の集積を通してそうした不確定要素をできる限り縮減しようとした。それに対してダダやハプニングはむしろそうした要素を進んで受け入れ、それを芸術の領域で積極的に活用することで展開されたと言うこともできる。こうした視座から芸術を眺めることは、美術史のなかで人間という因子を「脱中心化」する可能性の一端を垣間見せる。

しかし繰り返すが、そこに現れるのは「人間なき」美術史ではない。本書は芸術を人間の重要な営みとして位置付けたうえで、人間を部分的に超越した自然との交わり合いにおいて美術史を再構成する試みである。そのような美術史を、本書で筆者は「人間と自然の美術史」と呼びたい。

最後に本書全体を通して「人間と自然の美術史」というとき、次のことに注意深くありたい。それは接続すると同時に、必然的に両者を分離する等位接続詞「と（ａｎｄ）」の働きである。筆者が前著で扱った「芸術と社会」と同じく、「人間（人為、文化）」と「自然」を完全に切り離すことはできない。とはいえ、当然ながら理念的にも物質的にもそれらは同一のものではない。ゆえに両者の錯綜した絡み合い・重なり合いやその不分明な境界は、これから本書において繰り返し登場してくるモチーフとなるだろう。

第 1 章

重要な他者との終わりなき会話

――AKI INOMATAのインスタレーション

significant otherness

２０１９年、青森県の十和田市現代美術館でAKI INOMATA——彼女こそ、本章が主役として扱う現代美術作家である——の個展が開催された。その展覧会は「Significant Otherness」と題され、日本語版のタイトルには「生きものと私が出会うとき」という文言が添えられた。既存の邦訳書では「重要な他者性」と訳されている「significant otherness」は、フェミニズムやジェンダーの視点から科学的な技術や知の進展を考察してきた科学史家のダナ・ハラウェイが２００３年に上梓した著書『伴侶種宣言——犬と人の「重要な他者性」』のなかで用いた言い回しである。

INOMATA自身、自らの芸術実践に対するハラウェイの仕事からの影響を公言する。彼女は、次のように語る。

> ２０１３年に《犬の毛を私がまとい、私の髪を犬がまとう》（２０１４）という作品を制作していたとき（略）他種の生き物と一体になるのは容易ではないと感じていました。そんなとき、ハラウェイの『犬と人が出会うとき——異種協働のポリティクス』と『伴侶種宣言——犬と人の「重要な他者性」』の日本語訳（ともに２０１３）が刊行され、強い後押しになったんです。（略）ハラウェイは人間と異なる生き物を支配や利用の対象ではなく、「significant otherness」（重要な他者性）ととらえて並存しようとしている。そこにシンパ

シーを感じました。[1]

２０１９年に北九州市立美術館で開催された別の個展「相似の詩学」に付された「異種協働のプロセスとゆらぎ」というサブタイトルが示すように、INOMATAは異なる種に属する生物との協働作業の過程と――「ゆらぎ」という言葉が象徴するように――そこで発生する予測不可能な不調和を作品化してきたアーティストである。

INOMATA自身も示唆するように、ハラウェイは「significant otherness」という表現によって「人間が人間以外の生命のプロセスに参加していない状態」を前提とする「人間例外主義（human exceptionalism）」――彼女の思想に造詣が深い逆巻しとねは、霊長類学者の足立薫との対談のなかでこの概念を「人間によって周縁化されているものを問題にする」際に攻撃対象となる「人間中心主義（anthropocentrism）」と峻別する――を槍玉に挙げる。[2]逆巻によれば、こうしたハラウェイの思考には「かつて自らが霊長類に対してとった態度の内省と哲学的他者概念の批判が凝縮されている」[3]。

例えばハラウェイは『犬と人が出会うとき』（２００７）のなかで「種の交互依存」は地上で生きるありとあらゆる生命体が不可避的に巻き込まれている「ゲームの名称」であると述べ、「このゲームは、応答（response）か敬意（respect）かのいずれかである必要がある」と付言する。[4]そのような考えを起点として、哲学者のジャック・デリダによる猫に関する議論（「デリダは哲学者として（略）猫から、猫について、猫とともに学んだということはなかった」）やジル・ドゥルーズとフェリックス・ガタリの『千のプラトー』における「1730年——強度になること、動物になること、知覚しえぬものになること」と題された章（「実在の動物たちに対する好奇心や敬意の徹底した欠如」）を否定的に引き合いに出しながら、他の種に対する「応答」や「敬意」は「歴史にまみれた動物と人間が互いを振り返ること」を通して初めて可能になるとハラウェイは主張する。[5]

そうしたことを踏まえて、逆巻は「significant otherness」を「かけがえのない互いであるということ」と訳出する。そして彼はその言葉を「形而上学的でどこか神的で浮世離れした無限の他者性を、親密で有限で世俗的な「わたしたち」の次元に差し戻す思考実践」であり、「決して自己や他者という概念ではとらえることのできない、「お互い」(each other/one another)のものとして日常的に実践されている（必ずしも言語を必要とはしない）無礼講のダンス、あるいはあやとり遊びの演目」と解釈する。[6] そこでは常に特定の状況に拘束されてはいるが、各アクターが相互に包摂し合うような共的な生成プロセス（人間もそのなかに巻き込まれている）そのものが見据えられている。

人間を含む多様な生命体が重層的に織り成すINOMATAの芸術実践は、こうした「無礼講のダンス」や「あやとり遊びの演目」から生まれる結晶を欠くべからざる構成要素とするマルチメディア・インスタレーションと言える。彼女の作品はいずれもかけがえのない存在としての非人間生物との動的・相互的な生命プロセスの痕跡をはっきりとその内に留め、同時に再現不可能な一回性を突出した特徴とする。すなわち全く同じダンスは二度と踊られることがなく、あやとり遊びが以前と全く同じ過程で反復されることは決してない。

他方、「significant」の二通りの含意——この英単語が有する、「重要な」と「著しい」という2つの意味——にも注意を払いたい。『伴侶種宣言』の邦訳者である文学研究者の永野文香は同書の訳注欄において、「「重要な他者性」というハラウェイの鍵概念には「重要な他者−性」と「著しい−他者性」、すなわち、かけがえのないパートナーであることと、それにもかかわらず互いに無視できない他者性を有していることという、二重の意味が仕掛けられている」と指摘する。[7] ハラウェイ自身も「具体的な差異において、相互に著しく他者である(significantly other)わたしたち」という言い回しを用いて、人間と動物（ただし、ここで彼女は対象を「犬」に限定している）のあいだの埋め難い懸隔を際立たせる。[8]

しかし、この二重性は決して矛盾したものではない。「著しい」差異を備えているからこそ、動物は人間にとってこの上なく「重要な」存在となる。なぜならば、人間以外の生物は人間がどうしてもそこから完全には脱することのできない人間中心的な見方や視座を相対化する鍵となるからだ。人間と非人間（ここには生物も非生物も包摂される）の複数のアクターが複雑に絡み合いながら紡ぎ出される知の生成を通して、人間の思考や実践が不可避的にはらむ人間中心主義は解体されていく。

「significant otherness」の名において要請されるのは「繊細な現場仕事」である、とハラウェイは説く。彼女の表現を借りれば、それは「調和しえない数々の行為体や生活様式があるとき、それぞれが継承した全く異質な歴史と、可能性はきわめて低いが絶対的に必要な共同の未来との両方に対して説明責任を果たすようなかたちで、それらが寄せ集められるような仕事」である。[9] 本章で見ていくINOMATAの芸術実践は、まさにそうした「繊細な現場仕事」を見事に体現している。

ハラウェイは『伴侶種宣言』のなかで、「significant otherness」の体現者としてスコットランド出身の彫刻家アンディ・ゴールズワージーの作品を称揚する。少し長くなるが、ゴールズワージーの芸術実践について論じたハラウェイの記述を引用する。

彼［ゴールズワージー］を夢中にさせるのは、生身の植物や大地、海、氷、石のなかを流れる、時間の尺度や流動である。ゴールズワージーにとって土地の歴史は生きている。しかも、その歴史は人、動物、土、水、岩の多形的な係わりあいによって成り立っている。彼の作業尺度はさまざまで、彫刻をほどこされた氷の結晶に小枝を織り込んだものから、満潮時には波に洗われる時間帯に造られた人ひとりほどの大きさの岩の円錐群、さらに田園地方に築かれた長大な石の壁にまでおよぶ。（略）その彫刻は数秒しか保たないものもあれば、何十年もの時間に耐えるものもあるが、死すべき運命と変化とが意識から離れることはない。変遷《プロセス》と消滅は――そして、生物および非生物の諸行為体《エージェンシー》はもとより、人間および非人間の諸行為体も――たんに彼の主題というだけではなく、彼のパートナーであり、素材なのである。[10]

ゴールズワージーの芸術は、しばしば「ランド・アート」と呼ばれる潮流に位置付けられる。ランド・アート（アース・ワーク）とは、「アメリカやイギリスで一九六〇年代後半から七〇年代によく見られるように」なった「主に自然に存在する物質を用いて屋外に設置される芸術作品」の総称である。[11] 2005年にPHAIDON社から刊行された大型本『ランドアートと環境アート』にも、《トーン・ホール》（1986）や《アイス・ピース》（1987）といったゴールズワージーによる1980年代の作品が掲載されている。

前者はイギリスの大学の入り口に繁茂していたトチノキの葉を繋ぎ合わせて円形の空隙を創出したサイト・スペシフィックなインスタレーション、後者はスコットランドの山地の氷を組み合わせて作った繊細な彫刻である。これらの作品からもわかる通り、「ゴールズワージーは、その場で見つけた素材や自然の過程、さらには息を吹きかけたり、いじったり、支えたりして新しい形をつくることで、風景の中に作品をつくる。彼の作品は多くの場合非常に短命で、写真に撮って記録する」。[12] ゴールズワージーにとって、芸術作品自体の永続性という要素はほとんど価値をもたない。

1960年代半ばから1970年代にかけ、ランド・アートは欧米の芸術界を席巻した。その金字塔とされる作品が、ロバート・スミッソンの《スパイラル・ジェッティ》（1970）である。この巨大な野外芸術作品はユタ州のグレートソルト湖に建設された全長約460メートルに及ぶ渦巻き状の突堤であり、土砂や岩石などの自然素材から構成される。スミッソン以外の代表的なランド・アートの作家として、ナンシー・ホルト、マイケル・ハイザー、ウォルター・デ・マリア、ジェームズ・タレルらの名を挙げることができる。

アメリカを中心に活動していたこれらのランド・アーティストたちの作品は、重機などの大型機械を動員して制作される大がかりなものが大多数を占めた。こうした傾向に対して、美術批評家のルーシー・リパードは2014年に発表した著作（*Undermining: A Wild Ride Through Land Use, Politics, and Art in the Changing West*）のなかでランド・アートは人間による自然の「植民地化の一形式（a kind of colonization in itself）」という側面を有していたと糾弾する。[13] リパードの目には、その大部分が持続可能性を無視した人間による自然への強引な介入行為であると映じたためである。

だが、イギリスのランド・アートがアメリカを中心にして広まったそうした傾向とは異なる進展を見せたことは言及に値する事実だ。リチャード・ロングやハミッシュ・フルトンといったイギリス人アーティストは、こうしたオルタナティブな道程を象徴する。機械でなく自らの身体を駆使して進められるロングやフルトンの芸術実践は、常に「身の丈に合った」スケール感で制作がなされた。先述の雪や氷にわずかに手を加えることで仕上げられるゴールズワージーの作品は、ロングやフルトンのやや後続世代に位置するイギリスを代表するランド・アートである。

ゴールズワージーのきわめてエフェメラルなアース・ワークの大半は、先述の通りごく短い時間しか世界にその姿を留めない。そのようにイギリスのランド・アートは自然に対する干渉を最小限に抑え、作品とその周囲の環境の調和を最大限に保とうとすることを特色とする。そうした意味で自らの作品が時間の推移のなかで徐々に変化し、最後は朽ち果てていくことを志向するゴールズワージーの芸術実践はイギリスのランド・アートの正統的な流れに位置付けられる。

ハラウェイはこうしたゴールズワージーの芸術には「死すべき運命を負った有限の流動（略）のなかで、いかに倫理的に生きるべきかという問い」が内包されていると評し、次のように言葉を継ぐ。

> 彼［ゴールズワージー］の芸術は、ある土地の特異《スピシフィック》な人間居住にきっちり即してはいるが、だからといって人間中心主義《ヒューマニスト》的芸術でも、自然中心主義《ナチュラリスト》的芸術でもない。それは、自然―文化の芸術なのだ。そこでは分析の最小単位は関係であり、それはつまり、あらゆる尺度《スケール》における〈重要な他者性〉のことである。[14]

INOMATAの芸術作品もまた、有限の生を抱えた（当然ながら、限られた寿命をもつ私たち人間も例外ではない）種々の生き物との様々なスケールで展開される共同作業を通じて制作される。本章は、こうしたINOMATAの表現活動を考察の対象とする。その実践は、人間が「significant others（重要な他者たち）」としての非人間の生物との関係のなかで「いかに倫理的に生きるべきかという問い」に迫るためのメソッドに関して示唆に富んだ洞察を私たちに与えるのではないだろうか。

集合名詞としてのAKI INOMATA

AKI INOMATAは1983年に生まれ、2008年に東京藝術大学大学院の先端芸術表現専攻を修了したことになっている。「ことになっている」というのはもちろんその経歴に不鮮明な点があるという意味ではなく、「1983年に生まれ、2008年に東京藝術大学大学院の先端芸術表現専攻を修了した」人物は「AKI INOMATA」の作家性を構成する不可欠な要素ではあるがあくまでその一部にすぎないからである。INOMATA本人も語るように、「AKI INOMATA」はそのなかに人間とともに多様な生物種を包括しうる無限の大きさをもつ器のごとき集合名詞と解することができる。

その意味ではAKI INOMATA名義の芸術作品（特に映像）にしばしば登場し、展覧会のレセプションに顔を出し、時には人前で作品についてのプレゼンを行うこともある「人」はAKI INOMATAを「代表する」（represent）存在であるとみなすこともできる。とはいえ政治哲学者の山本圭が「代表と民主主義がまったく異なる出自をもち、時には対立さえしかねない概念である」と強調する通り、どのような場においても完全に水平的で平等な「代表制」（representation）の実現は至難の業である。[15]

それゆえ、ここで「［人間の］INOMATA」がコンセプトの設定から生殺与奪の権まで握っているという事実は動かない」という逆巻の指摘に耳を傾けることは重要だ。[16] 同種間であれ異種間であれ、他なる存在との関わり合いにおいて権力関係は必ず発生する。こうした逃れ難い宿命と向き合いながら、INOMATAは芸術制作を続けてきた。
INOMATAの最初期の作品であり、しばしばその芸術活動のエートスを表す代表作とされる《やどかりに「やど」をわたしてみる -Border-》は2009年に初めて発表され、現在に至るまで様々なバリエーションで展開されてきた進行中のプロジェクトである（図1-1）。INOMATA自身、あるインタビューのなかで同作が自らの芸術実践における「ターニングポイント」であったと語る。[17] この作品が構想されたきっかけは、当時東京・広尾にあった駐日フランス大使館が移転に際して取り壊されることになり、その前に旧庁舎を会場にした大規模な現代美術展が企画されたことであった。「No Man's Land（誰のものでもない土地）」というタイトルが付けられたその展覧会において、《やどかりに「やど」をわたしてみる》が初めて発表された。
広尾のフランス大使館は解体されたことでその土地は日本に返還されることになったため、「そこ」は突如としてフランス領から日本領に変わる――さらに、しばらく経った後には再びフランス領に戻ることが決まっている――という。この話を聞いたINOMATAは新鮮な驚きを覚え、「同じ土地なのに、フランスと日本を行ったり来たりしているのが面白く」感じた。[18]《やどかりに「やど」をわたしてみる》のアイデアは、人間世界におけるこの話を別の生物の習性と重ね合わせる（「同じ土地でありながら国が変わる――大使館の領土の話と、ヤドカリの習性とが、ふいに結びつき」）ことによって生まれた。[19]
INOMATAは東京、ニューヨーク、バンコクといった世界各地の都市を象った透明な「殻」――その表面には、それぞれの場所を象徴する建物が配される――を制作し、それらをヤドカリが暮らす水槽のなかに置いた。アーティスト自身も述べるように、「殻は私［INOMATA］が制作したものだが、移り住むかどうかを決めるのはヤドカリ自身である」点は重要だ。[20]こうした発言からは、「重要な他者」としての生き物のコントロール不可能性に対するINOMATAの関心が明白に読み取れる。

《やどかりに「やど」をわたしてみる》を制作する前年、すなわち2008年から2009年にかけてINOMATAはインスタレーション《010101》を制作している。東京藝術大学大学院の修了展に出展された同作では、コンピュータを用いて自然現象をプログラム化した空間が提示された。この空間では天井から水銀灯、作家が自作した装置、薄い水槽が吊るされ、装置から水槽へ、時に規則的に、時にランダムに水滴が落とされる。その影が水銀灯で白い床にプロジェクションされることで、そこには薄く水が張られているかのように見える仕かけがなされている。その水滴が作り出す幾何学的、あるいは有機的な形をした波紋の模様は鑑賞者を自然と不自然の中間を常に揺れ動く非日常的な経験へといざなう。

この作品からもわかるように、INOMATAは学生の頃は「人工物と自然物の中間のようなものを模索していた」。だが、「シミュレーションどおりのものが生まれることが多くて、少々物足りなくなってきた」ために「予測のできないものとコラボレーションして、新しい何かが生まれる作品にしたいと」考えるようになったとINOMATAは言う。[21]彼女は都市空間が人間によって規格化されコントロールされた場となっていることに一種の閉塞感を覚え、その対抗策として《010101》の構想に着手した。しかしその結果、自らが空間のコントロール主

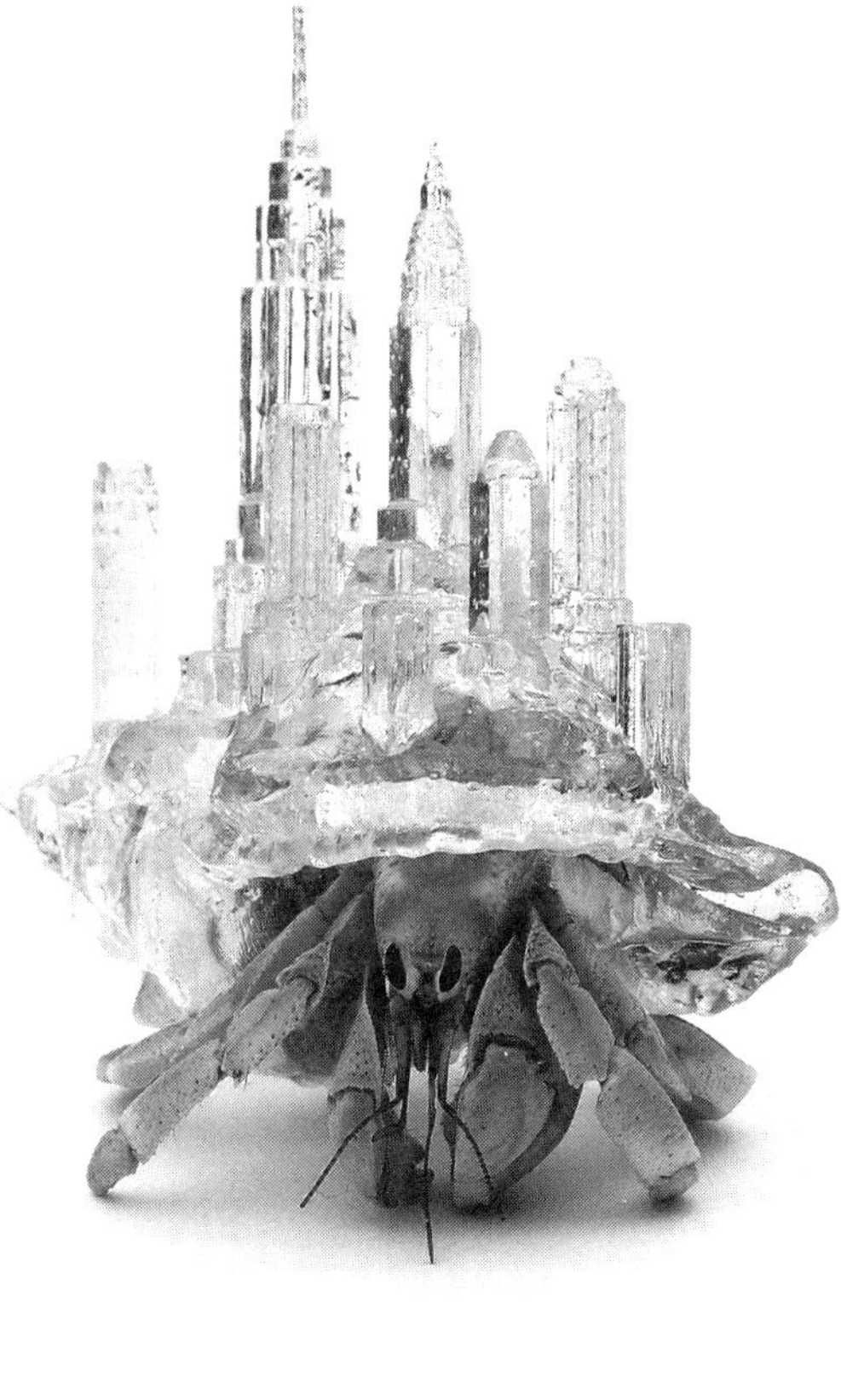

図1-1
AKI INOMATA《やどかりに「やど」をわたしてみる -Border-》2009～
© AKI INOMATA, courtesy of MAHO KUBOTA GALLERY

になってしまったように感じたのだと推察できる。

こうした「違和感の再生産」の連鎖を食い止めるべく、INOMATAはさらに制御不可能な他者性を追い求めるようになった。そして、彼女は非人間の生物との協働作業という解にたどり着いた。そして、その最初の一歩となる記念碑的作品が《やどかりに「やど」をわたしてみる》であった。

最初の会場となった旧フランス大使館には、パリと東京の街を模した「宿」を行き来するヤドカリの様子が収められた映像が出品された。その後もこのプロジェクトには世界各地の都市を塑像した殻が追加されていき、2018年に東京・天王洲にあるTERRADA ART COMPLEXで行われたグループ展では様々な「国家」という仮初めのアイデンティティを（文字通り）背負ったヤドカリたちが入った実際の水槽も展示された。ベネディクト・アンダーソンの有名な「想像の共同体」概念を持ち出して、INOMATAの《やどかりに「やど」をわたしてみる》を読み解くことはさほどアクロバティックな解釈ではない。

特にインドネシアを専門とする政治学者のアンダーソンは『想像の共同体』（1983）のなかで「国家」は「想像の政治共同体《イマジンド・ポリティカル・コミュニティ》」であるという洞察を示し、「国民」は「イメージとして心に描かれた」「想像力の産物」であると主張した。[22]《やどかりに「やど」をわたしてみる》は虚構のユニットにすぎない「国家」を基に人間を分類する属性である「国籍」——ここに「人種」「性別」「宗教」など他の様々な属性の名称を代入することもできる——によって人間の本質を規定しようとする「習性」をユーモラスに挑発し、私たちを拘束する国家の軛《くびき》に挑戦していると読み解くことができる。『美術手帖』誌上で行われたINOMATAとの対談のなかで、写真家・映像人類学者の港千尋は「僕が両者［ハラウェイとINOMATA］に近さを感じるのは、ユーモア」だと指摘する。[23] 社会・政治的な事象を思わず鑑賞者の笑みがこぼれてしまうユーモアへと変換していくINOMATAの芸術的手腕を、ここでの港は高く評価している。

２００９年から開始された《やどかりに「やど」をわたしてみる -Border-》はその後も《やどかりに「やど」をわたしてみる -White Chapel-》（２０１４～２０１５年）、あるいは《やどかりに「やど」をわたしてみる ─里山─》（２０１８年）など様々なバリエーションに派生しながら現在まで継続されている。前者は「結婚式教会」という現象を入り口として西洋と東洋（日本）のあいだの文化的・宗教的な相互交流に光を当てた作品、ＪＲ東日本が企画した「現美新幹線」内で初めて披露された後者は「里山」という概念を通して自然と文化（人為）の二項対立に問いを投げかけた作品である。

続く２０１０年に制作された映像作品《インコを連れてフランス語を習いにいく》でも、（人間の）INOMATAは人間同士による優れて「人間的な」営みに人間以外の生物を巻き込む（図１-２）。この作品のなかでユーモラスな意味や概念「脱臼」の標的となっているのは人間と動物を分け隔てる要素の内、古来より最も本質的なものの一つとされてきた「言語」である。

１６５１年に発行された政治哲学の書『リヴァイアサン』の著者トマス・ホッブズは、同書のなかで「話す能力がなかったら、人間相互間に国家・社会・契約・平和が成立することはな［く］（略）ライオンやクマオオカミの群と同じようになっていたであろう」と記した。[24] さらに

1770年にヨハン・ゴットフリート・ヘルダーによって著された『言語起源論』にも、「人間は聴きとる能力と、しるしをとらえる能力をもつ生物として、言語を発明するように生まれついている」と明記された。[25] このようにホッブズやヘルダーをはじめ、多くの論者は言語を人間特有のものとみなす傾向がある。

《インコを連れてフランス語を習いにいく》には前作《やどかりに「やど」をわたしてみる -Border-》における「国家」に対する関心、すなわち人間に固有のものとされる事象の恣意性に対する疑いと地続きのものが見られる。この作品でINOMATAがその制作プロセスにおける相棒に選んだのは、オスのワカケホンセイインコ（元々はインドやスリランカに生息していた外来種）である「わさびっちょ」であった。幼鳥の頃に東京の井の頭公園の近くで瀕死の状態で保護されたこのインコは、プロジェクトの開始時にはすでにいくつかの日本語の単語（らしき音）を「しゃべる」ことができたという。

INOMATAは「インコであれば、［人間と違って］日本語とフランス語の区別などないはず」と考え、「母国語と外国語の別なく、音で「真似る」インコをパートナーに加え」た。[26] しかし、この目論見は見事に外れた。映像にはINOMATAとともにフランス語講師のレッスンを受けるわさびっちょの様子が映し出されているが、（当然と言えば当然のことであるが）彼は人間同士の営みにはほとんど目もくれない。レッスンの間、居眠りをしていることもしばしばである。授業が終わり休憩時間に入ると、パッと目覚めて食事をねだり始めるのは人間の学校でも頻繁に見られる光景で微笑ましくも思える。

半年が経っても予想に反してわさびっちょはフランス語をさっぱり覚えず、INOMATAはこのプロジェクトの中止を検討し始めた。そのとき突然、授業の最中にわさびっちょが「S'il vous plaît（ちょうだい）」という単語を発音した。彼はいつも餌をねだるときに「ちょうだい」と発声するが、それが仏単語の「S'il vous plaît」と結び付いたのではないかとINOMATAは推測する。1781年、ヘルダーが『言語起源論』を上梓してから約10年後にジャン・ジャック・ルソーによる同名の『言語起源論』が死後出版された。そこでは「言語」の始まりについて、「［身体的］欲求が最初の身振りを示唆し、情念が最初の声を引き出した」という主張がなされた。[27] ルソーの考えに照らすと、わさびっちょの最初の（日本語の）発声が欲求をダイレクトに表現するフレーズであったことは興味深い。

それ以降はレッスンの途中にも「S'il vous plaît」を連呼するようになったわさびっちょであったが、その内に日本語とフランス語が入り混じった不思議な語彙が飛び出すようになった。この現象に関して、INOMATAは小説家の温又柔《おんゆうじゅう》がエッセイ集『台湾生まれ 日本語育ち』（2015）――その表紙には《やどかりに「やど」をわたしてみる》の作品写真が使用されている――のなかで書かれている「ママ語」との関連を後から見いだしたと言う。トランスナショナルな出自をもつ温は、同書で自らの母が使う「母の母国語である中国語の気配が惜しみなく漂っている」日本語を「ママ語」と名付ける。[28] このような個体ごとに異なるそれぞれの特異な背景に基礎付けられた個別的パロールの形成もまた、人間と他種の「言語」における注目に値する類似性を浮かび上がらせる。

《インコを連れてフランス語を習いにいく》は「言語」にまつわる人間活動に動物を巻き込むことによって、シニフィアン（能記、聴覚映像）とシニフィエ（所記、概念）のあいだにはいかなる必然的連関もないという言語学者のフェルディナン・ド・ソシュールによるエポック・メイキングな発見——「能記を所記に結びつける紐帯は、恣意的である、いいかえれば、記号とは、能記と所記との連合から生じた全体を意味する以上、われわれはいっそうかんたんにいうことができる：言語記号は恣意的である」——を改めて視覚的に浮き彫りにする。[29] 美学者・哲学者のジョルジョ・アガンベンはさらに踏み込んで「言語は人間の心的構造のなかに先天的に具わる自然的な所与では」なくて「歴史の産物」であるがゆえに「本来、言語は動物にも人間にもあてがうことはできない」と主張することで、「言語」という概念自体の自明性を疑う。[30]

このINOMATA作品は生きた動物とのコラボレーションを通じて、ソシュールやアガンベンが先鞭を付けた（私たちが呼ぶところの）「言語」そのものの自明性への疑いを前景化する。ただが同時に「第二言語」をなかなか覚えなかったわさびっちょの姿を通して、鑑賞者はこのインコの苦労——彼自身は全く「苦」だとは感じていないかもしれないが——をどことなく人間の営みと重ね合わせながら微笑ましく眺めもするだろう。ここにも先ほどの港千尋が指摘する、INOMATA作品を特徴付けるユーモアの存在が見られる。加えて声にならないような「声」が発せられる、人間の語彙で言う「喃語期《なんごき》」のような何かがインコの「言語」習得の過程でも確認できた点が興味深かったとINOMATAは筆者に語った。

この作品に関して筆者と交わした会話のなかで、INOMATAが「生き物との協働のプロセスにおいて、時には待ってみたり、時には自分から近付いてみたり、綱引きのように繰り返している」という旨の発言をしたことは示唆的である。こうした姿勢は、INOMATAが他の生物種と切り結ぼうとするユニークな関係の本質を表しているように思われる。彼女は他の生物種との関係を完全にコントロールしようと考えてはいないし、それができると思ってもいない。だが、かといってINOMATAはそうした関係のなかで全くの偶然性に身を委ねているわけでもない。そこには「重要な他者」たちとの一筋縄ではいかない「綱引き」や「あやとり遊び」を楽しもうとする、アーティストのポジティブな態度が垣間見える。

もちろん、先述の通りINOMATAは人間と非人間の生物のあいだにある権力関係——彼女が作品制作のために選んだ「パートナー」が本当に協力に同意しているかは判断する術がないし、おそらく「パートナー」たちにも芸術活動に関与しているという観念は毛頭ない——を十分に自覚している。そのうえで《やどかりに「やど」をわたしてみる》や《インコを連れてフランス語を習いにいく》でINOMATAは人間ならざる媒介項を介在させることでしばしば人間世界に固有と考えられている事象をユーモアある仕方で脱臼し、それらを批評的に観察することを目指していると理解することができる。

冒頭で言及したINOMATAの個展が開催された2019年に十和田市現代美術館で学芸統括（当時）を務めていたキュレーターの金澤韻は、INOMATAの芸術実践の変遷について彼女自身の見解を示す。金澤によると「INOMATAの［初期］作品は、生き物を通して人間世界について考察するもの」であったが、「現在に近くなるにつれて、生き物の視点や知覚に焦点をあて、それを人間の側から想像するような作品が多くなってくる」――「つまり、INOMATA自身、生き物との協働を重ねるうちに、だんだんと人間サイドから生き物サイドへと関心がシフトしてきているのではないか」という。[31]

既出の《やどかりに「やど」をわたしてみる》や《インコを連れてフランス語を習いにいく》に加え、金澤は亀の甲羅の上に一つの町を出現させた《World Outside Your World》(2011)やミノムシに女性服の端切れを纏わせてその生態と服装にまつわる人間社会における男女の力学を浮かび上がらせる《girl, girl, girl…》(2012/2019)を「生き物を通して人間世界について考察する」INOMATA作品の例として挙げる。これらの作品は人間の世界の事象を非人間の生物の生態に投影することによって、それらに異なる角度から光を差し込む芸術的試みと解することができる。

金澤の議論を敷衍すれば、INOMATAの《犬の毛を私がまとい、私の髪を犬がまとう》(2014)を「生き物を通して人間世界について考察する」作品から「生き物の視点や知覚に焦点をあて、それを人間の側から想像する」作品へのちょうど移行期に位置付けることができるかもしれない(図1-3)。この映像作品は人間と動物の相互関係に焦点を当て、同作でINOMATAは芸術的行為を通じて自明視される人間と動物の境界を揺さ振ろうと試みる。そこにはアーティストと犬が、お互いの毛で作られたコートに身を包んで登場する。

長きにわたり「人類進化という犯罪のパートナー」(ハラウェイ)であり続けてきた犬は、人間の歴史と切っても切り離せない存在である。[32] それにもかかわらず、両者の関係は人間中心的な世界の発達の過程で歪《いびつ》な形へと変容させられてきた――アーティストは、そのように考える。「見た目の美しさによって犬を評価する」ドッグショー、しばしば「深刻な遺伝病に冒されている」純血種の犬たち、「殺処分される犬も少なくない」巨大化したペット産業などを例に挙げ、《犬の毛を私がまとい、私の髪を犬がまとう》の制作に着手した動機には「犬と人の歪んだ関係にスポットをあて、新しい関係をとり結ぶ方法を考えたい」という思いがあったとINOMATAは吐露している。[33]

INOMATAと他の生物種の協働によって実現されるアート・プロジェクトは、独自の「マルチスピーシーズ民族誌」を提唱することで人類学の刷新を目指している人類学者のアナ・チンが「人間と人間以外の存在による、多数の世界制作プロジェクト」と呼ぶ実践を具現化しているると見ることができるかもしれない。[34] これまでハラウェイと多数の共同研究を行ってきたチンの見方では、人間は生きるための日々の活動を通して常にすでにこの「世界制作プロジェクト」に様々な形で関与している。現代美術と人類学というフィールドの違いはあるが、INOMATAもチンも非人間との相互浸透に新鮮な光を当てることを通じて世界における人間の存在を相対化しようと試みている点において一致する。

「ときに固定的で限定的な生態学でいうところの「コミュニティ」」と同じ意味合いで用いられる「アッセンブリッジ」という概念の用法に異を唱えるチンは、多様な種が互いに影響し合っているがゆえに「アッセンブリッジは閉じていない集まり《ギャザリング》である」と再定義する。[35] すなわちアッセンブリッジは恒常的に変容する集合体であり、そこに参与するための「許可証」を発行する権限を有するいかなる特権的な主体も存在しない。本章の最後の節で立ち戻るが、これはINOMATAの芸術実践を考えるうえで重要な示唆であると考えられる。

「生き物の視点や知覚に焦点をあて」（金澤）た（現在までのキャリアの中の）後期のINOMATA作品を象徴する好例として、《彫刻のつくりかた》（2018〜）が挙げられる（図1-4）。周囲の木を切り倒し、それらを組み合わせることで川の流れをせき止める「ダム」のような構造を作り出すビーバーの「仕事」はよく知られる。こうしたビーバーたちの営みを、人間が言うところの「造形」と捉えることは可能だろうか。INOMATAは芸術制作における制作主体のありか、すなわちオーサーシップの拡張をねらい、今度はビーバーを制作パートナーに据えて「ビーバーによる木彫作品」の制作に取りかかった。

樹木をかじって伸びた歯を削るビーバーの習性を利用し、INOMATAは協力を得ることができたいくつかの動物園内のビーバーの飼育エリアに生木の角材を置いた。そして、ビーバーたちがそれらの角材をかじるのを待った。やがてそれらの角材はコンスタンティン・ブランクーシの作品を彷彿とさせるような形状から、砂時計のような形のものが（かじり切った結果として）真ん中で分離して出来上がった円錐型の小品まで多岐にわたるバリエーションをもつ「木彫作品」と化した。この作品は「タイ・ビエンナーレ2018」に出品されたが、そのときにはINOMATAはビーバーがかじった角材をタイの工房に依頼して模刻してもらい（ビーバーと人間のスケールの差を考慮して、模刻には3倍の大きさの石材を用いた）、それらの石彫を屋外の展示

図1-4
AKI INOMATA《彫刻のつくりかた》2018～

会場となっていた池の周囲に配した。

INOMATA自身も述べるように「その造形は、ビーバーの習性から生まれた「副産物」にすぎない」が、私たちにはそれらがどうしても「彫刻作品」のように見えてしまうという事実がある。[36]それゆえにこそ、この作品は人間が「美術」なるものの特権的な担い手であるという固定化された感覚にユーモラスな攻勢を仕かけてくるのだ。このようにINOMATAの《彫刻のつくりかた》は芸術制作の主体としての人間という前提それ自体を審問にかけるが、これは最新のインタビューで「「作品のつくり手は誰なのか？　作者性はどこにあるのか？」が現在の私の興味になっている」と語る彼女の関心にダイレクトにつながる。[37]

「芸術とは何か」という根源的な問いをはらむ《彫刻のつくりかた》は、ジョゼフ・コスースの有名な《1つと3つの椅子》（1965）——椅子の「写真」、「現物」の椅子、椅子の（言語的）「定義」を並列したインスタレーション——を想起させる。コンセプチュアル・アートの始祖の一人とされるコスースは、「コンセプチュアル・アートのもっとも「純粋な」定義は、これまでの経緯で現在「アート」がもつにいたった意味、その概念の基盤の探求ということではないだろうか」と宣言した。[38]その意味で、《彫刻のつくりかた》と《1つと3つの椅子》は見た目以上に本質的な類似性を備えているように思われる。

ここまで見てきたように、「AKI INOMATA」という作家名はその中心としての「人間の」INOMATAを核とする。この事実は動かし難いが、その周囲に無限に広がる他の生物種の存在を包含し得る「集合名詞」のようなものとして「AKI INOMATA」を解釈することができるのではないか。そして最後の節で具体的な事例は紹介するが、この集合名詞のなかに作品の構想時には予想もしなかった「参加者」たちが遅れて参入してくるという事態が起こりうる。それゆえ、「コレクティビズム」という概念から「AKI INOMATA」の芸術を考えることは興味深い洞察を導くように思われる。

『美術手帖』2019年4・5月合併号の特集が「アート・コレクティブ」と題されていたことからもわかる通り、「コレクティビズム」は2010年代以降の現代アート界におけるバズワードの一つである。美術評論家の福住廉は同誌の一記事で、「アート・コレクティブ」という概念を「単独ではなく複数でチームを構成し、その集団的主体性をひとりのアーティストとする考え方」と解説する。[39] 美術史家のブレイク・スティムソンとアーティストのグレゴリー・ショレットが論じるように、芸術における近代以降のコレクティビズムは「あらゆる集団の形成に付随する不可避的に異種混交的な性質に抗う（fight against）のではなく、（略）それを含み込む（embrace）」ことを特徴とする。[40] INOMATAの芸術は「AKI INOMATA」という集合名詞の巨大な器のなかに、複数の異なる種類の生命体によって奏でられる多声音楽的なコレクティビズムの渦を発生させる実践とみなすことができる。

重要な他者をめぐる議論

このようにAKI INOMATAの芸術実践は他の生物種との共創を通じて展開されるが、非人間の生物とりわけ動物をめぐる論争は古来より（抜きん出た頻度ではないが、折に触れて議題に上がる）哲学のテーマとして存在してきた。ここでは紙幅の都合上、そして筆者の能力を鑑みるとその哲学史の全容を――あるいは概容ですら――描き出すことはかなわない。そこでこの節では本章の脈絡において筆者なりに重要であると考える点を押さえながら、動物にまつわる哲学的議論の流れを不完全な形ではあるが素描する。そうすることで、本節はINOMATA作品の現代的意義を考察する最後の節への助走としての役割を果たす。

古代ギリシアの哲学者アリストテレスは、『動物誌』や『動物発生論』といった動物に関する人類史における最初期の研究書を紀元前4世紀頃に書いている。この偉大な哲学者は、魚や昆虫を含む500以上の異なる種の生物を自ら観察・解剖・記述した一連の大著を残した。進化と発生学の研究者であるアルマン・マリー・ルロワは、「アリストテレスは生涯の大半を生物学につぎ込んだ。（略）そして生物学を生み出した。だが、生物学が自らを生み出したと言うこともできるだろう」と評する。[41]

しかし生前に残した講義ノートや草稿などを息子のニコマコスが中心となって編集した『ニコマコス倫理学』のなかでアリストテレスは知性の力を最大限に発揮することでなされる観照こそが最大の徳を構成すると説くが、そこには「人間以外の諸動物はいずれも全然観照的な活動に参与しないがゆえに幸福を有しない」と注釈が付されている。[42] すなわち「ありとあらゆる形態をとって世界を満たしている動植物を（略）描写し、説明しはじめた」（ルロワ）最初の人アリストテレスにとっても、動物は知性を備えた存在とみなされていなかったのである。[43]

とはいえ動物に対する見方に関して、東洋では西洋とは歴史的に異なる傾向も垣間見える。例えば、長らくチベット仏教の経典として農民や牧畜民など一般民衆のあいだで読み継がれてきた『鳥の仏教』を翻訳した中沢新一は同書の解説文で次のように指摘する。アジアを中心とした仏教圏において「動物たちの行動を注意深く観察していた古代の人々は、動物たちの中に人間とは異なっているが、自然の中で間違いない動きを見せる高度な「理性」の働きを見いだしてきた。そういう古代人にとって、動物には理性がないというアリストテレスの見解などは、無知にもとづく偏見としか思えなかった」[44]。INOMATAは主に欧米圏の鑑賞者から、仏教や禅などの東洋思想（あるいは、それらを土台に独自の思索を展開した鈴木大拙の著作）からの自身の芸術実践への影響について尋ねられることがしばしばあるそうだ。そのことは西洋とは異なる、（中沢が記述したような）東洋で発展した他種の生物に関わる思想的流れ――そして、それに対する西洋圏での関心の高まり――に関連しているのかもしれない。

議論をヨーロッパにおける思想の展開に戻すと、17世紀に理性は人間を「自然の主人にして所有者たらしめる」（『方法序説』）という自然観を打ち出したデカルトは同じ著作のなかで「動物たちの理性が人間よりも少ないということだけでなく、動物たちには理性がない」と明言した[45]。これが理性を欠く動物は単なる機械にすぎないとする有名な「動物機械論」であり、この考えに基づいて動物を自然と同じように道具として酷使することが正当化された。理性が存在しないがゆえに動物は心をもたない機械や道具と同じように――どれほどそのように見えているとしても――苦痛を感じない、とデカルトは決めてかかった。そしてホッブズやアリストテレスと同じように、彼もまた人間と動物の境界線を「話すことができること」つまり言語能力の有無に見定める。

18世紀のフランス啓蒙主義を代表する哲学者エティエンヌ・ボノ・ド・コンディヤックは、こうしたデカルトの考えとそれを引き継いだビュフォン（1949年から30年以上にわたって書き続けられた大著『博物誌』の著者）の推論に反駁する目的で『動物論』——その長い副題は、「デカルトとビュフォン氏の見解に関する批判的考察を踏まえた、動物の基本的能力を解明する試み」であった——を執筆した。コンディヤックは同書のなかで「獣たちも考えはするし、自分たちの考えや思いのいくばくかを伝えあいもするし、なかには人間の言語のいくつかを理解するものもいる」と指摘し、次のように問いかけた——「だとすれば、人間と獣の違いはどこにあるのだろうか[46]」。

さらに、彼は『動物論』の結論部でこう書く。

各々の動物種は、他の種にとっての快苦とは異なる［固有の］快や苦をもっている。それゆえ、それぞれの種は互いに別々の欲求をもち、自分たちの種の自己保存に必要な学習を、それぞれが別々に行うのである。彼らは、［その種に応じた］様々な程度の欲求と、習慣と、知性をもつ[47]。

「各々の動物種は、他の種にとっての快苦とは異なる［固有の］快や苦をもっている」というこのコンディヤックの観察と同じ洞察を出発点として、オーストラリア生まれの哲学者・倫理学者ピーター・シンガーは「動物倫理学」という新しい学問分野を開拓した（とはいえ、シンガーはコンディヤックに対して直接的な言及はしていないが）。

動物倫理学のマニフェストとなった『動物の解放』（1975）において、シンガーは「私たちの種［人類］の成員に有利で、他の種の成員にとっては不利な偏見ないしは、偏った態度」と定義される「種差別（speciesism）」を「人種差別」や「性差別」と全く同じ理由から決して許されざる行為として非難した。[48] シンガーは「その属する種（species）のみを理由として動物を差別することは偏見の一形態であって、これは人種に基づく差別が不道徳で擁護しえないのと同じように不道徳で擁護しえない」と主張したが、彼はその主張の基盤となる根拠を動物たちの苦痛（と快楽）を感じる力能に見いだす。[49] ここではコンディヤックが疑義を呈した「人間と獣の違い」は、シンガーによって快苦を覚える共有された能力を理由に無化されている。

オーストラリア出身の社会法学者ディネシュ・ワディウェルはシンガーからも示唆を受ける形で、大規模畜産業などに代表される動物に対して人間が行使する現在の暴力体系を人間と動物の「戦争状態」と捉える。そして、「動物たちとの戦争を乗り越えるとは、かつては考えられなかった新たな紐帯、友情、地形、親愛、共生の形を育てることにほかならず、それはひいては、人間／動物の二項対立を組み直し、序列なき多様な差異を認める道へと至る」ことだと彼は提案する。[50]「人間／動物の二項対立を組み直し、序列なき多様な差異を認める」ためには、人間を絶対的な中心に据え／人間の経験だけを通じて／人間の観点からのみ世界を説明しようとする伝統的な知の認識論に闘争を挑む必要があるとワディウェルは力説する。

そうした考えを簡潔に言い表して、彼は次のように述べている——「対動物戦争における認識的暴力への抵抗は、人間的観点の脱中心化を意味せずにはおかない」[51]。序章で注意を促した点とも関わるが、ここでワディウェルが言及する「人間的観点の脱中心化」とは「人間的観点」の「消去」ではなくその「相対化」であると理解すべきだ。すなわち「人間的観点」を唯一無二の中心とみなす思考法から脱し、人間と様々な非人間（動物、植物、昆虫、微生物、人工物など）が織りなす複合的なマトリックスのなかで私たちが物事を思考することを可能にするオルタナティブな認識論の構築を彼は訴えていると考えられる。

ジャック・デリダはさらに哲学的な仕方で、ワディウェルの言う「対動物戦争における認識的暴力への抵抗」を練り上げていたように思われる。すでに述べた通り、ダナ・ハラウェイはデリダの動物論に特徴的な相互的眼差しの不在を批判した。だが、デリダと同じフランス出身の哲学者パトリック・ロレッドは彼の動物論のポジティブな可能性を救い出そうと試みている。その成果として、彼は「動物倫理として解釈されうるデリダの哲学の賭金」は「動物の肉食的供儀を脱構築すること」にこそ存すると主張する[52]。「動物の肉食的供儀」の「脱構築」とは、それでは何を意味するのだろうか。

ロレッドによれば、デリダが「肉食—ファロス—ロゴス中心主義」と呼称した認識論的イデオロギーこそが暴力的な肉食的供儀を可能にする。そしてこうした供儀的暴力を通して、「動物の身体は、人間が意のままに好き勝手に扱えるたんなる生物学的な死すべき身体へと還元される」[53]。倫理学者の田上孝一もまた「肉食は環境からも動物倫理からしても正当化されない」と断じ、「自らの生きている社会状況に対応する形で、無理なく持続できる範囲でビーガン、もしくはビーガンに近づくような食生活を実践していくのが倫理的に望ましいあり方」であると結論付けている。[54]

とはいえ『動物の権利入門』（２０００）を書いて「法律的な権利としての所有権に依拠して動物の権利を位置付けるべきこと」を訴えた法学者ゲイリー・フランシオンのような論者とは異なり、デリダ自身は法制度を含む既存の「権利」概念を単純に動物へと拡張していくことには慎重な姿勢を示している。[55]なぜならば、それはあくまで人間を中心に置く視点から構築されたものであるからだ。自律、責任、意識、主体などの（とりわけ男性を中心とした）人間に固有の観念から構成された権利の法的枠組みを念頭に置きながら、彼は言う。

動物の諸権利（略）かかる権利は、おそらく、動物の権利ではなく動物たちの権利だろうし、そして、権利という観念自体まで、権利の歴史および概念という観念自体まで、それがこれまで、その構成自体において、敬意なき動物の隷属化を前提としてきたがゆえに再考することを覚悟しなくてはならない。[56]

このデリダの提言には問題含みの人間中心主義思想を脱し、人間と動物の「停戦」（ワディウェル）を志向するうえでの避け難い困難の一端がはっきりと姿を現している。この困難は、人間―動物間の停戦協定を締結するプロセスのなかで人間の固有性に根拠付けられた様々な既成概念をことごとく再考していかざるをえないことに起因するものだ。

しかし、人間と動物の関係における問題を考えるうえでの困難は他にも無数にある。先に述べたように田上は倫理的ベジタリアンによるビーガニズム（衣食その他あらゆる目的による動物の搾取と虐待を、可能なかぎり人間の生活からなくすように努めるべきだという信条）を推奨するが、フランスの哲学者ドミニク・レステルは、その名も『肉食の哲学』と題された著作において文字通り肉食を擁護する。レステルは動物たちに不要な苦しみを与える大規模畜産業は否定するが、食う／食われるという生態系における生命の交換のネットワークから人間だけが離脱するべきであると頑なに考える「原理主義的なベジタリアン」たちは「動物性から完全に脱する」こと、つまり「自分を動物性を超えた高尚な存在と見做し、自らの条件の根源的性質を成すものと動物的に決裂する」ことを欲していると彼は主張する。[57]

人間も動物の一種であり、「すべての動物が相互に依存し合わずにはいない」と考えるレステルは「食うとはしたがって依存契約を結ぶこと」であると考える。[58] ゆえに彼の考えでは生命の相互依存ネットワークを危機に晒す過度の捕食はそのシステム全体を拒絶することであり許されないこととされる一方、完全な肉食の拒否は人間をあたかも神のごとき超越論的立場に据えることでそうした異種間の関係性の網目から己だけが離脱しようとする不遜な態度であるとレステルは見る。人間を含む生きとし生けるもの全ての相互依存状態への認識の重要性を説くレステルの意見は、動物との関係を考えるうえで人間を超越論的立場に置く「人間例外主義」

を退けるハラウェイの思考とも共鳴する。
「重要な他者」としての他種の生命体なしには成立しえないAKI INOMATAの芸術実践を、この「依存」という観点から説明することもできるかもしれない。逆巻はINOMATA作品が生き物同士の生き生きしたやりとりから生まれているがゆえに、かえって「あらゆる作品が「死」として結晶せざるをえない、その宿痾《しゅくあ》を強く意識させる」という二面性を鋭く指摘する。[59]この指摘は、INOMATAの芸術が有限の生を背負う生き物たちが構成する生と死をはらんだ相互依存のネットワークを体現していることを示唆する。

加えて『荷を引く獣たち』（２０１７）の著者スナウラ・テイラーは、この相互依存のネットワークを意識することは人間同士のヒエラルキーに闘争を挑むことにもつながると言う。自身も関節拘縮症という障害を抱えるテイラーは、頑強な人間中心主義のなかで「健常者中心主義と種差別主義は不可分に結びついて」いることを批判することで障害者と動物の解放を同時に推し進めようとする。[60]さらに「フェミニストは人間（そしてしばしば人間以外の存在）を、互いに互いを拠りどころとする相互依存的な存在として理解する長い伝統をもつ」という彼女の見解を念頭に置くとき、動物と障害者の解放を求める動きは女性の解放を求める動きとも手を携えることができると私たちは理解する。[61]

動物、障害者、女性のあいだの連帯を志向する流れは、１９７０年代半ばのヨーロッパから徐々に世間に浸透したエコフェミニズムの思想とも深く関わる。「人間と自然的なものを分断し、そこに階層を置く自然観をもっとも危険視」（長倉友紀子）する「エコフェミニズム」は、人間と自然を対立させて前者による後者の支配を助長する人間中心主義を男性と女性を対立させて前者による後者の支配を助長する男性中心主義とパラレルなイデオロギーとして捉える。[62]この思想の登場は動物、障害者、女性がともに抑圧された生命体として連帯することができるという希望の所在を確かに指し示している。

しかし、人間と他の生物の共生には他にも一筋縄ではいかない無数の困難な問題が付きまとうことも付言したい。その一つが「人間が動物に対して感情的な愛着を持ち、ときに性的な欲望を抱く性愛のあり方を指す」、「動物性愛」をめぐる評価である。[63]しばしばタブー視されてきた動物性愛というテーマを真正面から取り上げた、ノンフィクションライターの濱野ちひろによるルポルタージュ『聖なるズー』(2019)は同年の開高健ノンフィクション賞を受賞して世間の耳目を集めた。田上孝一は入門書として執筆された『はじめての動物倫理学』(2021)で動物性愛の問題にも目を背けずに言及しているが、彼の結論は「我々は動物性愛者が虐待なく動物と性交渉することを禁ずる論拠を持たないが、だからといって、これを人間とコンパニオン動物の望ましい関係のあり方だとはいえない」というやや曖昧さの残るものとなっている。[64]

この問題はおそらく、『リベラリズムの終わり』(2019)――この本は奇しくも『聖なるズー』と同じ年に刊行された――のなかで哲学者の萱野稔人が指摘した「リベラリズムの限界」とも関わる。同書の萱野は「一夫多妻婚/一妻多夫婚」や「近親婚」を具体的な例に挙げながら、個人の自由を最大限に尊重する原理としてのリベラリズムが現代世界で直面していると彼が考える限界について検討を加える(とはいえ、萱野はリベラリズムを否定しているわけではない)[65]。動物性愛は、リベラリズムと「倫理」の衝突点に位置する。この意味で、動物性愛の問題には人間とその「重要な他者」たちの臨界が表出していると考えることができるかもしれない。

こうした点に関して、人間と植物の性愛を正面から扱った中国出身のアーティスト・研究者である鄭波《ジェン・ボー》による映像作品《蕨戀1（Pteridophilia 1）》（2016）、およびその続編である《蕨戀2》（2018）、《蕨戀3》（2018）、《蕨戀4》（2019）、《蕨戀5》（2021）は核心的な問いを提起する（図1-5）。この映像シリーズには、鳥の巣を形成するシダ植物と「性交」し、「愛撫」し合い、最後には食べてしまう全裸の男性たちが登場する。鄭は「エコセクシュアル」なアーティストであるベス・ステファンズとアニー・スプリンクルとの鼎談で、「蕨戀」シリーズにおける自らの関心について「セクシュアリティに関して言えば、私は人間のそれよりも植物のセクシュアリティについて考えています。例えば、シダ植物は複雑なセクシュアリティを有しています」と語る[66]。彼によれば、シダ植物のセクシュアリティを仔細に検討することは異性愛と同性愛という二項対立自体を問う可能性すら秘めているという。

当然ながら、動物と植物を等しく論じることへの疑義はあるだろう。しかし近年では、「植物は感覚をもっていて、コミュニケーションを行ない（植物どうしや動物とのあいだで）、眠り、記憶し、ほかの種を操ることさえできる」ことを示す実証的な研究成果が植物学者のステファノ・マンクーゾらにより提出されている[67]。では、地球上の全生物の半数以上を占める昆虫――「地球には、名前のついているものだけでも約180万種の生物種が存在」し、「その半分以上の約97万種は昆虫」であるという——は動物と同じように扱うことができる（扱うべき）だろうか。[68] このように「重要な他者」としての非人間の生物とのより調和した関係性を構築するという喫緊の課題に直面して、人間が考えなくてはならない厄介な論点は山積していることは間違いない。

異種間共生の作法としての会話

前節で見た通り人間と非人間の生き物をめぐる議論は多岐にわたり、そこには非常に入り組んでいるために慎重な検討を要する繊細なアジェンダが数多く含まれる。INOMATA作品は、直接的に畜産業の問題など人間と動物の関係にまつわる政治的事象に言及しているわけではない。ゆえにそれは素朴に人と自然の調和的共生を奨励しているようにも見え、その一見したところの「非政治性」にある種の物足りなさを覚える批評家や鑑賞者もいるかもしれない。しかし人間と人間ならざる生命体の関係がはらむ諸問題は即時的な解決を望むことができない性質のものであるからこそ、他種の生き物との共創を通じて実現されるINOMATAの活動がその進展に重要な役割を果たすポテンシャルを蔵すると筆者は考えている。その理由を説明するため、この最終節では「会話」という概念からINOMATAの芸術実践の意義を考察して本章を閉じる。

　まずは予告通り、「アッセンブリッジは閉じていない集まり《ギャザリング》である」というアナ・チンの一節に立ち戻る。この表現によって、チンは多種の生命体から構成されるネットワークには常に

図1-5
Zheng Bo, *Pteridophilia 2*, 2018.
Video (4K, color, sound), 20 min.
Courtesy the artist and Edouard Malingue Gallery.

「飛び入り」参加者が参与してくる可能性があることを暗示する。そのことを踏まえて、六本木ピラミデビルの一角を会場として開催されたINOMATAの最新個展「How to Carve a Sculpture 彫刻のつくりかた」(２０２１)でのエピソードを紹介したい。この個展は「CAFAA 2020-2021 Exhibition」の一部で、現代美術振興財団が主催する若手アーティストを対象としたCAFAA賞のファイナリスト3名(INOMATA以外のファイナリストは田口行弘と金沢寿美)の各個展から構成される。INOMATAはこの個展に際し、本章でもふれた２０１８年初制作の《彫刻のつくりかた》の再構成に取り組んだ。

同展ではビーバーが「制作」したオリジナルの「彫刻」を基に、彫刻科で学ぶ大学院生の手で模刻されたもの(ビーバーと人間のサイズの違いを考慮して、オリジナルの約3倍の大きさに設定された)、そして機械を用いて木を切削することで作られたものという３つのバリエーションが並置された。INOMATA自身は、その意図を次のように説明する。

彼らがつくり出した彫刻を、3倍のスケールで木彫の作家さんに模刻してもらっています。人間がビーバーの約3倍くらいの大きさということで、その大きさにしました。そうすると、私とビーバーとの関係だけでなく、第三者による創作性が加わります。彫った人の見方や手つきによって、改変されていくプロセスを経て、模刻した人の解釈を含めた立体が出来上がりました。また、CNCという機械で自動的に木材を掘り出した3倍スケールの立体もあるのですが、そこでは人と機械との差異も出てきます。[69]

全バリエーションが木材を使って作られた初の機会ということもあり（過去に制作したときは石材や「ＦＲＰ」と呼ばれる強化繊維プラスチックが素材に使われた）、今回の再制作では制作主体の概念とともに「彫刻（木彫）」の概念にも問いを投げかける構成となった。

「AKI INOMATA」を集合名詞として理解する視点はすでに示したが、実はこの最新の展示では《彫刻のつくりかた》を構成する作家性に新しい仲間が加わっている。カミキリムシである。「カミキリムシ」はコウチュウ目・カミキリムシ科の甲虫の総称で、その幼虫は木に穴を開ける習性があるために「鉄砲虫」という二つ名をもつ。ビーバー作のオリジナル彫刻は、作家蔵としてINOMATAのスタジオに置かれた箱のなかに保管されていた。その内部に小さな虫が生息していることがわかり（木の粉が大量に外に出ていたために気付いたという）、それがカミキリムシであることが判明した。

そこでINOMATAはＣＴスキャンの技術を用い、オリジナルの彫刻内部にカミキリムシが数年をかけて作り上げた複雑な坑道をトレースした画像をプリントした作品を制作した（図１-６）。加えて「How to Carve a Sculpture　彫刻のつくりかた」展では、ＣＧによってその道筋を視覚的に描き出したホログラム作品の展示も行った。この作品では、鑑賞者は胃カメラの検診を想起させるような映像で入り組んだ坑道の軌跡を追体験する。

冒頭で紹介したように、逆巻しとねはダナ・ハラウェイの「significant otherness」という表現をダンスやあやとり遊びの比喩を用いて敷衍する。INOMATAの芸術が生成するダンスやあやとり遊びの輪も常に外部へと開かれ、多種多様な非人間のアクターがそこに遅れて飛び込んでくることをカミキリムシの「アクシデント」は例証する。つまり、INOMATA作品が織りなす人間と非人間によるコラボレーションの輪は絶えず外へと拡張していく性質のものである。そのことはまさしく、INOMATAの芸術がチンの言う「開かれたアッセンブリッジ」の一例であることをよく示す。

そのようなINOMATAの芸術が有する意義を分析するうえで、イギリス生まれの政治学者マイケル・オークショットが論文「人類の会話における詩の言葉」（1959）のなかで展開した「会話」概念はきわめて有益な示唆を提供すると筆者は考える。オークショットの考える会話は、次のような特質を備えるものである。すなわち、「会話においては、参加者達は、研究や論争にかかわるのではない。そこには、発見されるべき「真理」も、証明されるべき命題や、めざされるいかなる結論もない」という特質である。[70]

そのため、「会話」をすることの目的を強いて挙げるとすれば、それは間断なく「会話」を継続することとそれ自体である——「会話には完結というものはない。会話は常に「次号に続く」で終わる永遠に未完の連載小説である」（井上達夫[71]）。容易な解決策のない問題にあふれた複雑な現代世界では、こうした会話の継続を通じてこそ私たちはその進展にむけたかすかな光明を見いだすことができるのではないだろうか。そして「会話の卓越性は（略）まじめさと遊び心とのある緊張から生じる」と考えるオークショットは、「詩の言語」の重要性を認識することが肝心であると主張する。[72]「詩の言語」と対照的なものとして言及される「科学の言語」だけでは、会話は味気のない退屈なものになってしまうためだ。

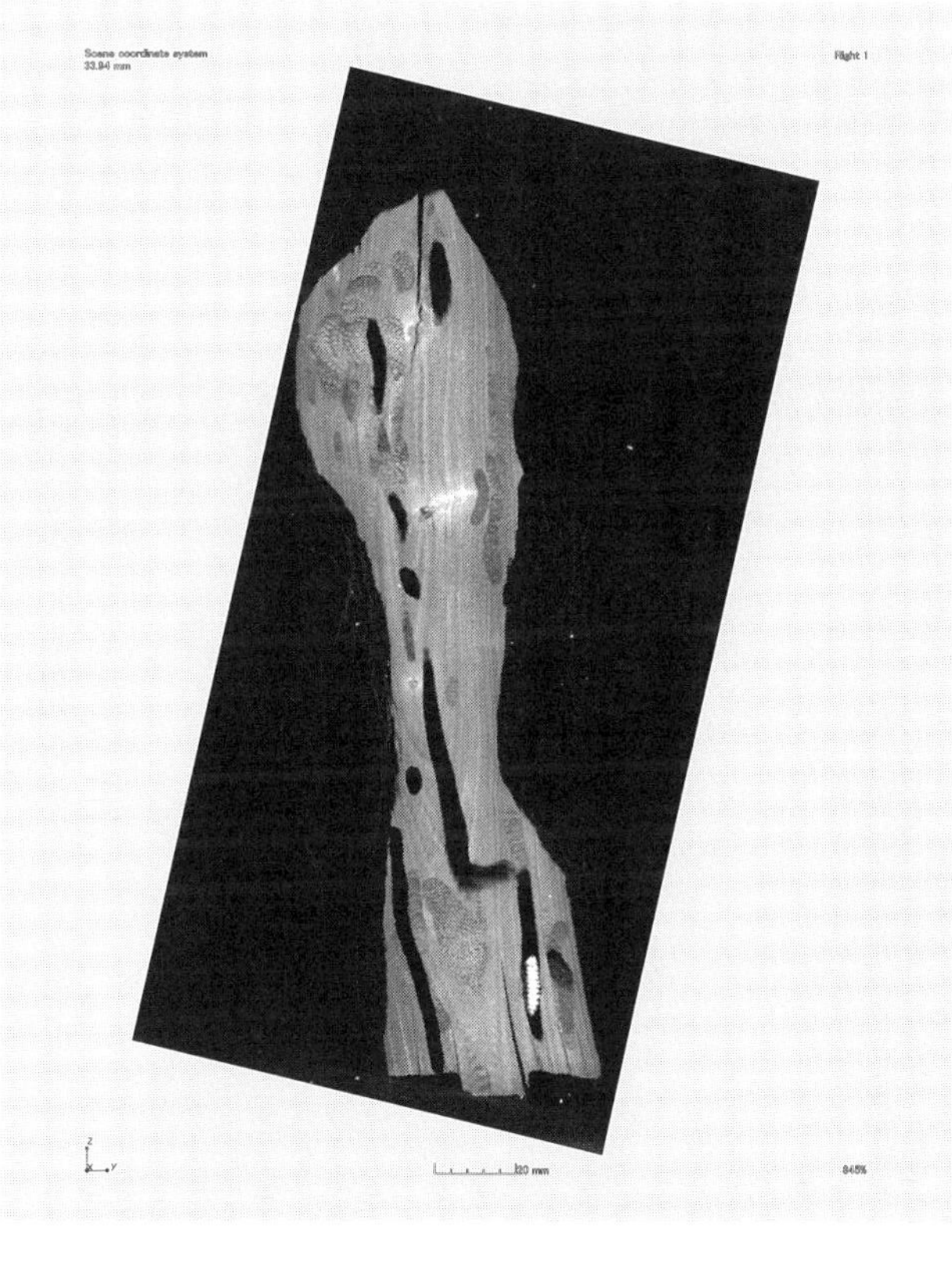

図 1-6
AKI INOMATA《彫刻のつくりかた》2021
© AKI INOMATA, courtesy of MAHO KUBOTA GALLERY
ビーバーが齧った木のCTスキャン画像。カミキリムシの幼虫(右下)と食跡が見られる。

だが「会話」をめぐるオークショットの議論は無意識のうちに種差別意識に絡め取られており、人間中心的なものに留まっていることに注意が必要である。彼は随所で「詩的イメージ」や「想像すること」の大切さを説いているにもかかわらず、「（人間の）言語」を会話の参加条件とし、会話に参加する能力は「人間を動物から分かち、文明人を野蛮人から分かつもの」であると明言する。[73] 会話は「多種多様な想像の様態の合流点」であり、ゆえに視点や観点の多様性こそが不可欠であると述べる一方、そのメンバーシップからあらゆる非人間の生命体をあらかじめ排除しているのだ。[74]

法学者の井上達夫はオークショットの「会話」が「根源的な人間的共生の作法」になり得ることを示唆するが、これを「根源的な生物的共生の作法」へと拡張することができるのではないか。[75] 同じくオークショットの「会話」概念に影響を受けた哲学者のリチャード・ローティは、自身が擁護するプラグマティズムの原理を「われわれの共同体」は「発見されるものとしてよりも、創造されるものとして（略）考えるとき、はじめて高められる」と考えるものであると規定する。[76] だからこそ、継続すること自体を目的とする「会話」が「われわれの共同体」にとってこのうえなく重要だとローティは主張する。

だがローティの構想する「われわれの共同体」には、（このように言うのは残念きわまりないが）「当然のごとく」非人間の生物は含まれていない。私たちは歴史的に人間中心的な思考のなかで「われわれの共同体」から地球上に生息する他の生物を除外し、抑圧し、挙げ句の果てに虐待さえしてきた。こうした事実を反省するのであれば、私たちが日常的に言うところの「われわれ」の概念に人間ならざる生き物たちを包含したオルタナティブな共同体のあり方を真剣に考える時期が——非常に遅ればせながらではあるものの——到来しているのではないだろうか。

締め括りとしてINOMATAの芸術実践は非言語的コラボレーションを通じて私たちの共同体を塑像する会話に非人間の生物を招き入れ、包摂していこうとする試みであるという視座を提示したい。本章でも（駆け足で）見てきたように、人間と非人間の関係をめぐる問題は繊細な論点をはらんでおり一朝一夕で提案できる解決策は期待できない。しかし、人間ならざる存在が人間にとって「重要な他者」であることに疑いの余地はない。ゆえに、非人間の生物とのノンバーバルな——「人間の」言語に固執しない——「会話」（オークショット）を絶え間なく継続していくことは現代世界のなかで不可欠な営みである。そうした営みは、人間と非人間の「共生の作法」となる可能性を大いに秘めている。

事実、INOMATAのアート・プロジェクトには原理的に「完成」という概念が存在しない。それゆえ、彼女の活動は恒常的に現在進行形のものが多い。本節で紹介した「カミキリムシ」の逸話は、そのことを示す好例である。その意味で、INOMATAは常に困難な会話の試みに挑み続けていると言える。そうした会話の試みは終わることがなく尽きることもなく、さらに言えば人間がいなくなっても継続されていく。ゆえに起点としての「人間の」アーティストが不在となったあとにも、「AKI INOMATA」は人間と非人間の共生のための創造的なプラットフォームの名を表す集合名詞として存在し続けていくだろう。

第 2 章

自然なき風景画

—— 本田健の絵画

本田健の絵画との出会い

画家・本田健の作品《夏草Ⅰ(庭)》(2019)と《夏草Ⅱ(庭)》(2019)を初めて目にしたとき——それは日本現代美術商協会(Contemporary Art Dealers Association Nippon' CADAN)の主催により、2020年2月に東京・品川の寺田倉庫B&C HALLで開催された「CADAN: 現代美術」展でのことであった——のインパクトを、筆者は文芸誌『群像』に寄せた小論のなかで次のように表現した(図2-1)。これは元々エッセイとして執筆した文章であるため一般的な美術史的・学術的表現にはなっていないが、本田の絵を見た直後の率直な感想としてここでそのまま引用したい。

小さなキャンバスに、緑の雑草が画面いっぱいに描かれていた。それが強く印象に残ったのは、あらゆるものが同じ強さで存在していたからだ。草も土も根も光も、様々なエレメントが平等に扱われていた。そこにヒエラルキーはなく、あるがままの自然があるがままに結晶化されている印象を受けた。[1]

「あるがままの自然」という表現は、端的に同語反復である。「自然《しぜん》」が花鳥風月や山川草木を表す「nature」の訳語として使用されるようになったのは、明治期の終わりのことであった。古くからある漢語の「自然《じねん》」は文字通り「自《おの》ずから然《しか》る」、道家思想の専門家・森三樹三郎の解釈によれば「他者の力を借りないで、それ自身に内在する働きによってそうなること、もしくはそうであること」を意味した。[2] すなわち、「自然」には「あるがまま」とほぼ同義の「内在的本性に従って生起している状態」という意があらかじめ含まれるのである。

　だが、ここであえて同語反復の表現を用いたことにはしかるべき目的がある。それは「自然」を「あるがまま」に捉えることには、想像以上に大きな困難が伴うことを強調するというねらいだ。１９６０年代以降に理論と実践の両面から「もの派」を牽引した美術家・李禹煥《リ・ウーファン》は、その芸術において「一本の木を、そのままでいろいろな未知性を含んだそれとして見る」ことを最大の課題としてきた。[3] ここでは李にとって、「一本の木を（略）それとして［＝あるがままに］見る」ことは、芸術家が半生を捧げて追求するに値する営みであるとされている。「世界を構想の実現ための対象化の素材として規定し、すべてをそのための認識対象に仕立てる」「近代特有の表象への意識作用」を、彼が人間中心主義として厳しく批判していることは示唆的である。[4]

　人間が対象を思考するとき、そこには必ず主観的意識が介在する。19世紀と20世紀の転換期を生きた哲学者エドムント・フッサールはそのように考え、「覆い隠す思考」の働きを批判的に解体することを通して「事象そのものを見る可能性」を徹底的に追求する現象学の祖となった。[5] フッサール自身の言葉を引用すれば、彼はゲッティンゲン大学で行った講義の原稿を基に死後出版された『現象学の理念』（１９５０）のなかで「認識は、それがどのように形成されていようと、一個の心的体験であり、したがって認識する主観の認識である」と記している。[6] どこまでいっても主観的なものでしかない認識が客観的に存在する対象を正確に捉えていることを常に疑う懐疑論に対して、新しい方法や枠組みを提供することがフッサール現象学の根源的ミッションであった。

そうであるならば人間が風景を認識し描写するときにも、主観的意識が介在するだろう。換言すれば、それは主観的意識を通した風景の再構成である。さらに具体的に言えば、その風景のなかで何が（どこが）重要で、何が（どこが）そうではない要素であるかの能動的選別である。人は「自然」の風景を描くとき、ごく「自然」に自己を中心に据える。

そのため、風景画のなかには避け難く序列や階層構造のようなものが生まれる。それらは絵画を構成する各要素が自分という「中心」からどのくらい離れているか、つまりそれらがどのくらい「周縁」化されているかを示す指標である。本田の絵画作品における風景には、そうした「中心と周縁」の構造が見当たらなかった。そのため色彩、形態、明暗、動勢、マチエール、遠近法、空間性といった絵画を構成する諸要素のいずれにも完全には還元されえない、画面全体を一様に支配する「強度」だけがそこにあるような感覚を筆者は覚えたのだ。それは疑いなく「風景画」であったが、そこに現出していたのは私たちが「自然」と呼ぶものとは確かに異なる何かであった。

このように、筆者は本田と描写対象である風景との特異な関係性に深く興味を抱いた。その関係性の特異性は自己を絶対的中心に置くことなしに風景を描き出す、彼の作品における「非」人間中心的な性質に露見している。本章は、こうした本田健の絵画を「自然なき風景画」

として論じる視座を提示したい。この一見矛盾した概念の真意は、本田作品の現代的意義について考察する結論部で明らかにする。その論証の途中、本田の絵画が自然をきわめて精緻に模写したもの（にすぎない）という見方にも反証を試みる。彼の作品は事物を私たちの目が視認し、脳が知覚する姿と瓜二つに描こうとする俗に言う「ハイパーリアリズム」の絵画とは間違いなく一線を画するからだ。

加えて、本田の風景画は「前時代的な」――ありていに言えば、古びて手あかにまみれた――エコロジー観を象徴するのではないかという見解に対しても反対の立場から応答するつもりである。そこで論争の賭け金となるのは、「新しさ」の概念そのものをめぐる差異であると思われる。哲学者・美術評論家のボリス・グロイスが論集『新しいものについて（On the New）』（1992）のなかでポストモダンのアートにおける「新しさ（newness）」を多角的に再概念化することを試みたように、本章ではエコロジカルなアートにおける「新しさ」の意味を筆者なりに捉え直してみたい。[7]

筆者は縁あって、本田が所属するMEM――1997年に大阪・四天王寺に開廊され、現在は東京・恵比寿にオフィスを構える現代美術ギャラリー――のオーナー・石田克哉から本田がすでに30年近く岩手の遠野に住んでいることを聞いた。そして2020年初夏には、石田とともに本田を訪ねて実際に遠野へと足を運んだ。そのときに筆者が本田に行ったインタビューや彼と交わした何気ない会話は、本章執筆の過程で大いに役立った。

本田健と遠野

1958年、本田は山口県長門市で生まれた。彼はいわゆる「正式な」美術教育を受けておらず、美大のシステマチックな教育枠組みのなかではなく日本各地を旅しながら独学で絵画を学んだ。先述の通り、本田は現在、岩手県内陸部に位置する遠野市に暮らす。だが、元々そこに地縁があったわけではない。彼がその土地と出会ったのは、1980年代半ばのことであった。神奈川県藤沢市に住んでいた20代半ばのある夏、本田は約1ヶ月半をかけて東日本を周遊した。静岡や青森などを経て、最終到達地が岩手であった。当初の目的は花巻市の宮沢賢治記念館を訪れることであったが（小さいときから「風の又三郎」、「虔十公園林」、「なめとこ山の熊」などの文章に見られる賢治の幻想的世界観に対して、本田は「どこか別次元に連れていかれるような」抽象的な心地よさを感じていたという）、その道中に彼はふらりと隣の遠野市に立ち寄った。

そのときに遠野の土地から受けた衝撃を、本田はこう語る。

（略）緑が違うんですよ。濃いんです。何より盆地独特の光の射し方のせいで夕焼けの光も異常で。雲の合間から光がこぼれ出て、そこかしこに日溜りを作っていた。それこそ何かが出てきてもおかしくない逢魔が時のよう。たった2時間のことだけど、そういうムワッとした感じにイカレたんですね。[8]

最初に遠野を訪れたときの感想を尋ねた筆者の問いかけに対して本田は「沼には今にも河童が出そうな気がした」と述べていたが、これも「何かが出てきてもおかしくない逢魔が時」の構成要素の一つなのであろう。

遠野の「ムワッとした感じにイカレた」本田はさっそく移住の準備に取りかかり、数年間にわたり藤沢と遠野を幾度も往復することになる。その間に遠野でよく利用していた民宿の離れのりんご小屋を将来の住処として改築し始めたが、思いきって「知り合いもツテもない」遠野に住み着くことにはためらいがあったそうだ。[9] だが20代後半のあるとき突然、本田は絵画一本で生きていくことを決意する。彼は金銭のみを対価に労働するサラリーマン生活をきっぱりとやめ、その退職金を叩《はた》いて国内外の様々な地をめぐった。日本の主要メディアで現代美術の「本場」として祭り上げられていたヨーロッパ各地も数ヶ月かけて巡回し、現地の美術館やギャラリーを数多く訪問した。

本田にとって、このヨーロッパの旅は作家人生におけるきわめて重大な転換点となった。その旅が、彼が西洋美術に対して抱いていた根深い幻想を解体する契機となったからだ。本田は、「画集やメディアで作り上げていた、僕のヨーロッパに対する憧れや価値観が、つきものが落ちるように冷めていった」と回顧する。[10] 自らの芸術観を拘束していたヨーロッパ中心主義の軛から解放され、本田は遠野に定住することを決めた。絵画を通じ、「日本人としての深度を見つめる」という課題に腰を据えて取り組むためである——彼にとって、遠野は「日本の深層」を探るのに最適な場所に思われたのだ。[11]

遠野に関係する数ある書物のなかで紛れもなく最も有名なものの一つが、柳田國男の『遠野物語』（1910）であろう。遠野に伝わる逸話や伝承を記録した説話集である同書は、そこで生まれ育った佐々木喜善なる人物から柳田が聞いた話を基に書かれている。1909年に初めて遠野を訪れたときの柳田自身の印象について、冒頭には「町場が三か所（略）その他は、ただ青い山と原野だけ」と記されている。[12] 本田が初めてかの地に足を踏み入れたときにはまだ『遠野物語』を読んでいなかったが、偶然にも同書には遠野に生息すると伝えられるいたずら好きの「赤河童」に関する記述も見られる。『遠野物語』研究の第一人者である石井正己は、『遠野物語』には「［植民地政策に加担したという理由で批判されることになる］後の柳田からはまったく見えなくなる」「日本文化の重層性」が露呈していると指摘する。[13]

とはいえ、本田が言う「日本人としての深度を見つめる」という行為は決して自民族中心主義的・国粋主義的な排他性をもつものではない。若き柄谷行人は「柳田國男試論」（1974）のなかで柳田は日本の「固有信仰」を扱っていたが「固有という言葉は特殊ということでは」なく、ゆえに「日本の固有信仰」とは「日本人だけの、日本だけに特殊な信仰形態」や「他国と異なった信仰」を意味するのではないことに注意を促した。[14] 本田が遠野で自らに課した課題も普遍的かつ一枚岩的な「日本人」に特殊な要素を掘り当てることではなく、彼が現にこの世界に存在しそれ以外ではありえないという事実に由来する絶対的固有性を見つめ直すことであった。後述するように、そこで自己存在の在り様を徹底して追求する営みは人間と自然の二項対立そのものを再考することを作家に強いることとなった。

「山のくらし」シリーズと「山あるき」シリーズ

　1980年代後半に遠野の山小屋での生活を開始すると、それまでは自画像を含む人物画や抽象画も多く手がけていた本田は自身の山奥での暮らしとそれを取り囲む里山の光景を主題として描くことに専心するようになった。1990年代以降の彼のライフワークとも呼べるこの営みは「山のくらし」および「山あるき」と題され、現在も継続中の2つの中心的シリーズに結実している。本章でも、これらのシリーズに分析の焦点を絞る。いずれのシリーズでも「山のくらし」または「山あるき」というタイトルが一律に付され、描かれた対象の名称やその光景が描かれた制作月（季節を推測する手がかりとなる）がサブタイトルとして無機的に併記される。

「山のくらし」シリーズは木製パネルに貼り付けた紙に、日用品や稲作道具など山の生活を構成する様々な事物を出現させた絵画群である。それ以前には様々な実験的手法が試されており、例えば遠野に住み始めて最初に仕上げられた作品《からす森》（1989）はタバコの火で穴を開けた障子紙をカンバスに貼り、その上に木炭とアクリル絵の具を使って描かれた。だが本シリーズをきっかけにして、本田はチャコール・ペンシルでのドローイングに注力するようになる。

「山のくらし」シリーズは、最初の住処である改築された小屋に置かれていた「茶箪笥の引き出しを写真に撮り、引き出しと同寸のパネルを作ってチャコールペンシルで写真をそのまま写すように丁寧に何点も描写した」ことを機に着想された。[15] その最初の作品は、アトリエとして使用していた古民家の畳を描いた《山のくらし―畳》（1989）である（図2-2）。この絵画のなかで、本田は畳に織り込まれた藺草を一本一本それらのほつれに至るまできわめて精巧に描写している。特に目を引くのは、その「光」の描き方である――そこでは各々で微妙に異なる光の差し込み具合が、繊細なタッチで丁寧に視覚化されている。

その数年後に制作された《山のくらし―障子》（1991）でも、彼は自身の生活を構成するごくありふれた事物をその物質感や手触りに及ぶまで執拗に描出する。しばしば人間のライフスパンを超越する使い古された日用品に刻み込まれた時間の堆積が自ずと前景化してくるこれらの作品からは、本田が「描く主体」としての能動的自己をできるかぎり排除すべく苦闘した痕跡が読み取れる。そして作家の「能動的自己をできるかぎり排除」することによって、本田はむしろ作品そのものに内在する能動性を駆動させることに成功しているように思われる。アートト・ジャーナリストの山下里加によるインタビューでの「遠野に住み始めてから作品は変わりました？」という質問に対して、彼が「〝絵をやめよう〟と思ったんですよ。すると〝絵が始まった〟んです」と回答しているのはたいへん示唆的である。[16] なぜなら、この回答は本田の絵画における能動的自己の委譲を明瞭に示すからだ。

ここで《山のくらし―田んぼ》（1990）と題された一つの作品に注目したい（図2-3）。この絵画には青々と広がる田んぼとその輪郭に沿ったあぜ道が、他作品と同様に細部まで克明に描かれている。生い茂る草を踏み分けるように延々と伸びるその道は、イギリス生まれの彫刻家リチャード・ロングの《歩行による線》（1967）を想起させる。彼の名を一躍世界に知

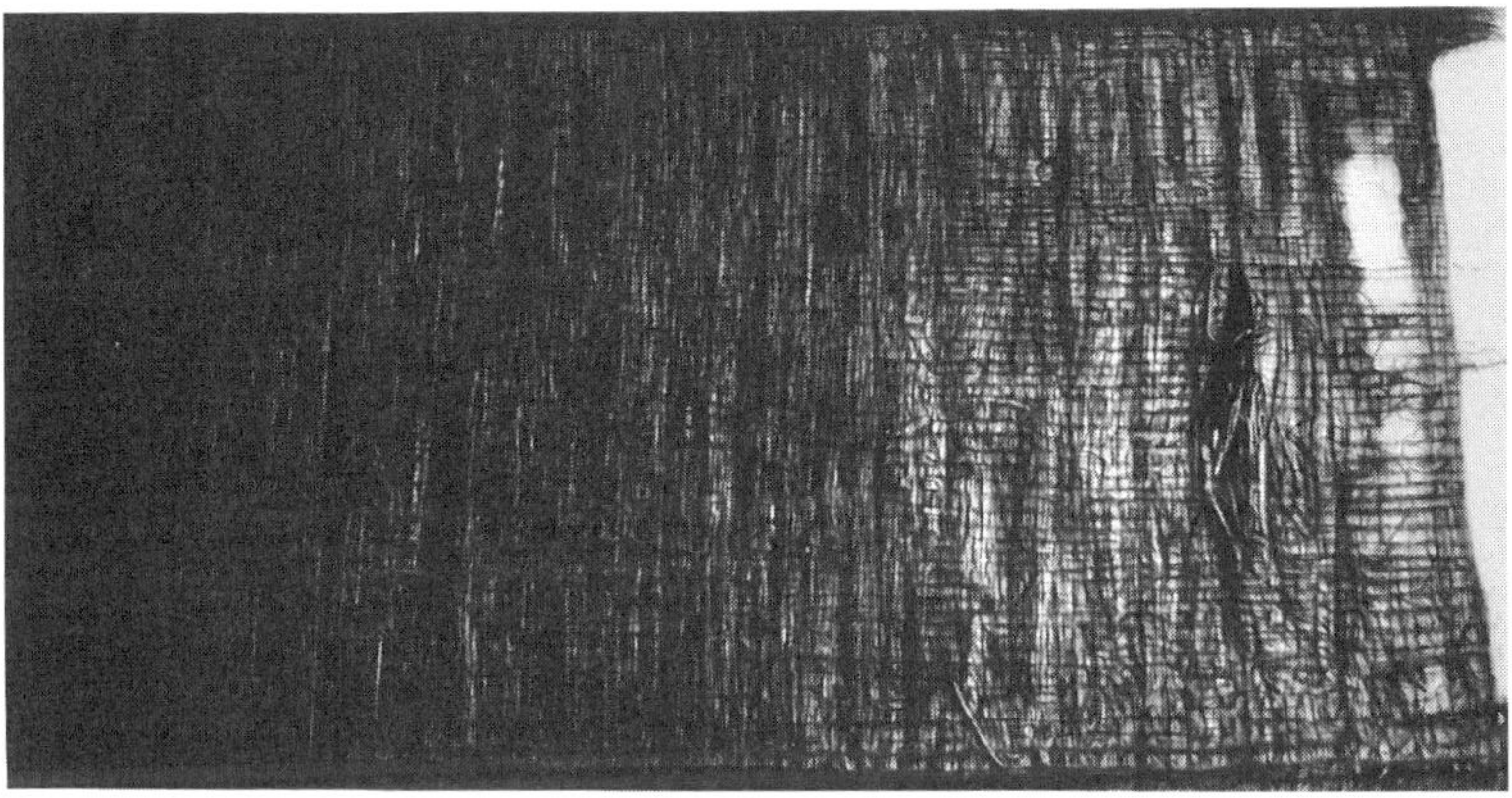

上＝図2-2
本田 健《山のくらし－畳》1989
91.0×182.0 cm
諄子美術館蔵

下＝図2-3
本田 健《山のくらし－田んぼ》1990
183.0×454.6 cm
岩手県立美術館蔵

らしめた同作は、作家自身が草原を歩いた軌跡を記録した写真作品である。

ジャーナリスト・作家のレベッカ・ソルニットが特徴付けるように、ロングは長らく「芸術の媒体としての歩行」を探求してきたアーティストである。[17] 同様に歩くことを芸術の媒体に昇華してきた作家として、これまた同様にイギリス生まれのハミッシュ・フルトンがいる。古来より巡礼者たちが歩いてきた道のりをたどり直し、その行程を写真に収めた《巡礼の道》(1971)はフルトンの代表作である。ロングやフルトンは前章で論じたアメリカのそれとは異なる進展を示したイギリスのランド・アートの流れに位置付けられる作家であり、両者ともに(ダナ・ハラウェイの議論に関連して前章で紹介した)スコットランド出身の彫刻家のアンディ・ゴールズワージーのやや先行世代に属する。

本田は常々、「歩く作家」としてのロングやフルトンからの影響を公言している(他に影響を受けた芸術家として、しばしば宮沢賢治とも親近性を感じるというヨーゼフ・ボイスの名も挙げる)。ヨーロッパの旅を経て、彼はロングやボイスのように「生き方をそのまま作品化するほかない」という啓示を得たと語る。[18]《山のくらし―積わら》(1998)や《山のくらし―ひきだし(I)～(III)》(いずれも2012)など「山のくらし」シリーズの作品はその後も折に触れて作られているが、文字通り「生き方をそのまま作品化」する「山あるき」シリーズが以降は本田の画業の中心となっていく。

だが、「山あるき」シリーズが歩くという営為そのものを直接的に芸術作品へと転化するものではないことに注意したい。後述の通り、それは歩行を生の素材としてなされる。より厳密な言い方をすれば、それは歩行を起点として経始される創造行為と理解できる。その点において、本田の「山あるき」シリーズはロングやフルトンの芸術実践とは明確に異なる側面を有する。同シリーズの制作方法には、このことが明確に表れている。

本田は日に何時間も遠野の山里を歩き回り、その過程でたくさんの写真を撮る。実際に絵画を仕上げる作業は、それらの写真をアトリエに持ち帰ってから始まる。本田は写真の上に細かい方眼線を引き、同様にパネルに貼った大型紙にも各グリッドを拡張した方眼線を引く。次いで、彼はチャコール・ペンシルでそれらのマス目のなかに写真に収められた光景を描き写していく。そこでは実際の歩行の道程で目に焼き付けた光景は意識のなかで反復・再構成されているため、本田自身はそれを――ロングやフルトンとの違いを強調するかのように――「意識の」歩行と言い表す。彼はこの作業を平均して1日に12時間ほど集中的に行うが、それでも1枚の絵が完成するのには数ヶ月から1年を要するという。

写真をトレースする手法を採用する理由として、本田は「描く過程」から「自分の意図が排除できる」ことを挙げる。[19] それによって彼が目指すのが、「中心も周辺もなく単一で、そしてすべてに行き渡るイメージ」としての絵画である。[20] 例えば《山あるき―九月》（2003）に対して、「氾濫した濁流」を描いた絵と一応の説明を加えることは可能だ（図2-4）。だが重要な点は、その絵画では濁流のみが焦点化されているわけでも前景化されているわけでもないことである。その濁流は周りにあるか細い草やしな垂れた葉、さらにはそれらの間の空隙とさえ同じリズム・同じ強度で描かれている。ゆえに、その作品には「中心も周辺も」存在しない。

絵を描いているとき、本田は無心の状態に近付く。「描いている時って何を考えているんですか？」というインタビュアーの問いに応じて、彼は次のように答えている。

自然の音だけを聞きながら描いています。すると5時間も6時間も〝作業〟をしていると、本当に体がふっと透明になっていく感覚があるんです。これがすっごく気持ちいい。手が動くカサカサとした音もどこか遠くで聞いている感じ。修行で得る無心や悟りと近いのかなぁ、分からないけど。[21]

自身が関わった展覧会に本田の作品を選出した森芳功は、「「自我」や個性を画面から極力排除しよう」と努める「山あるき」シリーズには「個人の意図を超えたものを生み出す条件」としての「無為の世界」が現出していると指摘する。[22]この世界は本田の制作中における主観と客観が奇妙に混じり合い、一つに統合されていく感覚——「体がふっと透明になっていく感覚」——のなかから生み落とされているのではないだろうか。

この感覚を哲学者の西田幾多郎が1911年に発表した最初の著作『善の研究』のなかで提示した「未だ主もなく客もない、知識とその対象が全く合一して居る」、すなわち主体と客体が未分化の状態を指す「純粋経験（直接経験）」という用語で説明することができるかもしれない。[23]西田の見方では、自然もまたすべからく純粋経験である。

自然といえば全然我々の主観より独立した客観的実在であると考えられている、しかし厳密に言えば、斯の如き自然は抽象的概念であって決して真の実在ではない。自然の本体はやはり未だ主客の分れざる直接経験の事実であるのである。[24]

こうした感覚のなかでは人間が恣意的に輪郭を規定し、名称を付与した特定の対象としての自然を描いているという意識は発生しえない。本田がことあるごとに「自分はただ印画紙の役割を果たしているだけ」と述べるのは、そうした理由に起因すると考えられる。

とはいえ、素材となる写真を撮影するという行為自体にある種の作為性を見いだす人がいるかもしれない。すなわち、それらは主観を通して選択的に切り取られた風景ではないかという疑義である。事実、戦後日本の写真家たちのなかにも様々な仕方で作品における撮影者の覇権に揺さぶりをかけることを試みた者たちが多くいた。例えば、戦後日本を代表する写真家・中平卓馬が「気配による撮影」と呼ぶメソッドがある。「シャッターを押す瞬間に被写体を凝視することなく、直感と偶然性に身をゆだねながら撮影する」(江澤健一郎)。このメソッドに中平が賭けていたのは、主観的ステレオタイプに満ちた「たしからしさの世界」に亀裂をもたらし、「人間を超えた異なる世界を見せる可能性」であった。[25]

実際に本田も山中で写真を撮る際には主観が入り込むことを意図的に避け、偶然的な要素を取り込むための様々な工夫を凝らしている。インタビューで、彼は次のように語る。

実際に描く素材としての写真はつまらない構図を選びます。自分が一番いいと思った構図は予定調和で、写真だけで出来上がっているので、さらに鉛筆［実際はチャコール・ペンシル］で描く必然はないんです。

撮りたい風景が決まったら、まず一番好きな構図にピントを合わせます。でも、その時は絶対にシャッターは切らない。そこから一番近づいて、つまりマクロの視点からシャッターを切り、次に一番遠のいて広角でシャッターを切ります。すると、自分が見ていなかったものまで入ってくるんです。

プリントした写真の上に物を置いてちょうどいい構図を作って、写真の端を切るんです。そして物を取り払うと、文字通り足りない構図、収まりの悪い構図になるんです。自分がいいと思う写真を使うと、可愛がりすぎて甘くなっちゃうんですよ。そうやって、繰り返し、繰返し、自分の思考を裏切っていく。[26]

このように本田は自己の主体性をできるだけ縮約することによって、自らもそこに溶け込んでいるような遠野の山景を絵画のなかに――彼自身の表現を借りれば、「印画紙」のごとく――浮上させるのである。

森芳功は、こうした本田の絵画は「自然を対象化して捉えようとするところからは生まれない表現」であると指摘している。[27]「山あるき」シリーズは一見するときわめてリアルな自然を描いているように見えるが、その実私たちが普段から見慣れているものとは本質的に異なる「自然」の姿を描出していると筆者は考える。事実、作家本人も自身の画業は「写真に近づけることが目的ではない」と明言する。[28]すなわち本田の仕事の意義は、ほとんど「自然」のように見えるが実はそうでないものを描き出すというその近接性に存するように思われる。私見ではそれはかつて誰も見たこともない「自然」の「新しい」イメージを創出することより一層本質的で、かつ困難を伴う作業である。この作業は本田が四半世紀以上の年月をかけて「生き方をそのまま作品化」しようと努め、遠野の山とともに自らの生を営んできたその軌跡を通してはじめて可能となっている。

筆者によるインタビューのなかで本田は「かつては「描くために見ていた」が、遠野に来てからは「見るために描く」ようになった」と語った。この印象的な発言には、「見る」という行為そのものをめぐる深遠な問いが内包されているように思われる。本田は遠野の山景を来る日も来る日も飽くことなく「描き」続けることによって、自然を本当に「見る」ことを学んだ。より正確な表現を使えば、彼は私たちが「自然」と呼称してきた観念を長い時間の末に「学び捨てた」と言えるのではないだろうか。「学び捨て（unlearn）」は、インド出身の高名なポストコロニアル理論家ガヤトリ・スピヴァクが繰り返しその重要性を指摘してきた概念である。

ともに英文学者であるドナ・ランドリーとジェラルド・M・マクリーンはこの概念を解釈して、「私たちの特権は、それが人種、階級、国籍、ジェンダーなどいかなるものであっても、私たちがある種の他の知識を獲得することを妨げているかもしれない」という気付きであると説明する。[29] 本田は描くことで「自然」の規範的概念を「学び捨て」、遠野の風景をさらに広く自己を取り巻く環境として知覚する既存のものとは異なる認知を獲得したと考えることができる。結論部で再び詳述するが、そのような認知は真にエコロジカルな世界を構築するための必要条件を構成する——哲学者のティモシー・モートンは、そう考える。

脱人間中心的な自然の表象——長谷川由貴、畑山太志、平子雄一の絵画実践を例に

絵画を通じて私たちには触知できない人間の認識外に存在するような自然の様相を視覚化するような実験は、多くの現代アーティストたちによって様々な仕方で試みられている。一例として、長谷川由貴の油彩画《Hide and Seek》（2018）に描き出された植物の姿がある（図2-5）。植物とりわけ「森」は長谷川が頻繁に使用するモチーフであるが、《Hide and Seek》に描かれているのは野生の森ではなく人工的な植物園である。だが、それは「夜中の」植物園である。時期によって夜間開園を行う植物園があり、彼女はその機会を利用してこの作品を制作した。長谷川本人の表現を借りれば、夜は「植物園という人間のために整備されたいわば安全な自然界が、まるで野生の森に戻る」時間帯である。

夜間、植物は光合成をしない。代わりに、自らの生命を維持するために呼吸を行う。光合成細菌やシアノバクテリアなどごく一部の例外を除いて、葉緑体を持つ植物のみが光エネルギー

図2-5
長谷川由貴《Hide and Seek》2018

を利用して無機炭素から有機化合物を生成する光合成をなす。その過程で水が分解されて酸素が放出されるが、地球上のほぼすべての酸素と有機物は光合成に由来する。「人間は光合成ができない」がゆえに、光合成ができるという理由で植物を重宝する。ここには紛れもなく人間中心的な生命の価値付け・意味付けが見られるが、そのため光合成をしない夜の植物は人間から見た有用性の埒外に属する。すると不思議なことに、しばしば夜の植物は人間の理解する「植物」ではなくなる。そして、それは私たちの認識から忽然と姿を消してしまうことになる。

ゆえに《Hide and Seek》には、人間が作り出した植物園という空間が人間自身の理解を超越した姿を垣間見せるある特異な瞬間がはっきりと露見している。そこに描かれているのは、形容し難い得体の知れなさを湛えた私たちには知悉《ちしつ》しえない植物の様子である。長谷川の絵画において光という導きの糸を失った植物は闇のなかで光屈性の法則から解放され、それぞれが思い思いの方向へと自由に葉や枝を伸張させている。中央部でぽっかりと口を開けた空虚のような漆黒の闇は、人間という「中心」を喪失した世界のなかで空位となった玉座の象徴のようにも読める。

農業史を専門とする藤原辰史はグローバル化された「帝国」権力の構造のなかではあらゆるものが内部化されており、もはや「自然」でさえも飼い馴らされた内側でしかなくなったというアントニオ・ネグリとマイケル・ハートの議論に対して疑義を差し挟む。藤原の見方では、「自然は、そのほとんどが〈帝国〉の力によって管理されているとはいえ、まだ把握しきれていない外部性が残っている」可能性は十分にある。[30] 藤原はその外部性を「腐敗と生成のドラマチックな過程を内包する化け物じみた存在」と表現したが、長谷川はそれを人間中心的な有用性概念の範疇から逸脱した領域に見いだしていると解釈することもできるかもしれない。

続いて、画家の畑山太志による「草木言語」シリーズ（２０２０〜）を検討したい。畑山は自身が「素知覚」と呼ぶ独自の知覚を頼りに目に見えない自然の世界をカンバスに刻み込んできた作家であるが、彼によればこの知覚は有機体としての人間の身体が本来的に備えるありのままの知覚として想定されている（ここには「あるがまま」の世界を追求し続ける李禹煥とも響き合う関心が見られる）。例えば《草木言語 ＃５》（２０２０）では視覚だけでは捕縛しきれない自然世界の空気感を表現するため、様々な色、長さ、太さ、厚み、方向のストロークが幾重にも塗り重ねられている（図2-6）。彼が理論化する素知覚は外界からの影響を被っておらず、また種の違いを超越した「剥き出しの」感覚である。ゆえに原理上はそれを人間の観点を中心にした世界だけでなく、多彩な有機体が各々のユニークな視座から構成する諸世界に合わせてチューニングすることが可能である。

「多彩な有機体がそれぞれのユニークな視座から構成する諸々の世界」という考えは、生物学者のヤーコプ・フォン・ユクスキュルが20世紀初頭に提唱した「環世界」の概念とよく似ている。人間以外の生物を「単なる客体ではなく、知覚と作用とをその本質的な活動とする主体」とみなすユクスキュルは、そうした多様な主体である生命体が知覚と作用の働きを通して独自に生成する知覚世界（Merkwelt）と作用世界（Wirkwelt）が「連れだって環世界（Umwelt）という一つの完結した全体をつくり上げている」と指摘する。そして、彼はこう続ける――

「環世界は動物そのものと同様に多様であり、じつに豊かでじつに美しい新天地を自然の好きな人に提供してくれるので、たとえそれがわれわれの肉眼ではなくわれわれの心の目を開いてくれるだけだとしても、その中を散策することは、おおいに報われることなのである」[31]。

畑山が絵画を制作するうえでの頼みの綱としている独自の「素知覚」は、ここでユクスキュルの言う「心の目」に近いものであるようにも響く。作家で思想家のジャン＝クリストフ・バイイは、これを独自に定義付けて「〈環世界〉とは、行動する各身体の周囲に開かれている可能性のネットワークであり、各動物がそれぞれの手段、すなわち神経系、感覚、形態、道具、移動性に応じて、世界のなかで巻きつきながら形づくる糸玉のことである」と形容している[32]。バイイの比喩に引き付けて敷衍すると、畑山の絵画はこの多種多様な「可能性のネットワーク」や「糸玉」を視覚的に描き出していると見ることができるかもしれない。これらの目に見えない「ネットワーク」や「糸玉」の様相を捉えるアンテナのような役割を果たしているものを畑山は「素知覚」、ユクスキュルは「心の目」と呼んでいるのだろう。

畑山は「心の目」としての素知覚をユクスキュルが論じるところの様々な環世界に調子を合わせるように（彼の作品が2020年に「attunement（同調）」と題された二人展に選出されていることは示唆的である）、それらを内側から——すなわち、それらに固有の内的論理に従って——描画しようとしているように思える。理論上、それは首尾一貫した矛盾なき行為ではある。しかしすでに述べたように、常に世界を自己中心的な主観を通して眺めている人間にとって、それは同時に余りにも困難な試みである。筆致の集積によって多層的環世界を描き出す

「天気図」シリーズ（2019〜）など、これまでも畑山は絵画を通じて私たちとは異なる知覚が把持する自然の光景に接近し、それを視覚化しようと努めてきた。「草木言語」シリーズはその限りなく不可能に近い、だが人間中心主義を相対化してそこから脱するために限りなく重要な彼の挑戦における最新の成果であると言える。

「脱人間中心的な自然の表象」と題された節の最後を飾る事例として、美術家・平子雄一の芸術実践を概観する。1982年に岡山県で生まれた平子はイギリス・ロンドンにある美術大学で絵画を学び、2000年代の半ばに帰国した。以来、彼は日本を拠点に絵画、彫刻、インスタレーション、サウンド・パフォーマンスを含むマルチ・メディアな芸術制作を継続しており、中国、韓国、UAE、シンガポール、デンマーク、アメリカなどの様々な国や地域で発表の機会を得てきた。ここでは特に、彼の絵画に照準を絞りたい。平子はウィンブルドン・カレッジ・オブ・アートに在学していたときには様々なテーマに挑戦していたが、大学を卒業してからは一貫して「自然」、とりわけ「植物」――しかし、私たちの多くが想像するものとはかけ離れた「植物」――、そして世界のなかで「自然」や「植物」と共存する人間の生の様態を主題に据えた作品を生み出してきた。

2010年前後における平子の絵画実践は、コントロール不可能性に起因する自然のおそろしさを抽出することを主要な課題としていた。例えば2010年に制作された《Memories of My Garden / A March》では先述した長谷川由貴の作品が醸し出す夜の植物園の不気味さにも通底するような、おどろおどろしい雰囲気を纏った植物の姿が暗い背景のなかに描出されている。その後現在に近付くにつれ、平子の絵画には一般的に「自然」という主題にはそぐわないと思われがちなモチーフが登場する。それは「部屋」、つまり室内空間である。室内空間は「人為」的な圏域とされ、しばしば自然世界と対置される。だが平子は、自らの絵画作品を通して両者の不分明な絡み合いを先鋭化する。

2020年の作である絵画《Gift 01》には、自然と文化（人為）のカオス的混交が描き出されている（図2-7）。こうした変遷の背後には、「観葉植物や街路樹、公園に植えられた植物など、人によってコントロールされた植物を「自然」と定義することへの違和感」があったと平子は説明する。言い換えればそうした彼の違和感は本来であればコントロール不可能でおそろしい植物を人間にとって有益かつ無害な実在、あるいはただ愛でるだけの飼い馴らされた対象へと無批判に還元してしまうような我々の素朴な認識に突き付けられた疑義である。その意味で、こうした方向性は2010年前後における平子の絵画作品における関心――制御できない自然に対する畏怖――としっかりと地続きになっていると言える。

《Gift 01》には立体・平面を問わず平子作品に頻繁に登場する、樹木と人間が融合した不可思議な人物像が描かれている。その人物像は一見すると「ゆるキャラ」のような愛らしげな姿をしているが、その頭部に据えられている「樹木」の形象は人間によって牙を抜かれて弱々しく去勢された「植物」の似姿である。一方、リビングルームのような部屋のなかにはそうした「樹木」とは似ても似つかない多種多様な植物が隙間なく這いずり回っている。同時にその部屋にはパンや様々な果実、そして猫や犬などの動物も確認できる。

図2-7
平子雄一《Gift 01》2020
Acrylic on canvas
H259.0×W194.5 cm
撮影＝坂本 理
Courtesy of KOTARO NUKAGA

一言で言えば、その絵画のなかには自然と文化（人為）がキメラ状をなして混じり合っている様子が描き出されているように思われる。こうした平子の絵画実践は現代社会において動植物と人間が互いに浸潤し合って、その境界線を無化しているような世界を作品のなかに作り出す。20世紀のフランスを代表する科学哲学者ジョルジュ・カンギレムは「自然の対象は自然に自然というわけではなく、ある文化の中での日常経験と知覚の対象であろう」と指摘し、その「卑俗な事例」として鉱物や結晶などの「自然」が露天鉱区や鉱山での「文化」のなかではらむ存在性に言及している。[33] 平子の芸術では、カンギレムが強調するような自然と文化（人為）の錯綜した接続性がくっきりと際立たせられている。

自然なき風景画

しかし、本田の絵画実践は長谷川とも畑山とも平子ともその本質を異とする。とはいえ本章の目的はそれらの価値を序列化することではないし、そもそもそれらはそれぞれに異なる重要な意義を有している。あくまで本章は本田健の絵画をその考察の中心に据えているため、その特性を際立たせるために類似するが微妙に異なった関心に裏打ちされた長谷川由貴、畑山太志、平子雄一という各作家の絵画作品を比較対象として紹介した。

長谷川や畑山や平子はその類いまれな表現力を駆使して自然の隠れた様相、あるいは自然と文化（人為）の渾然一体とした絡み合いの様子を能動的に描き出そうとしているように見える。

それに対して本田は自らと切り離された自然を主体的に描くというよりは、受動的なレセプターとなって自らもその一部である遠野の風景をカンバス上に浮かび上がらせているように感じられる。このときに完成する絵画は彼の主要な目的ではなく、自己と自然が一体化するプロセスにおける副産物であるとすらみなすことができるかもしれない。

このことは本田が2000年代に入ってから新たに取り組み始めた、油彩画の作品においてさらに明白である。実は冒頭で紹介した絵は油彩画であり、ゆえにあの作品は本田の画業において比較的最近の挑戦であったことがわかる。チャコール・ペンシルによるドローイングは大型のものがそのほとんどを占めるが、彼の油彩画はもう少しサイズの小ぶりなものが目立つ。油彩画の制作方法は、チャコール・ドローイングのそれとは異なる。油彩画を描くときに本田はテントを張り、そこに長時間居続けながら制作する。

自邸の庭に生えたバラを描いた近作《バラ》（2020）の場合には、「絵具が全体の絵の中で共鳴し合うと信頼して、きっぱりと筆を走らせて、絵具に任せる感じ」（本田から筆者へのEメール）で制作が進んだと表現する（図2-8）。先述した「描くために見る」から「見るために描く」への移行に沿って、油彩画の試みを通して本田は「居るために描く」ようになったと語る。ともに「居る」あいだに当然ながら自然は刻々と変化するが、彼はその変化をただ受容してそれをそのまま絵のなかに描き付ける。ゆえに、彼の油彩画にはある種のゆるやかな時間性が内包される。筆者によるインタビューのなかで、本田が「描いているうちに自分と自然が混ざり合い、互いを変化させていく感じ」に言及したのは注目に値する。

古今東西の宗教に造詣が深い宗教史学者の中沢新一であれば、こうした本田の相互貫入の感覚においては古来の神話的思考に頻繁に見られる対称性の知性が作動していると考えるかもしれない。中沢によれば、「対称性の知性」とは矛盾を排した論理に基づく言語構造には規定されない別種の知性を指す。対称性の知性というレンズを通すと、私たちが一般的に「私が花を見ている」と叙述する事象は次のように新たに把握される。

ふつうの論理では、花を見ているとき、私は花から分離されているために、私が同時に花でもあるという論理的な矛盾は起きないようになっている。ところが、対称性の知性にとっては、人が花を見、花が人を見ているという出来事全体のことがまるごととらえられているから、私と花は分離されず、そのことを論理的な矛盾と感ずることもない[34]。

こうした中沢の洞察は、「描いているうちに自分と自然が混ざり合［う］」という本田の独特な感覚を人類学的視点から理解することを可能にする。

独自のエコロジー思想を練り上げるうえで、哲学者のティモシー・モートンは人間と自然を二元論的に考えることを放棄することの重要性を提案する。モートンに言わせれば、「徹底的に環境にやさしい思想について徹底的に考えることとは、自然の観念を手放すことである[35]」。彼が提唱する「自然なきエコロジー」を想像することの目的は、既成の「自然」概念を不断に解体していくことにある。なぜなら、真に「エコロジカルな思考」は「固定化されることがなく、

図2-8
本田 健《バラ》2020
キャンバスに油彩
91.2×91.2 cm
Courtesy of 思文閣

対象を特定のやり方で概念化して終えてしまうのではない」からだ。[36] 本田の絵画は人間と私たちが「自然」と名指すものが常に変化し続けながら相互浸透し、絡み合う様を一つのビジョンとして提示する。そこには「自然」の固定化や概念化が入り込む余地が存在しないがゆえに、私たちはそれを——モートンの「自然なきエコロジー」に倣って——「自然（的なるものの観念）なき風景画」と呼ぶことができるのではないだろうか。これが本章の主張である。

ところでモートン自身は「新しいエコロジー」像を体現する芸術作品として、アメリカを拠点に活動するアーティストであるマリーナ・ズルコウの《メゾコスム（ウインク・テキサス）》（2012）に言及している。このアニメーション作品には無数の蝶や防護服を纏った人々が登場するが、蝶と防護服だけが鮮やかな黄色に着色されている。ズルコウの《メゾコスム》は、モートンや彼が2007年に上梓した『自然なきエコロジー』の日本語版翻訳者である篠原雅武が提唱する「とりまくもの」としての「自然」のビジョンを感覚的に表現したものとして評価される。実際、篠原は自著『複数性のエコロジー』（2016）の表紙に同作を採用している。

たしかに、ズルコウが《メゾコスム》で示すビジョンは私たちが「自然」と呼び習わすものの「新しい」姿を垣間見せてくれる点でたいへん意義深いものである。だがここで筆者は、ここまで本章で検討してきたように一見すると非常にリアリスティックなスタイルで描かれた（もちろん、これ自体は技法を要する価値ある性質であるが）、ごく一般的な風景画として退けられてしまいがちな本田の作品に見いだしうる別種の「新しさ」を前景化したい。この「新しさ」は「見たこともない」、「一瞬にして目（と心）を奪われるような」性質ではない。ごく普通に見える風景が、私たちが通常では感覚することのできない仕方で提示されていることに依拠する新しさである。

幼い頃に画家を志したこともあったという哲学者の千葉雅也は絵画を「ものを見るときに、それがどのように神経系で処理され、そして手の動きに反映されてどんな線や面になっていくかという、認知経験のプロセス」と捉え、ゆえに絵画を鑑賞するという経験は「作者の特殊な認知がどう画面上で展開されているのか」という「その過程の追体験」であるという議論を展開する。[37] 千葉の見方にしたがえば、本田の絵画を見ることは彼の「認知経験のプロセス」を「追体験」することにつながる。それはすなわち四半世紀以上も遠野の山と共に生きるなかで培われた彼の特異な自然の認知経験を追体験することであり、そのことはきっと私たちがオルタナティブなエコロジー観を感得していくためにきわめて意義のある機会を提供するはずだ。

最後に美術史的な観点から見れば、本田の絵画は「風景画」それ自体の概念を更新する可能性をも秘めている。日本で「美術」概念が歴史的・制度的に構築されていく過程に実証的な仕方で迫った『眼の神殿』（1989）の著者・北澤憲昭は、明治期の日本で「自然を客体としてありのままに見つめる西洋的な意味での風景画」が浸透したと指摘する。[38] こうした西洋の風景画には人間と自然を切り離し、後者を受動的な客体とする自然観がはっきりと表れている。そうした自然の客体化と同一の力学の別の側面として、人間は能動的な「見る」主体となる。こうした流れは近代的な「観察する主体」（ジョナサン・クレーリー）の登場とも深く関わるが、この点は次章で詳しく論じる。[39]

かつて誰も見たこともないような「瞠目すべき」自然や風景のビジョンを提示する絵画やアニメーションが次々と産出される現代アート界では、一見すると「素朴な」自然を描いているかに見える本田の絵画は芸術の「後退」のように映るかもしれない。だがここまで論じてきたように、筆者はそれを主体（人間）と客体（自然）を概念的に切断することで成立した西洋美術における風景画の革新的なアップデートあるいはそれに対する決定的なアンチテーゼとして理解する視座を提示したい。本田の制作する絵画には、人間と自然が未分化なままに渾然一体とした様子が描かれている。そのような彼の「自然なき風景画」にこそ、筆者は「新しいエコロジー」観の現代美術の領域における具現化を見いだすのである。

第 3 章

来るべき土着性のために

—— 天地耕作の彫刻

美術史の大都市中心主義

筆者は2019年、初めての単著『現代美術史―欧米、日本、トランスナショナル』（中央公論新社）を上梓した。あとがきでは自戒の念を込め、「筆者が無意識に前提としていた「大都市中心的な」視座も議論の俎上《そじょう》に載せられて然《しか》るべき」と記した。[1] 現代美術の歴史的語りは、しばしば東京や大阪を筆頭とした（時にそこに名古屋や福岡も含まれる）「大都市」を中心に排他的な仕方で構築されてきた。そのあとがきには、そうした現代美術史の閉鎖的構造を批判的に前景化する意図があった。そのような意味で、静岡・浜松を主な舞台とする本章は『現代美術史』の言説への自己批判に対して自ら建設的オルタナティブを生産することで応答する試みであるとも言える。

『現代美術史』を出版した数ヶ月後、筆者は同書に関連したインタビューを受けた（『現代美術史』著者・山本浩貴に聞く「コロナ時代の(と)アート」『ウェブ版美術手帖』）。その時期にはすでに、新型コロナウイルス感染症（COVID-19）の世界的パンデミックが日に日に深刻度を増していた。「COVID-19後のアート」という話題にもふれつつ、そのインタビューでも「地方の前衛芸術を十分紹介できなかったのは反省点」であり、「その点は「大都市中心主義」と批判されても仕方ない」と再度強調した。[2]「十分紹介できなかった」「地方の前衛芸術」の例として、そのときには2つのグループを挙げた。1つが新潟の「GUN《ガン》」で、もう1つが静岡の「天地《あまつち》耕作」である。

GUNは「Group Ultra Niigata」の略称であり、1967年に新潟県長岡市で結成された前衛芸術集団である。中心メンバーには、前山忠や堀川紀夫らがいた。GUNが1970年に同県十日町市で敢行したパフォーマンス《雪のイメージを変えるイベント》は、特に有名である。メンバーたちは、一面雪で覆われた大地にピンクやイエローなどビビッドな色の顔料を散布した。豪雪地帯・新潟の土地性を巧みに利用したこのパフォーマンスは、『アサヒグラフ』などの全国誌に写真入りで取り上げられた。そのビジュアル・インパクトも手伝って、GUNの存在は全国的に認知されるようになっていった。

ニューヨークを拠点に活動する美術史家・富井玲子はGUNの実践が「彼らの生きられた現実と新潟の環境に基づいて（grounded in their lived reality and the environment of Niigata）」いたと指摘し、次のように言葉を継ぐ。

GUNは、彼ら自身のローカルな状況を探求することによって、社会的なものに関与する新しい方法を切り開く一方、インターナショナルなものをローカルなものに引き込むことによって、東京からの、そして実際のところ、インターナショナルなものからの距離を効果的に縮めた。[3]

2016年、富井は『荒野のラディカリズム――国際的同時性と日本における1960年代の芸術（*Radicalism in the Wilderness: International Contemporaneity and 1960s Art in Japan*）』と題さ

れた著書を公刊した。同書は、1960年代に東京という経済・文化的中核から離れた「荒野(wilderness)」で躍動したアーティスト(・コレクティブ)に光を当てた。出版翌年、この本は栄誉ある「ロバート・マザーウェル出版賞」(諸芸術におけるモダニズムの歴史と批評に関する優れた研究に贈られる米国の賞)を受賞した。そのなかで、富井は1章を割いてGUNの活動を詳細に分析している。

2007年、GUNはアメリカのポール・ゲッティ美術館で開催された「芸術、反芸術、非芸術—戦後日本の実験芸術、1950年—1970年(Art, Anti-Art, Non-Art: Experimentations in the Public Sphere in Postwar Japan, 1950-1970)」展に選出された。2012年には、地元の新潟でも大規模な回顧展「GUN—新潟に前衛(アバンギャルド)があった頃」(新潟県立近代美術館)が実現した。さらに2019年、富井自身が自著をベースに企画した展覧会「荒野のラディカリズム—グローバルな1960年代における日本のアーティストたち(Radicalism in the Wilderness: Japanese Artists in the Global 1960s)」(神谷幸江との共同キュレーション)がニューヨークのジャパン・ソサエティー・ギャラリーで開催された。同展でも、当然ながらGUNの実践は大きく扱われた。こうした背景もあり、近年ではGUN再評価の機運がますます高まっている。

1980年代末以降、GUNとは別の「荒野」で独自の実践を展開した「地方の前衛芸術」ユニットの一つが天地耕作である。天地耕作の活動拠点は、GUNの新潟よりも東京に近い静岡であった。天地耕作は、1980年代後半から静岡県浜松市を拠点に活動を開始した。そのメンバーは3人の美術家——1954年生まれの村上誠、1958年生まれの村上渡（村上誠の実弟）、1960年生まれの山本裕司——であった。「天地耕作」は村上兄弟と山本が結成したユニットの名である。だが同時に、それは彼らが2000年代前半まで間欠的に継続した一連の美術制作プロジェクトを指す名称でもあった。本章では、この天地耕作の営みを中心的な論述対象として取り上げる。

近年、1980年代の日本美術に対する関心の高まりが目立つ。その例証として、2018年から2019年にかけて金沢21世紀美術館、高松市美術館、静岡市美術館を巡回した「起点としての80年代」展の開催が挙げられる。同展は、1980年代における日本美術の様相を見つめ直す試みであった。「1980年代」は、これまでの日本美術史で参照されることの少ない時期である。その時期は、日本のコンセプチュアル・アート——千葉成夫の言葉を借りれば「日本概念派」——が独自の発達を遂げた1970年代と、サブカルチャーの影響を著しく被ったコンテンポラリー・アート——日本が世界に誇るプラモデル・メーカー田宮模型（現・株式会社タミヤ）のロゴを転用した村上隆の《サインボードTAMIYA》は1991年の作品である——が隆盛した1990年代のちょうどはざまに位置する。強烈な個性を放つ2つのディケードに挟まれたこともあり、「1980年代の日本美術」は歴史のブラインド・スポットのような様相を呈してきた。

紙幅の関係もあり、拙著『現代美術史』でも1980年代の日本美術に関する厚みある記述を含めることができなかった。「起点としての80年代」展のカタログに寄稿した論考において詩人・美術評論家の建畠晢は「80年代は今日の美術の状況の起点といいうる時期」と述べ、その再検証の必要性を強調する。[4]同じく2018年と2019年をまたいで、大阪の国立国際美術館でも「ニュー・ウェイブ―現代美術の80年代」展が開催された。これらの例を筆頭に、ここ数年間で「1980年代の日本美術」をテーマとした大小様々な展覧会が立て続けに企画されている。こうした事実からもわかる通り、日本美術史における「1980年代」は現在非常に注目を集める主題となっている。

「起点としての80年代」展が静岡市美術館を巡回したとき、「Shizubi Project 7 アーカイヴ／1980年代―静岡」が同時開催された。これは静岡における1980年代のアートシーンを振り返る小企画展であり、企画者は同美術館学芸員の伊藤鮎であった。天地耕作の活動は、「Shizubi Project 7」展のなかで中心的に紹介されていた。他に紹介された事例は「浜松野外美術展」、「A-Value」、「袋井駅前プロジェクト」であった。本章で後述するように、いずれの事例も天地耕作と少なからぬ交わりを有していた。

戦後日本における国際美術展の歴史的変遷を詳述した著作（『日本国際美術展と戦後美術史―その変遷と「美術」制度を読み解く』）を上梓した山下晃平は、そのなかで「八〇年代における大型美術展の役割、構造的な変化」に着目している。そのうえで山下は、「制度としての『美術（芸術）』への強い保守性を帯びる軸としての『展示』から、一方でその周縁部分における『地域性』の表出、つまり場との時間的空間的な関わりを持つという二層構造的な形への位相の変化」のなかに天地耕作の営みを位置付ける。[5]天地耕作だけではなく先述の「浜松野外美術展」、

「A-Value」、「袋井駅前プロジェクト」もまた、こうした「位相の変化」のなかで出現したと考えられる。山下が指摘するように、それらはいずれも特異な『「地域性」の表出』を伴っていた。

先述の「Shizubi Project 7」展は、「起点としての80年代」展の見えにくい空白を埋める役割を果たしていた。その空白は、冒頭で述べた美術史の大都市中心主義的構造が生み落としたものである。この特別展は1980年代という時代的空隙を埋めると同時に、静岡という地理的空隙を埋める重大な役目を担っていた。とはいえ、天地耕作を単に「静岡の前衛」として片付けてしまうことは生産的でない。なぜなら、天地耕作自体も「1980年代の日本美術」の欠くべからざる一部であるからだ。ゆえに、天地耕作を「1980年代の日本美術」というタペストリー全体から切り離して提示するやり方には限界がある。そうしたやり方は日本美術史に根深く残る「大都市中心主義」すなわち経済的主要都市を措定された中心に据える力学に深く下支えされ、その裏面として姿を現している。

そこで本章では、天地耕作の活動を1980年代の日本美術の同時代的動向との関係の網目のなかに置き直すことも試みる。加えて天地耕作の営みと関連付けることができる（と筆者が考える）、様々な世代の現代アーティストたちによる作品やプロジェクトも紹介する。そうすることで、時代を貫いて継承される天地耕作の普遍的問題意識の一端がさらにくっきりと浮かび上がるだろう。同時にそうした現代の芸術実践との微妙な差異を検討することを通して、天地耕作の特異性もまたさらに一層際立たせられることになるだろう。

日本美術界に広がる「1980年代リバイバル」の空気は、日本の代表的な美術専門誌の一つ『美術手帖』にも反映されている。同誌2019年6月号では、「80年代・日本のアート」という特集が組まれた。その特集では、天地耕作が作品写真付きで紹介されている。同特集に「複数のメディウム——80年代という交差点」と題された長文の論考を寄稿した美術史家の沢山遼は、1980年代の日本美術の特色を「外部空間への逃走」と同時に「ある表現や美術・芸術という制度が成立する諸条件を問うという、（略）ストイックなまでに原理的な思考」に同定する。[6] この洞察は、天地耕作の営みを考えるうえでも有用である。同特集内には、沢山以外にも筒井宏樹、吉竹美香、椹木野衣らによる厚みのある論考が併録されている。しかし、そのなかに天地耕作に関する記述を発見することはできない。

このことは一貫した美術史的脈絡のなかに天地耕作を位置付けることの難しさを示唆する。本章で明らかにするように、天地耕作の実践はその始まりからして矛盾をはらんだ運動であったからだ。むしろそうした矛盾こそ、天地耕作という芸術プロジェクトをこのうえなくユニークな実践にしている当のものである。天地耕作が既存の美術史的ナラティブのなかでほとんど扱われてこなかった理由には大都市中心主義のみならず、こうした文脈化の困難も少なからず関係する。このように天地耕作は何重にも捉え難く、一筋縄では把握できない芸術運動であることは繰り返し強調しておきたい。

天地耕作というプロジェクト

先述した通り、天地耕作は村上誠、村上渡、山本裕司の3人により開始された美術制作プロジェクトである。とはいえ、「正当な美術教育を受けた山本と、美術外の出自を持つ村上兄弟とでは多少立ち位置が異なり、共同体でありながら実際の（略）［作品］は別々に制作された」点は重要だ。[7] こうした背景に付け加えて、静岡文化芸術大学で教鞭を執る尾野正晴は「正規の美術教育を受けたのは山本だけだが、地元には実技系の美術大学が皆無に近い以上、独学で学ぶしかないことも多い。現に、村上（誠）は美学校で吉田克朗に学んでおり、当初は銅版画を手がけていた」と書く。[8] ただし村上誠自身は、美学校で「一年間銅版画をやってましたけど、作品というのは一点もできませんでした」と語っている。[9]

1943年に生まれて1999年に没した吉田克朗は、一般に「もの派」の美術家として知られる。1960年代後半から1970年代前半にかけて吉田は木材や鉄板、石や紙などの自然素材を組み合わせた立体作品を多数制作した。1本の長い角材の上に厚さの異なる4枚の鉄板を置いて自然に撓《たわ》む過程を時間的に内包した彫刻《Cut-off No.2》（1969）は、もの派に分類される作家としての彼の側面をよく示す作品である。一方で彼は裸電球やコードといった、他のもの派作家たちがあまり使用しなかった材料を用いた制作にも挑戦している（1970年制作の《650ワットと60ワット》など）。吉田は日常風景を撮影した写真を素材にした版画も数多く手がけ、1970年には第1回ソウル国際版画ビエンナーレで大賞を獲得している。彼は

1980年から美学校で「銅版画工房」クラスの専任講師となり、1993年から1999年の間は特別講師を務めた。

1969年に開校された「美学校」は、出版社・現代思潮社の社主・石井恭二の発案による美術を学ぶオルタナティブ・スクールである。美学校では、吉田の他にも赤瀬川原平、中西夏之、中村宏、松澤宥、菊畑茂久馬といった後世に名を残す美術家たちが教場を担当していた。彼らの教場からは、既成の「美術」概念に囚われない活動を展開していくことになる表現者が数多く巣立っていった。美学校は様々な紆余曲折を経て2022年現在まで存続しており、2000年代には小沢剛、会田誠、卯城竜太（Chim↑Pom）などの個性的な現代アーティストたちが講師を務めている。

英キングストン大学にて初期美学校に関する研究で博士号を取得した美術家の嶋田美子は、「石井は「講義や本による思想のお勉強」ではなく「手」や「眼」を使った身体的体験によって根源《ラディカル》に到達することを目指し［た］」と指摘する。[10] 近代美術の領域では周縁的な位置に置かれてきた「手技」による物との直接的な交歓を通じて、全身を用いた世界や自然との生き生きとした交わりを回復すること――それが石井ら美学校の創立メンバーの共通した関心であった、と嶋田は言明している。[11] この点については、第5章に登場する山本鼎の思想とのひそやかな共鳴も指摘できるだろう。これから見ていく通り、自然のなかにおける身体的経験を重視する態度は天地耕作の実践にも顕現する。

「美術」と「美術外」の出自のこうした混合は、天地耕作をして「芸術の文脈の中にありながら、しかもその文脈をはみだすことによって、芸術の文脈を変化」させていくような特異な運動体ならしめた。[12] そして天地耕作は「芸術の文脈の中にありながら、しかもその文脈をはみだす」というアンチノミーを内包したプロジェクトであったこともあり、15年間というそれほど短くない活動期間のうちに約10回しか実際の制作は行っていない。それにもかかわらず、あるいはそれゆえにこそ天地耕作の造形物（「Shizubi Project 7」展のカタログでは「耕作物」と呼称されている）はいずれも形容し難い強烈な個性を帯びる。そうした個性は、「美術」の領域内で「美術」を超越する何か――美術ならざるもの――を生み出そうとする矛盾したアクションが可能にしたものであった。

「Shizubi Project 7 アーカイヴ／1980年代――静岡」の展覧会カタログは、全部で14ページほどの小冊子である。しかし「浜松野外美術展」、「A-Value」、「袋井駅前プロジェクト」、「天地耕作」それぞれに関する大小様々な参考文献が巻末にまとめられているなど、それは優れて資料的価値の高い冊子となっている。天地耕作の歩みについても、年代や日付を含んだ詳細な記録が記されている。先述の通り、天地耕作のパフォーマティブな創作物はその活動期間の長さに比べてそう多くない。そこで主に「Shizubi Project 7」のカタログを参考にしながら、この節では以降それらの作品全てに付随するパフォーマンスやシンポジウムも含めて年代順に概観していく。

次に、そこから浮かび上がってくる天地耕作の特色を時代も場所も異なる作家やプロジェクトと比較する。そうすることによって、芸術運動としての天地耕作の特異性をさらに細かく析出することを試みる。続いて、天地耕作をめぐる影響関係についても深掘りする。その際、富井玲子が提唱する「繋がり（コネクション）」と「響きあい（レゾナンス）」という2つの方法論的概念を活用する。最後に本書全体のテーマにしたがって、天地耕作の芸術活動をエコロジーの観点から考察したい。とはいえ、それは決して従来のエコロジー観と相性のいいものではない。むしろ、天地耕作の実践は自然をもっぱら人間が管理／修復／保護すべき対象として捉える規範的なエコロジー思想とは真っ向から対立する。前章の本田健の絵画と同じように、天地耕作の彫刻もまた既存の「エコロジー」概念の再考を私たちに迫る芸術であるのだ。

最初の「耕作物」は、1988年8月から1989年3月にかけて現在の静岡県浜松市北区細江町と引佐町に出現した。それらの場所は、いずれも彼らの私有地であった。村上が「作品は彼と僕らとでは別々のものになるわけですし、すべてのことで山本とは一線を画していま す」と述べる通り、村上誠・渡と山本裕司は二手に分かれて「耕作」作業を行った。[13] このとき村上兄弟は《辻》、《山上》、《山田（一）》、《山田（二）》（いずれも1988〜1989）、山本裕司は《竹藪》、《首塚》、《氏神の祠》（いずれも1988〜1989）をそれぞれ細江町と引佐町で制作した。いずれの作品も石や土、木など現地で調達できる自然物を用いて制作された。そして、どの作品も人間のスケールよりはるかに大きな構築物であった。

村上兄弟の《辻》は、平行に屹立した2本の細長い木を土台として成立する（図3-1）。4メートルほどの長さのその2本の木の下部は、簡単に倒れることがないように交差した2本の細長い木と2本の短い木で固定されている。直立する2本の木の上部には地面と並行して2本

図3-1
村上 誠・渡《辻》1988〜1989

の非常に細い木が固着され、その真ん中には土と短い流木を混ぜて作られた泥団子のような球体がまるで浮遊しているかのようなギミックで設置されている。

一方、山本の作品は村上兄弟の作品よりも使用する素材の点で多彩である。例えば、《首塚》は長さや形の異なる自然木を組み合わせて作られた巨大な構造物である。また、《竹藪》は実際の竹藪のなかに点在する土塊を含む空間的インスタレーションである。それらの土塊の表面には、無数の穴が開けられている。見た目の点で最も異彩を放つ山本の「耕作物」が、《氏神の祠》であると言える（図3−2）。

この作品は、川を挟んだ2つの崖のあいだに蜘蛛の巣のように張りめぐらされた縄の網を中核とする。崖に生えた木には、同じように縄を用いて織られた蓑虫のような形をした制作物が吊るされている。川を跨《また》いで広がる逆三角形の網による超大な織物の上部には、民俗的な仮面が1つ取り付けられている。山本は例えばコンゴのワゲニア族が橋を作るための木の組み方に造形的インスピレーションを得ていると発言しており（『耕作だより7』）、こうしたところにも「美術外」からの影響が看取できる。[14]

これらの作品は一瞥したところ、第1章と第2章に登場したランド・アート（アース・ワーク）と呼ばれる芸術潮流と呼応しているようにも見える。しかし、天地耕作の実践は「「ランド・アート」とは、似て非なるもの」であると尾野正晴は明言している。この点については、そのように尾野が考える理由も絡めながら後ほど検討する。

1989月3月3日から5日の3日間、「巡覧〝天地耕作〟」と題された観覧ツアーが催された。これは浜松駅から車で細江町と引佐町をめぐるツアーであり、最初の『耕作だより』（後述）に記された案内文には次のような説明書きが付された。

この展覧会はここに住む私たち三人が自分たちの生れ育った山野に作品を築き、それをオリエンテーリングというかたちで巡回することを目的としています。ある時は空しく自然との同化を試み、またある時は激しく自然とあらがいながら半年間フィールドワークし、その過程での表現の在り方を実験的に提示するものです。[15]

ツアー最終日の3月5日には美術史家・石崎勝基、比較人文学者・嶋田義仁、詩人・吉増剛造の3人をゲストに招き、シンポジウム「天地を歩く、劫初《ごうしょ》のながめ」を開催している。細江町気賀・長楽寺を会場とした同シンポジウムの記録は1989年に発行された書籍『天地耕作』に採録されており、司会・進行を務めた石崎はそのなかで「今回のシンポジウムのテーマ」を「人が自然というものにぶつかった時、いったいどのような表現が出てくるのかといったこと」と要約する。[16]

シンポジウムと同じ日には、制作した「耕作物」の一部が村上兄弟と山本の手で解体されている。彼らは残りの部分を放置し、それらは自然倒壊などを経て朽ちるに任せられる運命となった。作品の一部は以前あったような自然状態に回帰し、それぞれの「耕作地」に再び溶け込んだ。例えば、山本の《首塚》があった場所が元の生姜畑に戻った様子を『天地耕作』に口絵として掲載された小さな写真からうかがうことができる。そのような意味で、天地耕作の実践を「残さない美術」と特徴付けることが可能である。とはいえ同時に彼らは多数のドキュメント写真を撮影しており、作品の制作プロセスとその成果物を記録することへの意識は非常に高かった点にも注意が必要である。

　1989年8月29日から同年9月3日にかけて開催された「A-Value Ⅱ」展では、会場であった静岡県立美術館の裏山に村上誠・渡の《辻—その二》（1989）と山本裕司の《墳墓—その二》（1989）が展示された。いずれの作品も流木や縄を使用して作られた大型の構築物であり、最初の「耕作」から続く流れを感じさせる。2019年の「Shizubi Project 7 アーカイヴ」展でも紹介された「A-Value」展は、静岡在住の作家たちによる自主企画展である。同展は突然発生的な試みではなく、1970年代後半以降の静岡で多く見られたオルタナティブな作品発表の機会を作家自身が創出しようとする傾向——「JUJU PHOTO SESSION」（1977～1985）、「art space」（1979～1986）、「現代アートフェスティバル in Shimizu」（1987）など——のなかに位置付けられる。[17] ちなみに村上兄弟は《雨の栖《すみか》》（1987）、山本は《すみか》（1987）という立体作品を「現代アートフェスティバル in Shimizu」で披露している。

　村上兄弟と山本は1988年の「A-Value Ⅰ」展にも出品しており、それぞれの作品は《雨の家》（1988）と《いかずち》（1988）と題されていた。静岡県立美術館の中庭に設置されたそれらの作品との最初の遭遇を、展覧会に関連する講演を依頼されて同館を訪れた吉増剛造は次のように語る。

（略）それで、どこで、講演やるのかな、ガラス戸の外の中庭でやるのか、ちょっと緊張して雨の具合を待っていたんですね。（略）どこにするって言われた時に、とっさに外に行きたいと思って、そして中庭で話を始めました。マイクロフォンもないものですから、話しにくいなと思いながら、お三方の作品をまわり始めました。それで落ち着いて、なにかこう、気持ちのいい意味を歩いたっていいますか、そういうことがあったんです。[18]

この吉増と村上兄弟・山本の作品との出会いは、天地耕作のプロジェクトを開始するきっかけとなった。最終号となった14号目の『耕作だより』（１９９５年発行）で、村上誠は「天地耕作は吉増剛造さんとの出会いから始まりました」と明確に述べている。[19]

１９９８年10月19日から11月２日にかけて、村上兄弟は浜松市立湖東中学校をフィールドに《辻―その三》（１９９８）を制作した。また１９９０年９月４日から16日までを会期とした「A-Value Ⅲ」展（静岡県立美術館県民ギャラリー）では、村上誠・渡の《産土》（１９９０）と山本裕司《墳墓―その三》（１９９０）が展示されている。

３回に及ぶ「A-Value」展はいずれも広く一般公開された展覧会であったが、これ以降には天地耕作の作品はより閉じられた世界における制作物となっていく。すなわち「耕作物」はごく限定された期間内でごく限定された人々にのみ公開するか、あるいは原則として非公開となった。よって天地耕作は「残さない美術」から、徐々に「見せない美術」の様相を強めることとなる。だがもちろん、彼らは「残さない美術」という側面も維持した。この点に関して、村上誠は「「見せる美術」という近代的な枠組みを一度白紙にもどした」かったと発言する。[20]彼はあるインタビューでの「あえて観客は必要としないわけですか」という質問に対し、はっきりと「いらないと思います」と答えている。[21]

次の「耕作」は、1991年4月から同年9月にかけて行われた。そのときの制作物は、村上誠・渡の《産土—その二》(1991)と山本裕司の《墳墓—その四》(1991)であった。8月5日から9月7日にかけて、3人は谷下という地域にあった採石場跡での制作の様子を一部公開している。翌8日から29日まで、「放置」という名目で作品の「展示」が行われた。《産土—その二》は種々の木や藁、石灰石を組み合わせて作った屋外インスタレーションであった(図3-3)。それは以前の「耕作物」よりも入り組んだ構造を有しており、複雑さが増大している。ごく少数の人々にむけて公開されたときに、子どもたちがその作品の内側をせわしなく駆け回る様子を『天地耕作・弐』(1991)に掲載された写真に見ることができる。

9月8日には、パフォーマンス・アーティストの浜田剛爾が「耕作物」のある空間のなかで「風景の中の見ることとの自由Ⅲ」と題されたパフォーマンスを敢行した。1991年に自主出版した冊子『天地耕作・弐』には、そのパフォーマンスの内容が浜田自身の言葉で綴られている——「刈られた草の上で、私は裸になり、小さな火をともし、六つのメトロノームを置き、石灰の粉で地と身体を一つにした」[22]。9月22日と23日には、天地耕作の3人に音楽家・森口牧太郎を加えて太鼓や竹笛を使用した民俗的なサウンド・パフォーマンスがなされている。9月30日、2つの作品に火が放たれて焼却された。

図3-3
村上 誠・渡《産土一その二》1991

1992年2月1日から25日という期間には、初となる海外での「耕作」作業をオーストラリアのパースにて行っている。制作は同年2月2日から22日にかけてなされ、スワン川の周辺に村上誠・渡《産土―その三》（1992）と山本裕司《墳墓―その五》（1992）が出現した。23日には、彼らが「身体遊戯」と呼ぶパフォーマンスがなされた（この呼称に、身体性を重視する美学校の教育からの影響を見て取ることができるかもしれない）。全編英語で執筆された『耕作だより』10号では、そのパフォーマンスの概要が記されている。

私たちは夕方、日が暮れてからパフォーマンスを行った。渡は「大地からの誕生」という儀式を行った。誠は手作りの楽器によって奏でられるノイズを作り出した。村上兄弟の儀式を受けて、山本は死の儀式を執り行った。最後に私たちは自らの作品を壊し、棺は川の水流と共に流された。[23]

村上誠によれば、天地耕作のプロジェクトにおけるパフォーマンスは――理論的にも、実践的にも――山本を中心になされていたという。このときの「耕作」の記録は、2月25日から3月25日にかけて開催された「見えない彫刻――日本からのアイデア」展（パース市現代美術館）において披瀝された。この展覧会が、天地耕作の活動が国外のたくさんのオーディエンスの目にふれる最初の好機となった。その2年後、1994年2月から同年10月にかけては現在の浜松市北区平口に位置する姥ヶ谷とその周辺での「耕作」がなされた。そのときの制作物は、村上誠・渡による《産土―その四》（1994）と山本裕司による《墳墓―その六》（1994）である。1994年8月28日に身体遊戯が行われ、翌29日から解体作業が着手された。

1997年6月から同年8月にかけて、2度目となる海外での「耕作」がなされた。その場所は、フィンランドのオリベシ郊外にあるテルヤヴィ湖であった。このときに制作された作品は、村上誠・渡の《産土―その五》（1997）と山本裕司《墳墓―その七》（1997）であった。村上兄弟の手による《産土―その五》は、大量の材木を用いて湖のなかに仮設したインスタレーションである。同年7月22日には、現地のパフォーマー（イルカ・ユハニ・タカロエスコラ）とのコラボレーションによる身体遊戯が披露された。翌日、解体作業がなされた。フィンランドではもう1つの場所でも制作が行われ、ラハティ郊外のベシ湖に村上誠・渡の《産土―その六》（1997）と山本裕司の《墳墓―その八》（1997）が出現した（図3-4）。このときも現地のパフォーマーとの身体遊戯が催され（8月2日）、現場はしばらく放置されたあとに地元の人々の手で解体された。

1997年10月から1999年3月にかけて村上誠・渡は《産土―その七》（1997～1999）、山本裕司《墳墓―その九》（1997～1999）をそれぞれ制作した。その場所は、最初の「耕作」と同じ細江町と引佐町の私有地であった。1999年3月8日には、現地で森繁哉をゲストに迎えて身体遊戯を行った。翌日、これまでと同じように解体作業がなされた。天地耕作の制作活動は、実質的にはこれを最後にほぼ終了したと言える。というのも、その後は「耕作地」での新作の制作ではなく美術館やギャラリーでの過去作のアーカイブ展示がメインとなるからだ。

だが、それ以外に指摘しておきたいさらに本質的な根拠もある。最初の「耕作」について、石崎勝基は「村上誠・村上渡の本計画における四点の作品はいずれも、円を基本にしている」と指摘する。[24]『耕作だより12』に転載された論考「円環、失われた紋章」(1993)で、民俗学者の赤坂憲雄も村上兄弟の《産土―その二》に現れる円環のモチーフに着目する。


数十本、いや百本に届くかもしれぬ直径が三十センチ足らずの木の柱が、岩盤に突き立てられ、ゆるやかな非定型の円環をつくっていた。しかも、その円環は故意であったか否か、閉じられた内部の権力を無化するためのように破れ、あらかじめ壊れていた。[25]

先述した通り、天地耕作は近代美術という制度における「閉じられた内部の権力」をその内側に留まりつつ内破することを目指したプロジェクトであったと規定することができる。言い換えれば正木基が観察するように、村上兄弟と山本の3人は「美術の枠組み総体の疑義に基づいて制作を行なって」いた。[26]その意味で、天地耕作の作品の多くが「円を基本にしている」という石崎の指摘は興味深いものだ。最初の「耕作地」と同一の場所で「耕作」を行うという選択には、円環を閉じることで天地耕作の営みに区切りをつけようという彼らの明確な意志が表出しているように感じられる。

その後、2001年1月19日から同年5月6日にかけてグループ展「仮説であることの意味」

図3-4
山本裕司《墳墓—その八》1997

が企画された。その会場として、静岡県にある（より正確に言えば、「あった」）虹の美術館が選ばれた。「仮説であることの意味」展では、1988年から1991年までの天地耕作の活動を記録した写真が一堂に展示された。「虹の美術館」はあらかじめ5年間という存続期間を限定して2000年に開館した私設の現代美術館であり、その設立者は環境デザイナーで美術史家の本波潔（清）であった。

本波は1990年代に村上誠、生態学者の杉山恵一と組んで静岡県内に2つの大規模なビオトープガーデンを設置している。「ビオトープ」はあまり耳慣れない用語かもしれないが、杉山は「自然界がそれぞれに特色ある生物群によって特徴づけられる小地域によってモザイク状に構成されているという認識のもとに、それら各小地域をビオトープと呼ぶ」と説明する。[27]あとで詳述するが、本波、村上、杉山の3者は1997年に「エコロジカル・スカルプチャーは可能か？」と題された濃密な鼎談を行っている。この鼎談の中身については、のちほど詳しく紹介する。

2003年3月4日から22日まで、静岡文化芸術大学ギャラリーにて「天地耕作、まで」展が開催されている。この折に村上誠・渡は《畑》（2003）を、山本裕司は《道》（2003）を完全非公開という条件の下で新しく制作している。それらの「耕作物」が作られた場所は、いずれも再び細江町と引佐町の私有地であった。2003年7月11日から26日の期間、成安造形大学ギャラリーで天地耕作の軌跡を追った記録写真展が開催された。それ以降で「天地耕作」という共同体が美術展に姿を見せるのは、冒頭に紹介した2019年の「Shizubi Project

7」展を待たなくてはならない。

天地耕作の特色

天地耕作の特色の一つに、美術作品を「残す」という意識の希薄さ――あるいは、むしろ積極的にそれに抗する姿勢――が挙げられることはすでに述べた。作品の「保存」や「修復」は、近代美術館が担ってきた重要な役割の一部である。保存・修復の専門家である田口かおりは「近現代保存修復学が推奨した作品の「生」の時間への配慮は（略）新たな「残存物の保存」の手法、すなわち多様な展示やアーカイヴ化の実践をとおして再読解され、実践され続けている」と述べ、ジャンルやメディウムの多様化が急速に進んだ現代アートの領域においてもいかに「残す」かに関する議論が形を変えながら盛んになされてきたことを示唆する。[28] このように、近現代美術にはしばしば「残す」ことへの強固な意識が纏わり付いている。当然、アーティストの大部分も作品が一定期間にわたって残ることを念頭に制作を行う――願わくは、自らの死後もそれが恒久的に残っていくことを望みながら。

近代美術における「残す」ことへの支配的意識に抗って活動した、あるいはそうした意識から自由であったアーティストたちも存在した。よく知られる例に、グスタフ・メッツガーの「自己破壊芸術」がある。この奇妙な言葉は、（「残す」とは正反対の）「壊す」という行為が創作の重要なプロセスに位置付けられた芸術の総称である。1960年代以降、メッツガーは酸の作用で自壊していく一連の絵画を制作した。彼はポーランド系ユダヤ人の両親の下にドイツで生まれ、まだ小さい頃に英国に亡命した。こうした幼少期の経験は、メッツガーの芸術実践における鋭い社会的批評意識を形成した。「自壊する絵画」群も、米ソ冷戦構造における核兵器使用の危険性の高まりに対する政治的リアクションであった。その意味では、メッツガー自身はとりわけ近代美術を特徴付ける「残す」ことへの志向に対抗して「自己破壊芸術」を発明したわけではなかった。

村上が通っていた美学校では、菊畑茂久馬が1970年代から2000年代前半まで教鞭を執っていた。菊畑は、1950年代後半から1960年代半ばにかけて福岡を拠点に活動した前衛芸術集団「九州派」のメンバーであった。戦後の日本美術を専門とするジャスティン・ジェスティは、「福岡市立美術館が回顧展を開催した年である1988年まで、その集団「九州派」には現存作品が一切ないと広く考えられていた」と記している。[29] その理由として、美術家の中ザワヒデキは「作品を残そうとする事自体が彼ら［九州派のメンバーたち］によって忌避されていた」と推察している。[30] こうした心性は九州派を含む1960年代の前衛芸術集団に広く共通していたと言えるが、そのことは次章で論じる「集団蜘蛛」にも通じる。

「残す」こと（保存）と「残さない」こと（廃棄）の境界に関心を寄せる現代アーティストの一人が、1992年生まれの久保田智広である。久保田の《Decision in the Hospice》（2020）は、美術作品のコンテクストで廃棄と非廃棄（保存）を決定する判断そのものに光を当てようとしたパフォーマンス・インスタレーションである（図3-5）。この作品の背景に

図3-5
久保田智広《Decision in the Hospice》2020

あるのが、東京大学が所持していた宇佐美圭司の絵画が無断で廃棄されていたことが発覚した出来事である。戦後日本美術の重要作家の一人である宇佐美の《きずな》は、東京大学生協創立30周年記念事業の一環として１９７６年に制作された作品であった。

この絵画は長らく同大学の中央食堂に飾られていたが、改修に伴って２０１７年に廃棄されていたという事実がその翌年に発覚した。久保田は再現制作された《きずな》を組み入れたインスタレーションを舞台に、ワークショップ形式で様々な国籍や年齢の人々とこの出来事を起点にして拡散する思考を紡いでいった。コラボレーション的に産出される思考は、文章としてリアルタイムで別室に設置されたスクリーンに大写しされた。久保田は近現代美術作品における保存と廃棄の問題について、共同的に思考するプラットフォームを作り出したと言える。

先述の通り、天地耕作の実践は次第に「残さない芸術」から「見せない芸術」への色合いを濃くしていった。彼らが、「『見せる美術』という近代的な枠組み」（村上誠）に拭い難い疑義を抱いていたこともすでに述べた。北澤憲昭の『眼の神殿——「美術」受容史ノート』（１９８９）は明治期の日本における「近代美術」の根本的な制度・概念的成立条件を問うた大著であるが、日本での近代的な「美術」制度の確立を下支えしていたのは、時の為政者たちによる「視覚による啓蒙という発想」であったと同書の北澤は指摘する。[31] つまり、日本における近代美術はその揺籃《ようらん》期から「見せる」という行為を眼目としていたのである。

西洋近代においても、部分的に事情は類似する。視覚文化理論を専門とするジョナサン・クレーリーは１９９２年にＭＩＴ出版から刊行された『観察者の技術』（邦題は『観察者の系譜』）

のなかで、「資本主義的近代化の至上命令は、古典的な視覚の領域を破壊する一方、注視するという視覚の形式を押しつけ、感覚を合理化し、知覚を管理するさまざまな技術を生み出した」と分析する。[32] 19世紀の生理的光学の進歩に伴い、「可視的世界を把握するうえで身体が果たす役割に関して知が蓄積され、人間の眼の能力についての情報こそが、人間の活動の多くの領域における効率と合理化の鍵を握っているということが、急速に明らかになっていった」。その結果、「予め定められた可能性の集合の枠内で見る」「さまざまな約束事《コンヴェンション》や限界のシステムに埋め込まれた存在」としての「観察者」という「見る」主体が芸術の領域において支配的存在として台頭するようになったとクレーリーは主張する。[33] このような文脈において西洋でも、「見る」主体としての「鑑賞者」と「見られる」客体としての芸術作品の固定的な乖離が生まれている。

それゆえに「見せない」あるいは「見ることができない」ことで、芸術作品や美術展が特異な強度を獲得することがある。作家が自身の大便を詰めたとされる、ピエロ・マンゾーニの《芸術家の糞》（１９６１）はその好例である。マンゾーニはこの作品を、当時のレートでその重量と同じ重さの金に換算した価格で販売した。その中身は現在に至るまで判明していないが、同作品は２０１５年にオークションにて２０００万円以上の値段で落札された。

また、２０１５年には Chim↑Pom の発案で「Don't Follow the Wind」展（ＤＦＷ）が東京電力福島第一原子力発電所付近の帰還困難区域内で開催された。同展に深く関わった美術評論家の椹木野衣《さわらぎのい》は、「放射線が持つ「みえない」という性質、すなわち「みえること」と「みえないこと」をめぐる攻防は、DFW展について論じるうえでも、もっとも革新的、ゆえに危機的（＝クリティカル）な導入となる」と述べている。[34]マンゾーニや「Don't Follow the Wind」展は、その不可視性（すなわち、欠如）という形で逆説的に視覚性が増強される現代アートの作品や展覧会の注目すべき事例となっている。

一方、天地耕作の「見せない」美術において「造形」に対するこだわりが増強されていることは見逃すべきではない。不特定多数の人々にむけて「見せる」という近代美術の前提は「白紙に戻す」ことが意図されていたが、彼らは信頼する理解者たちにむけては自身の「耕作物」をオープンにしていた。天地耕作はその15年間の活動のなかで作品、美術館、展覧会といった概念に次々と疑義を呈し、それらの概念そのものを拡張しようと努めてきた。その一方、彼らが決して「美術」であることを手放そうとはしなかったことは強調に値する点である。そのことにも関連して、天地耕作は自身の活動（制作やシンポジウムなど）を記録したアーカイブをしっかりと残している。

また天地耕作の活動の特色として、主に出版物を通じたその領域横断的なメディア戦略にも着目したい。尾野正晴はこう記す。

彼らの活動は、作品の制作にとどまらず、印刷物でいえば、『耕作だより』という不定期のミニコミ紙が14号、活動を中心にした記録集『天地耕作』が3冊、美学者による著作が2冊、村上（誠）自身による著作や対談集が2冊刊行されている。驚くのは、書き手が、いわゆる美術の領域にとどまっていないことであり、哲学、文学、考古学、生物学、社会人類学などの領域から、さまざまな切り口が提供されている。[35]

『耕作だより』は1988年10月、最初の「耕作」から約2ヶ月後に発行開始された。1995年に最終号となる第14号が印刷されるまで、それは7年間にわたり不定期刊行された。「奇怪な通信を一方的に送りつけられた皆様、どうも失礼いたしました」（『耕作だより4』）と書かれていることからもわかるように、村上らは自分たちが興味を抱いている様々な人たちに『耕作だより』を送付している。[36]『耕作だより』には、（尾野も指摘するように）美術家、詩人、エディター、民俗学者を含む多彩な人材——一例を挙げれば、比較人文学者の嶋田義仁、民俗学者の赤坂憲雄、美学者の石田正など——が文章を寄せた。また、しばしば出版物やイベントの宣言も編集後記と並んで最後のページに印刷されていた。先述した通り、天地耕作のメンバーたちは必ずしも「正規の」美術教育の軛に拘束されていなかった。そのため彼らは民俗学や人類学など他の様々な領域に旺盛な関心を抱き、制作においてもそうした別領域の知見から大いに影響を受けた。例えば、「身体遊戯」と呼ばれた彼らのパフォーマンスにもそれが見て取れる。

村上誠は、特に明治時代から昭和時代にかけて活躍した民俗学者・折口信夫（彼は第2章に登場した柳田國男の高弟である）からの深い影響を公言している。大著『折口信夫』（2014）の著者・安藤礼二は、「折口信夫は、民俗学と国文学が交わる地点に独自の古代学の体系を打ち立てた」人物と紹介する。[37] 安藤は同書で「折口信夫の学、釈迢空［詩人・歌人としての折口の号］の表現は、近代を条件としながらも近代を乗り越えていくもの」であり、それゆえ「その学と表現は不可避的に二重性、あるいは両義性を身にまとうことになる」と書いている。[38] この点は、「芸術の文脈の中にありながら、しかもその文脈をはみだす」（石田正）天地耕作の実践とも根底から共鳴しているように思われる。

富井玲子は、芸術活動における「オペレーション」の重要性を強調する。アーティストにとって、それは自らの表現を社会のなかで可視化していくために必要な回路であると富井は言う。

オペレーションはアトリエの外で生起する。それは、社会との〈インターフェース〉を形成し、表現＝作品を通じたコミュニケーションを成立させ、作品を社会に流通させ、鑑賞と理解の輪を広げていく。オペレーションなくしては表現は社会の根無し草だ。[39]

かように重要な役割を果たすオペレーションを構築するために要請されたものが、戦後日本の前衛的アート・コレクティブを特徴付ける「したたかなＤＩＹ（Do It Yourself）精神」であったと富井は見る。彼女によれば、このＤＩＹ精神には「既存制度に不備があるなら、自分たちで補完していく」気概が充溢《じゅういつ》していた。

戦後初期の日本における政治的前衛美術を精査し、ジャスティン・ジェスティもまた作品そのものだけではなく作品を可視化するためのインフラとしてのオペレーションの重要性を強調する。

芸術は私が検討してきたあらゆる運動にとって中心的であり、彼・彼女らの政治的介入にとって中心的とされた。しかし同時に、彼・彼女らの美的・政治的エンゲージメントは、自分たちが当時芸術と呼んでいなかった環境とメディアのなかで作用した労働の形式を伴った。例えば、リーフレットを配布すること、勉強会に出席すること、授業を組織すること、教えること、集会に行くこと、芸術作品を運ぶこと、手刷りすること、ものを郵送すること、交渉すること、予期せぬ主題について調べること、展覧会の設営と撤去を行うこと、インタビューをすることなどである。[40]

それゆえジェスティは『戦後初期の日本における芸術とエンゲージメント』（2018）の序文で、「視覚的な芸術性だけでなく、作品自体を可視化し、意味づける条件を作り出すために、彼・彼女ら［前衛芸術家たち］がなした行為」も注視すると宣言するのだ。[41]

天地耕作による『耕作だより』もまた可視化のためのストラテジーであり、こうしたDIY精神に下支えされたオペレーションの一部であったと考えることができる。事実、天地耕作の誠実な伴走者であった尾野正晴は次のように観察している。

彼ら自身が活字や映像というメディアをもったのは、中央から離れて活動することを選んだ以上、自分たちの考えを、自分たちで過不足なく伝えてゆく必要があるからだ。作品はアルカイックだが、「見せないこと」（作品）と「見せること」（私的メディア）を等価に置く戦略は、きわめて今日的なのである。[42]

「こうした戦略を自分らも楽しんでやっているところはあります」、と村上誠自らもインタビューで語っている。[43]

天地耕作をめぐる影響関係——コネクションとレゾナンスという視点から

富井玲子へのインタビューのなかで、美術家の梅津庸一は「2018〜19年にデュッセルドルフのK20で開催された「museum global」展では、キルヒナーの《和傘の少女》（1909）と萬鉄五郎の《裸体美人》（1912）が並べて展示されました。こういったキュレーションについてはいかがでしょうか」という問いを投げかけた。この問いに対して、富井は「キルヒナーと萬を並べるなら、それを歴史的に接続できる「繋がり（コネクション）」の問題か、偶然の一致としての「響きあい（レゾナンス）」の問題かを明確にすることが重要です」と応答している。[44]

既出の『荒野のラディカリズム』でも、富井は「コネクション」と「レゾナンス」を同書の鍵概念として用いている。彼女は前者を「実際のインタラクション、あるいは他の種類の関連として歴史的に提示されうる」もの、後者を「関連がほとんどないか、あるいは希薄な所にさえ、視覚的、あるいはコンセプト上の類似という形式において回顧的に認められる」ものと定義する。[45] そして彼女は両者を丁寧に腑分けしながら、戦後日本美術の歴史に分け入ろうとする。天地耕作をめぐる影響関係を考察するうえでも、この富井のメソドロジーは有効であるように思われる。

天地耕作と「コネクション」を有する重要人物として、美術家・川俣正の存在が挙げられる。そのつながりを作り出したきっかけが、「Shizubi Project 7」展でも紹介された川俣の「袋井駅前プロジェクト」である。1988年、このプロジェクトはJR袋井駅前にあった駿河銀行（現・スルガ銀行）の取り壊しに際して実施された。「駅前の赤レンガ」として地元の人々に親しまれていた建物の最後を飾るために展開された「赤レンガファイナル―社会・仮設的構築物・文字・音」（企画・大杉弘子）の一環として、袋井駅前プロジェクトは川俣によって主導されて実現した。

1970年代後半、川俣は画廊や廃屋などを利用して公共空間に仮設の構築物を出現させるプロジェクトで頭角を現した。こうしたプロジェクトは、1980年代に定着し始めるインスタレーションの手法を先取りしていた。1980年代に入ると、川俣はさらに大がかりなインスタレーションへと移行していった。その当時には、すでに彼は日本を代表する現代アーティストとして名を馳せていた。ドイツ・カッセルにて開催されたドクメンタ8で発表された《デストロイド・チャーチ》（1987）は、1980年代における彼の代表作の一つである。第二次世界大戦で爆撃された教会の周囲を木材で取り囲んだ同プロジェクトは、「起点としての80年代」展でも紹介されていた。

「袋井駅前プロジェクト」のため、川俣はおよそ1ヶ月にわたって袋井に滞在して制作を行った。そのあいだ、彼は銀行関係者との調整や市民との対話を継続しながらプロジェクトを進めていくことになる。最終的に、川俣は《デストロイド・チャーチ》のように赤レンガの周りに木材を架構するインスタレーションを制作した。大量の木材が建物の内部から裏口を抜け、作家自身が宿泊していた隣の旅館を貫通して通りのむこう側にある（既に廃館していた）映画館へと張りめぐらされた（図3-6）。

当然ながら、これほど大規模なインスタレーションを独力で完成させることはできない。川俣は制作を補助するスタッフ・メンバーを地元で募集し、木材の調達などを現地スタッフたちが行った。そうした人々のなかに、天地耕作を結成する前の村上兄弟と山本がいた。事実、村上誠は「僕個人としては、川俣正さんの仕事（一九八八年の袋井プロジェクト）に係わったことが大きな転機になったような気がしています」と証言している。[46] 袋井駅前プロジェクトの直後、3人は天地耕作の試みを浜松において開始することになる。

確かに木などの自然素材を用いて大型の構築物を出現させるプロジェクト型の芸術手法は、天地耕作と川俣に共通する。しかし、（村上兄弟と山本のあいだに制作上の相違はあるが）天地耕作のメンバーは「耕作地」周辺で用意することができる材料を使っていた。加えて川俣は基本的には木材を特権的素材として用いたが、天地耕作の実践では石、土、藁など多彩な自然素材

図3-6
川俣 正《袋井駅前プロジェクト 1988》1988
静岡県立美術館蔵

が活用された。さらに多様な「耕作物」には自然のプロセスのなかで朽ち、なるべく元の状態に戻るような仕かけが施されていた。これらの点は、川俣正と天地耕作を分け隔てる要素として指摘できる。要するに、天地耕作は「準備・設置・解体といったプロセス全体が作品となる川俣のスタイルを参照しながらも、そこから独自のスタイルを切り開いた」と言える。[47]

次に、天地耕作にまつわる「レゾナンス」に焦点を当てたい。様々な記録物を確認するかぎり、彫刻家・遠藤利克と天地耕作のあいだに直接的な関係はない。だが筆者のインタビューに対して、村上誠は当時から遠藤の作品を知っていたと証言している。1980年代に旺盛な制作活動を展開した遠藤は、美術手帖の特集「80年代・日本のアート」でも天地耕作と並んで——いみじくも同一ページで——紹介されている。かつて遠藤は「Shizubi Project 7」展でも紹介された、浜名湖近くの遠州灘沿いの海岸を舞台にした「浜松野外美術展」に参加している。浜松野外美術展は1980年から1987年にかけて全部で6回開催され、彼は1984年の第4回に円形の彫刻を出品している。筆者が手に入れた資料から確認できるかぎりでは、遠藤の参加はこの1回のみである。

天地耕作と遠藤のあいだの際立った共鳴の一つに、作品の使用素材が挙げられる。遠藤も天地耕作もその作品制作において、しばしば非常にエレメンタルな自然素材（水、火、木、土など）を好んで用いる。遠藤が1980年代から制作を開始した「寓話」シリーズでは、死や彼岸を想起させる棺や船のモチーフが頻用されている。《寓話Ⅲ―木の船》（1988）では、遠藤は湖に浮かべた木製の船に火を放った。それ以外にも、彼は多くの作品に火を放って消失させている。見てきたように、「残す」ことを自明の前提としていなかった天地耕作の「耕作物」の一部も放火によって廃棄された。とはいえ、天地耕作のケースでは自然的なプロセスのなかで腐敗して消失していく作品が多かったという違いは無視できない。

2017年に埼玉県立近代美術館で「遠藤利克―聖性の考古学」と題された展覧会を企画した同館学芸員の渋谷拓は、遠藤のクリエーションの中核には「真の芸術的経験とは聖性の経験である」という「根源的な直観」が横たわっていると読み解く。[48] 民俗学に深く影響され、時に儀式的なパフォーマンスを含む天地耕作のクリエーションにおいても同様にこうした宗教的感覚が色濃く見られる。そのような点でも、遠藤と天地耕作の芸術実践のあいだには奇妙なレゾナンスを察知することができる。

2000年代以降、遠藤は独自の彫刻理論として「空洞説」を打ち出している。それ以後、彼の「試行の中心」は「〈円環〉の内側が擁する、〈空洞〉と〈空洞性〉の共同体的な出現様態」へと集約されていくことになる。[49]「〈円環〉は極めて原初的な形態であると同時に、太古からの時間の堆積を身に帯びた、共同体性の表象であった」と述べる遠藤は、境界線に隔てられた円環の内部に別様の共同体を構想する想像力を見いだしているように思われる。[50] そのため「空洞説」の起源となった円環は、棺や船と並んで遠藤の彫刻作品における主要なモチーフとなっている。

1988年から1989年にかけて村上兄弟の手で生み出された最初の「耕作物」である《山上》、《山田（一）》、《山田（二）》は、いずれも円を造形上の主要なモチーフとしていた。沢山遼は前掲論考（「複数のメディウム」）において、「内／外の境界を抱えた」遠藤の彫刻作品は「見ることができないが、たしかに存在するものへの関心」に特徴付けられていたと論じる。[51]だが同時に、渋川現代彫刻トリエンナーレに出展された《無題》（1987）で遠藤は円環に火を放つことで「内／外の境界」を滅却しようとしていたことにも留意すべきであろう（図3-7）。

赤坂憲雄が村上兄弟の《産土―その二》に見いだしたように（「その円環は故意であったか否か、閉じられた内部の権力を無化するためのように破れ、あらかじめ壊れていた」）、円環を内から破ることで「内／外の境界」を無化しようとする志向は天地耕作にも明白に存在していた。石田正は天地耕作の活動を解釈して、それを「制作行為と作品とを明確に区別しえない美術」、「思考と制作とを明確に区別しえない美術」、「生活と美術とを明確に区別しえない美術」、「芸術家と観客とを明確に区別しえない美術」と特徴付けた。[52]石田が鋭く看取した通り、概して天地耕作の実践は有形無形の様々な境界線を融解するものであった。

エコロジーの視点から見た天地耕作

天地耕作の実践は、一見するとエコロジーの思想と強い親和性があるように思われるかもしれない。それは自然素材を使用することで、自然環境のなかに融和していく実践に見えるからだ。事実、村上誠は本波潔（清）、杉山恵一とともに『エコロジカルスカルプチャーは可能か？』（1997）と題された小冊子を発行している。そのなかには、同タイトルでなされた3

者による鼎談が収録されている。この鼎談は本波が進行役として議論をリードし、村上と杉山がそれぞれ芸術と生態学の視点からコメントを加える形で進められている。

その冒頭で、本波は「今回の対話は、杉山先生の発案されたエコロジカルスカルプチャーについて、彫刻という言葉ではくくり切れない大きなスケールで野外彫刻を発表している村上誠さんを迎えて、エコロジカルスカルプチャーの可能性について話し合ってみようというもの」だと宣言している。[53] それに応じて杉山は「『自然を』単に保護するだけではなくて自然の復元、とりわけ都市周辺の破壊しつくされた環境を、人間の手でとりもど［す］」ことが大切であると応答し、「そのためには文明を方向づけるところの文化の様態の変更が先行されなければ」ならないと主張する。[54]

天地耕作の活動は、自然環境との交わりを志向する（ように見える）ランド・アートとの関連で語られることも多い。しかし、その交わりは芸術のために自然を「植民地化」するきわめて人間中心的な色合いの濃い実践であった面は否定し難い。生態系にダメージを与えるおそれのあるこうした強引な介入に対して、美術批評家のルーシー・リパードらから厳しい批判が提出されてきたことは第1章で紹介した（とはいえこれも同章で論じた通りだが、1960年代以降のイギリスにおけるランド・アートは異なる進展を示したことにも注意が必要である）。そうした意味で自然環境の大幅な改変はせず、朽ちた作品が自然環境のなかに溶解していくことを考慮に入れた天地耕作の「耕作物」はランド・アートとは明確に一線を画すると考えられる。

先述したように、尾野正晴は別の観点からランド・アートと天地耕作の実践の違いを強調している。「祭りをはじめとする各地の民俗芸能を求めて、旅を続けるうちに見いだされたのが伝来の耕作地であり、そこから収穫されたのが、「天地耕作」の作品であったとすれば、それは、「なる」(生成する)美術であり、「つくる」(創造する)美術である「ランド・アート」とは、似て非なるもの」である、と尾野は主張する。[55] 鼎談「エコロジカルスカルプチャーは可能か?」でも、本波と杉山は天地耕作をランド・アートではなく「二〇世紀の攻撃的で人間中心的な芸術に対するアンチ・テーゼとして、自然をキーワードとした思想性に着眼」した「エコロジカル・アート」の文脈に位置付ける視座を提示している。[56]

だが、当の村上誠自身は(おそらくは村上渡と山本も)自らの活動をエコロジー的な思想と結び付けることに対して懐疑的であったことには留意が必要だ。村上は本波と杉山に対して「エコロジーと美術の関わりで言わせていただければ、やはりよくわからない。どこでどうつながるのかがわからないというのが正直なところです」と告白し、こう続ける。

私たちがやってきたことは(略)内的な世界の探求であり、オートマティックにドローイングしていくのと同じようなことをしてきました。それがだんだん立体になったり、大きくなったりしたということです。確かに素材は(略)自然素材を使っていますし、これまであった景観や環境に影響を残さないように「作品」を自然崩壊させたり、あるいはもっと積極的に私たちの痕跡さえ完全に消し去って、もとの状態にもどすということもしました。それに半年以上も続けてやっていますとそれなりにいろいろな問題にぶつかります。

時には社会性をおびてくることもあるわけです。でもやはりモチーフはとても個人的なことでしたし、まだ内なる自然を探しているということになります。しかもその内なる自然はまだまだわからないことばかりだと思っています。[57]

村上誠は別の機会でさらにはっきりと、「基本的にアートは反自然ですよね。アートは自然と協調できるのかなって思ってるんです。エコロジーの問題とアートは安易に結びつけるべきではないと思っています」とさえ述べている。[58] 彼は作品制作に人工物を用いることに対しても「抵抗はない」と断言し、自然物を用いるのは「素材ってのはなんでもいいわけですが、僕らが本当に使える素材というのは、どういうわけか限られてしまう」からにすぎないと語っている。[59] こうした発言は、村上の偽らざる本音であろう。このように天地耕作はその芸術実践をエコロジー思想と結び付けようとする人々や言説に対して正面切って否定することは少なかったが、一貫して慎重に距離を保ってきたことは確かだ。

エコロジー思想とは異なる観点として、美学者の川田都樹子は死生観に関連する洞察を天地耕作の実践に読み取る。彼女は「耕作物」を包含する空間が「生と死の出会いの場そのものを浮きたたせている」と指摘し、天地耕作の営みに「自然との交歓の直中で、生の根源を掘りあてようとする」姿を見ている（『耕作だより5』[60]）。実際、天地耕作のメンバーたちは「死」という事象に並々ならぬ関心を抱きながら制作を行ってきた。そうした関心に導かれて、村上誠と村上渡はアイヌ民族の文化において「あの世の入り口」を意味する「アフンルパル」を求めて

1993年に北海道を旅している。

こうしたことを手がかりにすると、村上らは私たちが一言で「自然」と呼ぶものの理解不可能性あるいは制御不可能性を深く認識していたのではないかという仮説が浮上する（「しかもその内なる自然はまだまだわからないことばかりだと思っています」）。そして彼らにとって、自然は生と死を内包する人知を超越した深淵である。ゆえに、自然を「人間の手で」保護・復元しようとする側面を有する「エコロジカル・スカルプチャー（アート）」の思想とは相容れない部分を有していたのではないだろうか。エコロジカル・アートという発想には、努力次第で人間が「自然」なるものをコントロール／デザインすることができるという暗黙の前提が見え隠れしているように思われる。

石田正は死後に弟子たちによってまとめられた『環境美学への途上』（2005）に収められた付論のなかでマルティン・ハイデッガーの思想を導きの糸にして天地耕作を論じているが、そのハイデッガーは芸術作品の役割についてこう述べている。

作品は、作品としては、人間の意のままにならないもの、それ自体を伏蔵するものを指し示してはならないのか？すでに知られ、熟知され、行われていることだけを語らねばならないのか？芸術作品は、それ自体を伏蔵するものを黙殺してはならないのではないか？そのものこそ、それ自体を伏蔵するものとして、計画も制御も、計算も製造もなされえないものに直面して人間に畏怖の念を起こさせるのである。[61]

ハイデッガーの言葉を借りれば、天地耕作は「自然」を「計画も制御も、計算も製造もなされえないもの」として前景化する営みであったと言えるのではないだろうか。

では、そうした前景化の先には何が待っているのだろうか。再びハイデッガーの概念を援用して、その問いに取り組みたい。彼は、自身の技術論を展開するなかで「来るべき土着性」という概念を提示している。

來るべき土着性のために根底と地盤となりうるものは、一體如何なるものでありませうか。私共が、このように問ふことに依つて、求めてをりますものは、多分極めて身近かに存するであります。私共がそれを餘りに易々と看過してしまふ程、それ程身近に。何故ならば、身近なものに至る道こそ、私共人間にとっては何時でも、最も遠い道であり、そのため又最も困難な道であるからであります。この道は、氣遣いつつ思ひを潜める追思の道であります。[62]

『原子力の哲学』（2020）において、倫理学・哲学を専攻とする戸谷洋志はこの概念を原子力にまつわる哲学的思索と結び付けて論じている。初学者むけの入門書として執筆された同書ではこのハイデッガーの引用部がよりわかりやすい現代語に翻訳されているので、ここに引用したい。

来るべき土着性のための根底と地盤となりうるものは、いったいいかなるものであろうか？私たちがこのように問うことによって求めているものは、たぶん、極めて身近にあるだろう。私たちがそれをあまりにも易々《やすやす》と見過ごしてしまうほど、それほど身近に。なぜなら、身近なものに至る道こそ、私たち人間にとってはいつでももっとも遠い道であり、そのためもっとも困難な道であるからだ。この道は、「省察の道」［ein Weg des Nachdenkens］である。[63]

ハイデッガーの「来るべき土着性」は「単なる懐古主義ではな」く、ゆえに「その思考によって獲得される土着性は、あくまでも「来るべき土着性」であり、「ある新しい仕方で」見出されるものでなくてはならない」と戸谷は主張する。[64]天地耕作が創造する「来るべき土着性」は私たちが知悉していると思い込んでいる「自然」を「ある新しい仕方で」照らし出し、自然が不可避的にはらむ理解不可能性・コントロール不可能性をはっきりと前景化する。そして、その光は確かに生と死をめぐる深い「省察の道」へとつながっている。

天地耕作、以後

「天地耕作」という芸術制作プロジェクトの終了後、村上誠は個人としての創作活動を再開した。そこでは、写真が主なメディアとして使用された。２０００年代半ば以降、彼は新宿や大阪のニコンサロンなどで定期的に個展を開催している。まだ天地耕作プロジェクトが継続中であった1996年、村上渡は家業のみかん農家を継いで帰農している。そして彼は現在も、柑橘系農業家として生活を送っている。山本裕司は、長年美術教師として勤めていた学校を早期退職した。教育界から離れた現在、彼は農作業と制作活動を並行する。

2009年に芸術制作を再開した村上渡は、2014年に静岡県浜松市のギャラリーCAVEにおいてインスタレーション作品を披露している。その作品は、「四つの域」と題された展覧会の一部で発表された。「四つの域」展では、村上誠がギャラリーCAVE主催者・山内啓司とともに企画から作家選定までを担った。この展覧会は『四つの域、三つの対話』(2014)と題された冊子に結実し、そのなかには村上誠と3人の参加作家(村上渡、夏目とも子、夏目琢史)それぞれとの対談が収められている。兄である誠との対談のなかで村上渡は「今ね、自然の中にいるのが時々怖いと感じることがある」と述べ、「自分の都合のいいように自然を押しやって」きた人間はいつかしっぺ返しを食らうのではないかという恐怖を吐露している。[65]2019年末の初めに人類を襲ったコロナ禍からいまだに脱却できずにいる私たちは、この不安がきわめて正鵠を射たものであったことを知っている。同じ対談のなかで、村上渡は「天地耕作では、いつも闇の世界をつくってきた」と回顧している。[66]前節で見た通り、この「闇の世界」とは人間には完全に統御することのできない大いなる未知をはらんだ自然の世界であった。

現在の村上誠は、静岡県内にある大学に勤める教授としての顔ももつ。研究者としての彼の専攻は、幼児造形学という分野である。本人の言を借りれば、それは児童を対象とする「教育」というより乳幼児を対象とする「保育」に近い領域である。村上誠の学術的関心は、「アートの活動を通して、幼い子どもたちがどのような未来へのヴィジョンを志向しているのか」を考察することにあるという。村上自身が主導した実験的な子どもむけ教育アート・プロジェクトの事例をまとめた近著のなかで、彼は「アートは「問い」のようなものかもしれない。しかし困ったことに、アートは「問い」は発しても、その答えを明らかにすることはない。（略）幼い子どものアート活動は〝生きる営み〟そのものであるのに、わからないことばかり。（略）ひょっとするとアートが発する問いと、子どもたちが私たちに向けて発している問いは、同じところからリリースされているのかもしれない」と書いている。[67] こうした記述からは、彼がアートと幼児教育の共通項を見いだしつつあることがわかる。

写真制作を再開した村上誠は、2006年に新宿ニコンサロンで最初の個展を開催した。そのタイトルには、「その人が生まれた土地」を意味する「産土《うぶすな》」という言葉が掲げられていた。見てきた通り、この言葉は1990年代に村上兄弟が制作した作品の多くに付されていたものであった。同展では西は浜名湖南岸から東は御前崎まで100㎞ほど続く、遠州灘の砂防林の内部を撮影した写真群が展示された。彼自身が砂防林のなかを2年間かけて歩き回って撮った写真には、人間が自己防衛のために植林した砂防林の奥深くで下草が生い茂っている姿が写し出されている。その姿は、人工林があたかも人間の侵入を拒む密林のごとく化したかのようである。決して調和的と呼べる仕方ではないが、ここには人間と自然のコラボレーションが意図せずして成立しているとみなすこともできるだろう。その姿は、天地耕作の作品とも重なって見えるようだ。村上誠は、そこに自身の手が介入していない無数の「耕作物」を見いだしていたのだろうか。

『耕作だより8』には、天地耕作のメンバーが影響を受けた美術家の飯田昭二による「〈幻触〉後記」と題された論考が寄せられている。飯田は丹羽勝次、前田守一、鈴木慶則、小池一誠らと並んで「グループ幻触」の主要メンバーであった。その前衛芸術集団は、1966年から1971年にかけて静岡を拠点に活動した。1968年には美術評論家の中原祐介と石子順造が企画し、東京画廊と村松画廊の二会場を使って開催された「トリックス・アンド・ヴィジョン」展に幻触メンバーたちが多数参加した。「盗まれた眼」という副題の付いたこの展覧会にはその後に「もの派」を形成することになる作家たちも出展しており、その一人である関根伸夫は数ヶ月後にしばしば「もの派」を象徴する作品として言及される《位相・大地》(1968)を制作している。そうしたことから、2000年代以降になると長らく戦後の日本美術史のなかで等閑視されがちであったグループ幻触を再評価する機運がじわじわと高まっている。

鼎談「エコロジカルスカルプチャーは可能か?」を企画した本波清は、静岡の様々な前衛芸術運動を扱う気鋭の美術史家としての顔をもつ。2016年には、彼は「本阿弥清」名義でグループ幻触を取り上げた単著『「もの派」の起源——石子順造・李禹煥・グループ「幻触」がはたした役割』を上梓している。飯田の作品《トランスマイグレイション》(1969)を引き合いに出しながら、本波(本阿弥)は「グループ幻触」の作家は「自然と人間の関係を、美術(美術館)をとおして表現した」と評する。[68] 芸術を通して「見る」という行為を徹底して懐疑的に審問することによって、幻触作家たちは視覚のみに頼らずに身体や想像力を媒体とするような世界や自然との別様な（「来るべき」）関わり方を探っていた。そのように理解することができるかもしれない。

その飯田は、先の「〈幻触〉後記」のなかで「作らないことを作る。そんな逆説めいた指向性が僕達の方法意識だった」と回顧する。[69] こうした彼らの「方法意識」には、芸術家が絶対的な制作主体であることを前提とする近代芸術に対するアンチテーゼが見え隠れしているように思われる。それは「作る」という意図的行為からの脱却への志向であると同時に、芸術の自律性を固く信奉してきたモダニズム批評との決別を意味していた。本章で見てきたように、村上誠、村上渡、山本裕司の3人からなる天地耕作は「残さない芸術」として出発した。そして、その途上で「見せない芸術」へと変貌していった。現在では村上兄弟と山本は農耕や教育といった各々の非芸術的な営みに従事しながら、日々自分たちのやり方で人間や自然と向き合い続けている。彼らが最後に行き着いた先は、飯田が「逆説めいた指向性」と形容したところの「作らない芸術」であったと言えるのかもしれない。

第 4 章

反近代としての野生

—— 集団蜘蛛のパフォーマンス

集団蜘蛛について

前衛芸術家集団「集団蜘蛛」は1968年に福岡県・北九州市で結成された。この集団は一般に1970年に解散を迎えたとされているが、後述する複雑な事情から1973年まで存続したとする見方もできる。集団蜘蛛はあらゆる既存の芸術をことごとく否定したが、そのターゲットには既存の芸術の否定を目指した同時代の「反芸術」の動きさえも広範に含まれていた。それはすなわち、「芸術の否定の否定」とも定式化できるような営為であった。

さらに集団蜘蛛は「芸術」の領域を超脱して「社会」における既成の制度や秩序を露悪的に擾乱《じょうらん》し、その門番であるところの警察・司法権力からも目を付けられることになった。それゆえ後年になっての集団蜘蛛の掘り起こしと再評価に大きく貢献したキュレーター・美術史家の黒田雷児（黒ダライ児）は、いみじくもその結成から解散に至るまでの流れを『自死』に向かう軌跡」と巧みに表現している。[1] その乱気流のような軌跡のなかで、常に中心にいた人物が美術家・森山安英であった。

集団蜘蛛は日本のメインストリームをなすアートシーンはおろか、地元・福岡においても長らく「知る人ぞ知る」存在に留まっていた。率直に言えば、美術関係者を含むほとんどの人が集団蜘蛛の活動を全く認知していなかった。さらにありていに言うと、（本章で示そうとするように）その活動を認知していた一部の美術関係者たちも集団蜘蛛の芸術表現——その目的や意義——を正確には理解していなかった（あるいは、誤解していた）ように思われる。とはいえ、そもそも集団蜘蛛の目的や意義に関する「正確な」理解というものがあるのかどうかは非常に疑わしい。本章もまた、集団蜘蛛あるいはその首領である森山安英についての「正しい」解釈を提供することを目指してはいない。だがここでは、集団蜘蛛が結成当時から現在まで美術界のなかでほとんど不可視的な存在であったという事実を示しておきたい。

そうした点において、集団蜘蛛は同じく1960年代前後に福岡を拠点に躍動した前衛芸術家集団「九州派」とは大きく異なる。集団蜘蛛の結成からさかのぼること約10年、九州派は1957年に福岡市で組織された。1968年前後を境に集団としての活動は見られなくなったが、九州派の「解散宣言」は現在に至るまで発せられていない。その集団は、現代美術界における自らの可視性を増大させるために当時は日本のアートシーンの「本丸」であった——そして、今もそうであり続けている——東京での展示を意欲的にこなした。例えば、九州派は1961年に「東京地方 突如来演」と銘打たれた挑発的な展覧会を東京の銀座画廊で開催している。そのような九州派とは対照的に、集団蜘蛛は「東京での発表に目もくれず、徹底して福岡県内だけで活動した地方グループ」であり続けた。[2]

その当然の帰結として、多くの「標準的な」日本美術史の語りのなかに集団蜘蛛の名はほとんど全くと言っていいほど見当たらない。1960年代前後に日本各地で産声を上げた数多の前衛芸術家集団には、森山自身が2004年に行われた講演のなかで名前を列挙しているように、「大阪の〈具体〉、東京の〈ネオ・ダダ〉、名古屋の〈ゼロ次元〉、福岡の〈九州派〉」などの日本美術史に足跡を残した集団が少なからず存在する。[3] とはいえ、戦後の大阪や東京という大都市における芸術運動と同時代の名古屋や福岡といった地方都市における芸術運動の地政学的差異には注意を払わなくてはならないこともまた事実である。
だが森山にとっては、上記の集団はいずれも批判すべき標的であった。あたかも日本美術史の「正史」のなかでそれらの集団と同列に並べられることを厭うかのように、同講演で披瀝された彼・彼女らに対して当時の森山が抱いていた評価は辛辣なものであった。

〈具体〉についてはお金持ちの坊ちゃん連中の余興みたいで、若気の至りの、バカ騒ぎに過ぎず、日本的フォーヴ体質を温存しており、僕は好きになれませんでした。〈ネオ・ダダ〉は地方のおのぼりさんが東京で有名になるためにメディアのタイコモチをやっているみたいでしたし、〈九州派〉もまた情念反逆だけで、「地方↓東京」といった図式を止揚できず、結局、一旗挙げて有名になりたいだけにしか見えませんでした。〈ゼロ次元〉については、僕たちと同じく裸になって乱痴気騒ぎをするということで、〈蜘蛛〉も同様に考えられていたらしいのですが、僕たちはあのようなその頃のアングラブームに無批判に乗っかる、その批評性のなさを許しませんでした。[4]

だが森山本人の意向に反してと言うべきか、集団蜘蛛の解散以後非常にゆっくりとではあるが状況は刻々と変化していく。具体的に言えば1980年代頃から、この集団の存在と活動の道筋が段々と知られるようになっていった。そうした変化の口火を切ったのは、〈年少の森山に

「一旗挙げて有名になりたいだけ」とこき下ろされた）九州派の主要メンバーであった美術家・菊畑茂久馬であった。菊畑は1982年に毎日新聞に寄稿したエッセイ「蜘蛛之巣城物語」において、集団蜘蛛の話題を大々的に取り上げた。この文章は一部加筆のうえ、1986年に福岡の出版社・海鳥社から上梓された菊畑のエッセイ集『反芸術綺談』のなかに再録されている（さらに2007年には、その新装版が出版された）。

そこではエッセイの名手としても知られる菊畑が、独特の調子で集団蜘蛛の誕生を次のように叙述している。

> 六〇年代が今まさに終わろうとする時、「集団蜘蛛」は、忽然と北九州の一角、戸畑に現われ、一陣の竜巻を立てて、一瞬にして消えた。（略）このグループは、政治と芸術が激しくスパークした六〇年代と、七〇年代万博芸術幕開けの谷間（略）に産声を上げた。二つの時代の股間から生まれた「蜘蛛」という名の鬼子は、生まれ落ちた途端、ガブリと左右の太股に噛みついた。[5]

菊畑は間違いなく森山によって企図された反芸術的攻撃の「メイン・ターゲット」の一人であったが、菊畑はまた誰よりも森山を理解していた芸術家の一人でもあったように思われる。森山と菊畑の複雑な関係性については、後ほど丁寧に追う。

1997年には、福岡市美術館で集団蜘蛛の活動にスポットライトを当てた展覧会が開催されている。「森山安英資料による『集団蜘蛛』の軌跡展」と題されたその展覧会は森山自身が所蔵していた集団蜘蛛に関する資料を惜しみなく活用しながら、この忘れられた前衛芸術家集団の歩みに迫ろうとするものであった。森山はその後、それらの資料を全て福岡市美術館に寄託している。同展の企画者であった黒田雷児は、1960年代を中心として日本全国で展開された前衛的パフォーマンス運動を網羅的に論じた大著『肉体のアナーキズム――1960年代・日本美術におけるパフォーマンスの地下水脈』(2010)を著した美術史家としての顔ももち合わせる多才な人物として知られる。

1999年、海鳥社を版元とする雑誌『機關』16号にて特集「集団蜘蛛と森山安英」が組まれた。1958年に文芸同人誌『形象』として始まった同誌は、1970年代を通じた長い休刊期を経て1980年代の初めに復刊された。その特集の編集は、2人の人物によって担当された――1人は先ほど言及した菊畑茂久馬、もう1人は美術評論家・今泉省彦であった。今泉は前章に登場した「美学校」の創設にも深く関わっており、1981年から2000年にかけては同校の代表責任者(校長)を務めた。今泉は同特集に序文を寄せており、「「集団蜘蛛」のこと」と題されたその文章は彼がこの世を去った2010年から7年後に(同じく海鳥社から)出版された『美術工作者の軌跡　今泉省彦遺稿集』に収録されている。そこでは集団蜘蛛が「最大限に探求するところの美術の可能性に向って(略)歩き始めていた」と評されているが、今泉に言わせればその「可能性」は一般意志として合意される「公序・良俗の範囲を越え」たところに存在するものであった。[6]

『機關』16号には今泉による序文の他、森山と菊畑の対談や黒田雷児による論考（「「集団蜘蛛」―その崇高な愚行」）と彼が編纂した集団蜘蛛に関する年譜、美術家・働正《はたらきただし》による論考（「肉体と言語の間で　森山安英の行為をめぐって」）が収められている。働は九州派の理論派メンバーであり、後述するように森山が逮捕されて裁判にかけられた際には最後まで彼に寄り添った人物の一人でもあった。また、同誌には森山がその裁判の冒頭陳述で読み上げた文章（「権力に拮抗する私的 DISCOVER JAPAN または「観光」への誘い」）も併録されている。さらには本人の手による美術家・森山安英に関する年譜も加わっており、『機關』の同号は今日に至るまで集団蜘蛛と森山安英について参照するための最重要文献の一つとなっている。

2004年には北九州市立美術館の常設展示室の一角で同館学芸員の花田伸一による企画として「森山安英の絵画」と題された特別展示が催され、会期中には関連イベントとして森山による講演「光ノ表面トシテノ銀色」が行われた。当日、その会場には多くの聴衆が詰めかけたという。その冒頭で彼自身も皮肉な言い回しで示唆したように（「だいたい絵描きというのは、絵を描いて野垂れ死にすればよいのであって、講演などというのは評論家や美術館の学芸員の方や文学者など、つまり言葉の専門家の仕事であります。一般にペラペラ喋ってばかりいる絵描きには、ごく一部の人を除いてろくなのはありません」）、森山は滅多に人前で自らの芸術活動について話さない。[7]

その意味で、同講演は森山が自らの言葉で自身の芸術観を語ったたいへん貴重な記録の一つである。2017年には同じく北九州市立美術館の企画展示室を使って、大規模な個展「森山安英　解体と再生」が開催された。その企画者は、同館で学芸員を務める小松健一郎であった。

同展の展覧会カタログには2004年の森山講演の書き起こしも収録されており、さらに小松による森山への詳細なインタビューも付されて資料的価値のきわめて高いものに仕上がっている。

2006年には、宮川敬一が制作・編集を担った映像「MORIYAMA　集団蜘蛛・森山安英インタビュー」が公開された。美術家でありギャラリストでもある宮川は、1997年から北九州市でGALLARY SOAPを運営している。彼は2005年の「森山安英展　光ノ遠近法ニヨル連作」展を皮切りに、これまで森山の絵画作品を紹介する展覧会を自らのギャラリーで数度企画してきた。丁寧な聞き取りから構成されたその映像には、気心の知れた宮川に対して自らの半生や芸術活動についてフランクに語る森山の珍しい姿が映し出されている。

黒田雷児が「黒ダライ児」の筆名で『肉体のアナーキズム』を上梓したのは、2010年のことであった。同書は、「一九五七年から一九七〇年までの、日本における未だ知られざる前衛芸術家（個人、集団）の活動のうち、日本という場・社会・歴史に特有の文脈から生まれた身体表現、特に六〇年代初頭の「反芸術」の流れから生まれたパフォーマンスの実験に光をあて、その文化的・社会的・政治的な意味について考えてみる」ことを目的に執筆された野心的著作である。[8]「表現の全否定」という副題の付いた第19章では、集団蜘蛛が主役として取り上げられている。そのなかで黒田は前史まで含めた集団蜘蛛の歴史を詳細に記述しており、本章の記述も彼の調査に負うところが大きい。

しかし、『肉体のアナーキズム』では「一九五七年から一九七〇年まで」および「『反芸術』の流れから生まれたパフォーマンス」への焦点化がなされている。そのため、同書では

1987年以降に制作された森山の絵画作品については一切言及されていない。後ほど詳述するが、森山が画家としての活動を本格的に再開したときには集団蜘蛛の解散から15年間の月日が流れていた。当時、彼はすでに50歳を過ぎていた。

この章では、1960年代終わりから1970年代初めにかけての集団蜘蛛のパフォーマンスと1980年代終わりから1990年代を通じての森山安英の絵画を等しく取り扱う。そして、一見すると大きくかけ離れているように思われるその2つの芸術実践をつなぐ共通の糸を抽出することを試みる。さらに、その糸が集団蜘蛛を結成する前の森山の人生、あるいは集団蜘蛛が解散してから画家としての活動を再開するまでの間の彼の人生とどのように撚り合わさっているのかについても筆者なりの考察を加えてみたい。

2021年4月、新型コロナウイルスの影響が色濃い東京に森山が1980年代後半から1990年代後半までに制作した大小の絵画19点が集められた。会場となったのは、東京の中心地・銀座にある蔦屋書店のイベントスペース「GINZA ATRIUM」であった。生まれてこの方ずっと北九州を活動拠点にしていた森山にとって、宮川が監修を務めたこの「光ノ表面トシテノ銀色」展は1991年と1994年に村松画廊で短い会期の個展を開催して以来の東京での大きな展示であった。筆者も、この展覧会のために準備された小冊子に短い文章(「集団蜘蛛のパフォーマンス、森山安英の絵画、15年間の沈黙」)を寄せている。

4月17日にはモデレーターを美術手帖・総編集長の岩渕貞哉が務め、筆者と宮川の対談という形式でトークイベントが催された。そのイベントは持続するコロナ禍においての開催にもかかわらず、20名ほどの聴衆を集めた。そのときに宮川や岩渕と交わした刺激的な対話は、本章を執筆するうえでも大いに役立っている。ちなみに、その会場には後に登場する九州派の桜井孝身のご子息もいらしていた。

このように、1960年代から現在までの集団蜘蛛と森山安英の芸術活動に関する掘り起こしと再評価の作業は着実に進められてきたと言える。しかしながら、その詳細はまだあまり知られていない。とりわけアーティスト・コレクティブとしての集団蜘蛛と画家としての森山安英という2つのペルソナの相関と前者から後者への移行のあいだに横たわる空白期については、先述の「解体と再生」展のカタログなどを除いてこれまでそれほど多くは論及されてこなかった。そこで次節では、まずは「蜘蛛」の誕生から死滅までの「「自死」に向かう軌跡」をつぶさに観察していきたい。

蜘蛛の形態変化

「黒ダライ児」の仮面をかぶった黒田雷児は「運動体としての〈集団蜘蛛〉について強調すべきことは（略）先鋭化・過激化・自滅へと転がっていくあざやかなストーリーである」と指摘し、その破滅への道のりを全部で4つの時期に区分けしている。[9] そして、その「第1期」は集団蜘蛛の前身であった「ZELLE」から開始される。この集団は「グループ連合による芸術の可能性」展（1968）の開催にむけて8名の若手作家によって結成され、ドイツ語で「細胞」を意味するそのグループ名の名付け親は遠矢政巳という人物であった。8人のメンバーのなかでも年長であった遠矢は、「細胞が単体でも複合しても生命たりうることから」この単語を選択したとされる。[10]

とはいえ黒田の表現を借りれば、ZELLEは「この頃の日本なら全国どこにでもありそうな、東京の美術界との接触やコンクール入選をめざす新進作家たちの美術家グループ」にすぎなかった。[11]「グループ連合による芸術の可能性」展において、森山はなかに絵が入っていない石膏で作った額縁のみを展示した。さらに、彼はそれを会期中に撤去するというパフォーマティブな行為も含めて自らの「作品」として提示した。前記のように黒田のZELLEに対する評価は概して手厳しいが、こうした森山の実験的手法は「抽象絵画にとどまるほかのメンバーと一線を画していた」と高く評価している。[12]

ZELLEは最初のグループ展の直後に内輪もめを起こして分裂し、その命名者であった遠矢が脱退したあとで新たに案出された呼称が「集団蜘蛛」であった。「集団蜘蛛」という名を冠した――厳密に言えば、このときのパンフレットには「蜘蛛集団」と記載されていたが――最初のグループ展は、1968年7月に開催された「蜘蛛集団のアート・フェアー展」であった。この展覧会や次いで同年9月に北九州市立八幡美術館で開催された「蜘蛛蜂起展」は、後期の集団蜘蛛（黒田はこれを「真正」〈集団蜘蛛〉と呼ぶ）からは想像も及ばないほどユーモア精神にあふれたオーディエンス・フレンドリーなものであった。

そして、これらの展覧会には俗に言う「アクション・ペインティング」や「トリック・アート」といった当時の流行に即した「現代美術」風の作品が数多く陳列されていた。だが、そうした状況においても森山の異質性は際立っていた。彼は「エロ写真」を精密に模写したドローイングを出展して、意図的に場の撹乱を惹起している。この作品は――森山の目論見通り――美術館側からのクレームを招き入れ、それは激しい議論の末に撤去される羽目になった。

黒田はこの顛末には集団蜘蛛の消滅に至るまで継続的に見られる「森山の戦略が明確になっている」と指摘し、その戦略を以下のように2つに大別している。

グループ内に対立と分裂を意図的に作り出すことで、メンバー間の思想的差異を引き出し、それによって自分の運動への参加者を選抜すること、また、社会通念から受け入れがたい性や裸体の表現を、美術館という聖域に持ち込むことで、そこでの表現もが政治・権力・法律による支配と統制のなかにある事実を明らかにすること[13]（略）

森山の戦略性について付言すれば、先述した1997年の「森山安英資料による「集団蜘蛛」の軌跡展」を構成していた大量の資料を彼が大切に保管していたことも注目すべき点であるように思われる。なぜなら、ここには集団蜘蛛の運動を詳細に記録しておこうとする森山の意識が明確に表れているからだ。

こうした意識は、前章で扱った静岡・浜松の「天地耕作」にも特徴的に見られる。1980年代末から2000年代初頭にかけて活動したこの前衛芸術グループは自費出版した小冊子はもちろん、一部の支援者のみに送付していた手刷りのニュースレター『耕作だより』に至るまでありとあらゆる関係資料を全てアーカイブ化して保管していた。まるで森山は、自ら主導せんとする芸術運動の意義が同時代的には評価されないであろうということを当時から自覚していたかのようだ。同時に、こうした彼の行為には自分たちが芸術を通じてなそうとしていることの意味——それはおそらく自身でも十全には把握できていなかったであろう——を後世の者たちが読み解いてくれることへのかすかな希望を看取することも可能である。そして、天地耕作の村上誠も似たような希望を抱いていたように筆者には思われる。

先述したような意図的分断を作り出す戦略にまんまとはまった多くのメンバーが森山から離反し、彼は1968年10月頃から残った春元茂人・加藤勲と3人の少数精鋭からなる集団蜘蛛を新たに発足させることとなった。黒田の考える集団蜘蛛の「第2期」はここから始まるが、彼はこの時期をその「ハプニング・グループとしてのピーク」と規定している。[14] この時期には、森山、春元、加藤によって様々な実験的・挑発的ハプニング（公共空間でゲリラ的になされる身体的パフォーマンス）が意欲的に試みられている。

なお1969年初頭から1名の女性メンバー（匿名）が集団蜘蛛の活動に加わり、同年7月頃には春元が蜘蛛を離脱している。春元の離脱に関して、黒田は「森山が演技者との棲み分けを壊し、観衆をハプニングに引きずり込もうとしたが、その意志に従えなかった春元は、これをきっかけにグループを去っ［た］」と記述している。[15] そうしたグループ内の食い違いに加えて森山は「彼なりに（略）将来に対する不安だとか、自分の夢とのズレみたいなものやら、感じてたんじゃないですかね」と述べ、その当時に結婚を約束していたパートナーがいたという春元の個人的な事情にも言及している。[16]

「否定」という標語で語られることの多い集団蜘蛛であるが、「〇〇の否定」として代入することのできる明確なターゲットが出現してくるのがその「第2期」である。その最初の標的としてねらいを定められたのが、九州派の菊畑茂久馬であった。菊畑が事務局長として主導した「第3回九州・現代美術の動向展」の初日、森山、春元、加藤は生放送によるテレビ取材が行われるなかで会場に闖入《ちんにゅう》してゲリラ的ハプニングを敢行した。女性用の着物を纏って顔に白塗りを施して登場した3人（彼らは「天下泰平」と書かれた小さな掛け軸を首から背中にかけてぶら下げていた）は、「春元の髪を剃り、協力者の女子高生の制服を脱がすなど、嗜虐的なパフォーマンスを繰り広げて周囲を凍りつかせた」という。[17]

その後も集団蜘蛛は印刷所を突き止めて菊畑の版画作品の贋作を大量に生産したり（一般に「盗作版画」と呼ばれたこの試みは、美術批評家の針生一郎から絶賛を受けた）、彼が登壇する講演会に無断で乱入して突如ステージ上で素っ裸になったりしている。こうした行動に対して、菊畑は「［集団蜘蛛は］何かにつけてぼくをつけ狙った」と語っている。[18] とはいえ、蜘蛛からの「つけ狙い」についてとうとうと不平を述べる菊畑の口調にはいつもどこか温かみが感じられる。すなわち小松健一郎も指摘しているように、菊畑は仲間内で（それこそ昆虫の蜘蛛のごとく）忌み嫌われがちであった集団蜘蛛と森山安英にとって最高の「共犯者」であった。そして、同時に菊畑こそが集団蜘蛛（森山）の最大の理解者――少なくとも、その一人――であったのではないだろうかと筆者には思われてならない。

さらに集団蜘蛛のメンバー3人は、1969年5月に行われた「万博破壊九州大会」にも参加している。「人類の進歩と調和」というスローガンを掲げて大々的に開催された大阪万博を翌年に控えた1969年、「万博破壊共闘派」は名古屋で活動を開始した。黒田は、この動きを「六〇年代「反芸術」系パフォーマーの最後の結集」と総括している。[19] その目的は華々しい万国博覧会に象徴される「テクノロジーによる人間意識の支配やその延長としての近代的な管理社会の到来に対して抵抗を示［す］」ことであり、同時にそこには万博のような商業的な娯楽イベントに巻き込まれた文化人たちや当時の芸術制度全般に対する反抗の意味合いも含まれていた。[20]

その政治的共闘の呼びかけ人は、1950年代後半から1970年代にかけて活動した前衛芸術家集団「ゼロ次元」の中心人物・加藤好弘であった。万博破壊共闘派には末永蒼生を中心として1967年から1969年まで活動したパフォーマンス集団「告陰」などのグループや、小山哲男や秋山祐徳太子といった個人の前衛芸術家が加わった。万博破壊の九州大会には、九州派のリーダー格・桜井孝身もはせ参じている。

万博破壊共闘派が登場した背景には、安保条約に反対を叫ぶ学生の運動やベトナム戦争の即時中止を求める市民の運動——1960年代末の日本に到来した、その国家の歴史においては例外的とも言える「政治の季節」——が控えていた。そのため、ゼロ次元を筆頭とする共闘派の面々は明示的な政治的批評意識を備えていた。そうしたことから集団蜘蛛や森山にも類似の政治性を読み取ろうとする美術史的な解釈もよく見られるが、筆者はそうした傾向には疑問を呈したい。

その根拠として、3日間の万博破壊九州大会のなかで集団蜘蛛が単独でパフォーマンスを行ったのは2回だけ（かつ、その内の1回はプレイベントでの行為であった）であることが挙げられる。それ以外は桜井やゼロ次元が主導した合同パフォーマンスに参加しただけであり、ここには集団蜘蛛が積極的に共闘に参与しようとする姿勢は見いだせない。政財界が一体となって展開された万博のためのキャンペーンについて「日本の文化運動がそういうかたちで引きずっていくことに対する批判は、〈蜘蛛〉としては当然もってた」としながらも、「言葉は悪いですけど、政治だとか性の問題を抱え込むことで、自分を刺激してるみたいなところがある」とあけすけに語る森山にとって、政治性は芸術としてさらなる強度を獲得するための副次的なもの──いわば、「スプリングボード」や「起爆剤」（小松健一郎）のような何か──にすぎなかったように見受けられる。[21]

第2期の最後の事例として、1968年7月の「畸型《きけい》三派狂乱大集会」に論及したい（図4-1）。このパフォーマンスには、桜井孝身や森山の年少の友人であった「集団〝へ〟」の新開一愛も参加した。黒田による要約を借用すると、そこでの森山らの行為は「従来のスタイルを欠いた、無秩序な肉体の叛乱の果てに汚物を観衆に投げつける」というナンセンスきわまるものであった。[22] 集団蜘蛛の実践の端々には、糞便に対するスカトロジックな偏愛を垣間見ることができる。古来より糞や尿は、きわめて逼迫《ひっぱく》した状況下にあった人民であっても手に入れること

図4-1
集団蜘蛛、集団“へ”、桜井孝身ら《畸型三派狂乱大集会》
1969年7月5日
撮影者不明
画像提供＝福岡市美術館 / DNPartcom

のできる武器として民衆蜂起などの際に活用されていたという。こうしたある意味では最も「民主的な」飛び道具であるとも言える排泄物を、森山は「芸術の全否定」のための闘争における主要なメディウムとして用いることを好んだ。

具体的に言えば、この畸型三派狂乱大集会は同時代に名古屋を拠点として全国的な活動を展開していたゼロ次元を標的に据えたイベントであった。森山らは当時から比較的に名前を知られていたゼロ次元をまき餌に使って観客を集めるために「おお われらがゼロ次元よ!!」と大書きされたチラシを作成し、来る予定のないゼロ次元(と告陰)の名前を無断で参加作家のリストに加えた。「ゼロ次元」と書かれた札を首から下げた森山、桜井、新開らはゼロ次元がそのパフォーマンスのなかで特徴的に行っていた「寝転び」や「片手上げ」などの所作を模倣し、挙げ句の果てに森山と新開は訪れた観客にむかって糞便の付着した造花を投げ付けた。なお、その後始末は桜井が一人で行ったという(このエピソードは個性派ぞろいの九州派をまとめ上げ、1970年代にはアメリカ・サンフランシスコに「コンニャク・コンミューン」という名の日本人芸術家コミュニティを作り上げた桜井の「オルグ力」の秘訣をよく示しているように思われる。しかし、この点はここでは展開しない)。

こうした一連の狂気じみたパフォーマンス実践は、クライマックスとしての「自死」へとむかって一直線に猛進する「自己解体」の期間である(黒田の考える)「第3期」集団蜘蛛へと連結していく。この時期、実質上は森山と加藤の2人になった集団蜘蛛は行政や企業が主催する公募展や学芸員が参加作家を選出する企画展を敵対視した抗議運動を展開している。具体的な名前を挙げると、そのターゲットは朝日新聞社の主催で1969年9月に開催された「朝日西部美術展」（福岡県文化会館）と1970年2月に行われた「1970―九州　可能性への意志」展（北九州市立八幡美術館）などであった。

森山は桜井らと共に前者の展覧会に自分自身を作品として搬入しようとして（思惑通りに）拒否され、それに対する抗議のビラを作って散布している。森山と加藤は権威からのお墨付きと庇護を受けた「芸術」に対する懐疑を表明し、そうした制度の内部に無批判に安住する「芸術家」を厳しく糾弾したのである。こうした姿勢には、同時代に欧米（特にアメリカ）を中心に盛り上がっていた「インスティテューショナル・クリティーク（制度批判）」――「美術館やギャラリーといった文化施設をはじめ、芸術を取り囲む多様な制度の意義や役割を批判的に問う」動き――との共振をも見いだすことができる。[23]

集団蜘蛛の「自壊する」第3期を最もよく象徴するパフォーマンスが、福岡市内で1970年2月に敢行された「天神交差点ハプニング」である（図4-2）。菊畑と並んで森山と親しい関係にあった九州派の働正は、1975年に執筆された文章（「肉体と言語の間で　森山安英の行為をめぐって」）のなかでこのパフォーマンスを以下のように叙述する。

昼が終り、夕暮れに染まりかけた福岡は天神町。（略）と、突如、信号機を無視して、角から斜めにゆかたと長襦袢の男女が、交差点の中央めがけて駆け寄り、大きな日の丸の旗を広げて路面に敷いた。そして折り重なった。（略）と、今度は反対側の角からも、もう一人の黒地の布をまとった若者が駆けて来て、寝ている女の股に脚を踏み入れてのしかかるように一方の脚をふんばった。まとった布を剥ぎ、それはたちまちのうちに黒旗となって男女の真中に立てられた[24]

通行人たちが騒《ざわ》めき始めるなかで男女はパトカーが到着する前に一目散に逃げ出し、天神通りを裸で疾走した。男は森山、女は先述した匿名の女性メンバーである。駆け寄って来て2人のあいだで旗を掲げた若者が新開であった。

このときの瞬間について、森山自身が『機關16』所収の「自筆年譜」のなかで「立ちあがった一瞬、街の景色は日頃見慣れた天神ではなく全く違った風景にみえた」と回想していることは興味深い。[25] 現代ドイツにおける演劇学の指導的研究者であるエリカ・フィッシャー＝リヒテが記述するように、公共圏に出現するパフォーマンス空間において「観客は、よく知っていると思っていた街を、（略）異なった見方で知覚し始め」ることがよくある。[26] 鑑賞者の日常的な知覚に変容を促すこうした「異化効果」――その最初の発案者はドイツ人劇作家のベルトルト・ブレヒトであった――はパフォーマンスや演劇のみならず、しばしば映画や絵画・彫刻に関する議論においてもその独特な力として注目を集めてきた。

だが、森山においては彼の行うパフォーマンスが彼自身の日常的な知覚に意図せずして変容をもたらしている。ここではパフォーマーの「日常的な知覚に変容」が起こっており、そこには異化効果の逆立とでも言うべき事態が立ち上がっている。この点で集団蜘蛛（森山安英）の

図4-2
平田 実《天神交差点の街頭ハプニング 集団蜘蛛と集団“へ”》1970

パフォーマンスは（第2章、第3章でも論じた）「見る主体」としての鑑賞者の存在を前提としてきた近代美術とは一線を画しており、この視座にはパフォーマンス概念をめぐって従来なされてきた議論それ自体を転覆させる可能性が宿っている。

このように表現としての「糞尿」や「エロス」は集団蜘蛛（森山安英）を語るうえで欠くべからざるキーワードであり、これらの観念は極度の潔癖症を患った近代的人間の衛生学が徹底して忌避してきた「呪われた部分」である。日本では明治時代に新政府が各都市に条例を制定して生活上の些細《ささい》な振る舞いを規制し、「裸体や半身を出して道路を歩くことや、くみ取った糞尿をふたなしで運ぶこと」などを野蛮で反文明的な行いとして固く禁じたという。[27]「呪われた部分」という概念は、フランス人のジョルジュ・バタイユによって鋳造された。バタイユは生涯を賭して、近代の合理性が抑圧してきた人間の生の根幹にある「宗教」や「エロティシズム」といった原初的テーマを探求した思想家である。ドイツ・カッセルで開催されたドクメンタ11に際して《バタイユ・モニュメント》（２００２）を制作したスイス出身の作家トーマス・ヒルシュホルンなど、彼の強烈な思想にインスピレーションを受けた現代アーティストも多い。

「有用性の限界」という副題の付された『呪われた部分』（１９７６）のなかで、バタイユは近代の特徴である合理的思考に基礎付けられた行為の価値を全否定している。とりわけ以下の一文は、あたかもナンセンスこのうえない集団蜘蛛のパフォーマンスを過去から言祝《ことほ》いでいるかのように響く。「すべての人間はいつの日か、有用な行動そのものには、いかなる価値もないこと、（略）栄誉ある行動だけが人間の生に〈値打〉を与えられることを理解しなければならないだろう」[28]。バタイユの有名な概念である「蕩尽《とうじん》」は人間的エネルギーの充溢《じゅういつ》や過剰に着目することによって、決して有用性に還元しえない非生産的な濫費《らんぴ》のあり方を提示するものであった。こうした生命エネルギーの過剰性は、まさしく集団蜘蛛の芸術実践を特徴付ける性質である。

岡本太郎はソルボンヌ大学で民族学を学んでいたフランス留学中にバタイユと知り合い、親交を深めた。「わが友――ジョルジュ・バタイユ」と題された小文のなかで、岡本はバタイユ思想の根底にある「絶対的な肯定を前提とする」「徹底的な否定」をえぐり出している。そして、その徹底的否定＝絶対的肯定を通じて私たちは「新しい神（神聖）」を創造しなくてはならないのだと岡本は力説する[29]。ところで宮川敬一による２００５年のインタビュー映像のなかで、森山は集団蜘蛛の刹那的な活動を通じて「誰も知り得ない」法悦を感得したと語っている。この聞き慣れない単語（「法悦」）は、辞書的には「仏の道を聞いて起こる、この上ない喜び」と定義される。バタイユ（岡本）の言う「新しい神」は、森山にとってこの筆舌に尽くし難いエクスタシー感覚に宿っていたのかもしれない。

「第3期」当時のことを振り返った森山は、この頃の彼は常に「死に場所を探し」ていたと述懐している[30]。そして、その絶好の機会が１９７０年６月に訪れた。一般に「伝習館闘争」と呼ばれるその政治的出来事は、文化や芸術とは全く明示的な関わりがなかった。その詳細とそのなかで集団蜘蛛（森山）が遂に「自死」に至る経緯について詳述する前段階として、次節では集団蜘蛛を結成する以前の森山安英という人物の来歴を押さえておきたい。なぜならば15年という年月をはさんで隔てられた集団蜘蛛のパフォーマンスとその後の森山の絵画を接続する鍵は、そこにこそ存在していると筆者は考えるからである。

森山安英について

森山安英は1936年、福岡県・八幡市で生をうけた。父・傳は、若い時分から近代日本の産業化を象徴する八幡製鉄所に勤務する「製鉄マン」であった。1944年6月、日本の鉄鋼需要を支える一大拠点を抱える八幡はB-29による初の本土襲撃の標的となった。当時7歳の森山は、防空壕から眺めた「八幡空襲」の光景を恐怖とともに記憶している。

その2ヶ月後、彼は母方の実家があった山口県・篠生村（現在は廃村、山口市に編入）に単独で疎開することになる。小さい頃から体が弱かったために「ほとんど学校に行きよらんかった」という森山は、「本もなければテレビもない」自然豊かな山村で「近所の山奥にある滝」や「椿の花」の絵を描いて暮らした。[31] インタビューにおける発言の端々から、彼が1948年に八幡に戻るまで幼少期の約4年間をすごしたこの村を愛着ある「故郷」と感じていることをうかがうことができる。

八幡に戻ると、森山は製鉄マンの父に付き添って製鉄所を中心とした一定の範囲に収まる様々な地区（桃園町→白谷町→戸畑市鞘ヶ谷町）の社宅を短期間の内に転々とした。少年時代に目撃した激しい労働争議の数々が森山に強い印象を与えた反面、官と一体になって近代化――

それはまさに労働争議が打破することを目指した、搾取の論理を生み出す元凶とされた――を推進した大企業（新日本製鉄）の側に属する家庭で育ったことは、その生涯を通じて森山にまとわり付くことになる複雑な感情を形成した。彼自身は、この名状し難い感情を「筑豊に対するコンプレックス」と名指す。これは、その後に行動をともにすることになる九州派の桜井孝身や働正とは明確に異なる点である。事実、森山は働から「お前のは、結局プチブルでしかない」と非難されたこともあったと証言している。[32]この「筑豊コンプレックス」こそ、森山をして政治的なものから常に一定の距離を保たせしめた根源的要因であったと筆者は推察する。

森山は幼少より絵が得意で、特にブロマイド写真の精密な模写が友人や教師から好評だったという。そのため、彼は中学生になった頃から自然と絵描きの道を目指すようになった。戸畑高校に入学後は独学で絵画の手法を身に付け、この時期に本人が描いた祖母の肖像スケッチなどが残っている。

大学への進学を真剣に考え始めた森山は両親を説得し、卒業後は美術教師になるという条件付きで佐賀大学に入学した。当時、佐賀大学の教育学部には美術や工芸の教員を養成するための「特設美術科（特美）」が新設されたばかりであった。その入学試験で石膏像のデッサンが課せられたが、専門的な美術教育を受けていなかった森山は「どうやって描いたらいいかわからんから（略）斜め前の人の絵を写し」て合格を勝ち取った。ここには「エロ写真」の模写や菊畑茂久馬の作品を模造した「盗作版画」など、集団蜘蛛の時代に随所に現れることになるアプロプリエーション（盗用）の美学がその片鱗を示している。

佐賀大学では森山は主に日展系の団体に所属していた教員連中よりも、久保田清美や田中忠興といった先進的な精神をもつ先輩から薫陶を受けた。森山は久保田や田中に先導されていくつかのグループ展に参加し、そこでは主に抽象画を出品した。のちに集団蜘蛛のコアメンバーとなる春元とも、この時期に知己を得ている。以来、森山と春元の交友は中断期間をはさんで60年以上に及ぶことになる。3年次に久保田と田中が大学を去ると（久保田は退学、田中は卒業）、森山も足並みを揃えるように大学を除籍となった。

大学中退の直後に森山は八幡製鉄所の下請け業者で働き出したが、数年すると勤めていた会社が製鉄所から撤退したため無職となった。その後、彼は各地を転々とするも家賃の支払いに困って友人の家や橋の下を放浪した。結果として最後に流れ着いたのが、北九州市にある足立山の山中であった。そして森山は「ほぼ無収入のまま、電気や水道もまともにない山中の小屋などに4年間住み続け（略）付近の畑から野菜を取ったり、藪を切り開いてトマトを植えたりするなど、にわかには想像し難い生活」を送ることになる。[33] 森山は山暮らしの間も定期的に久保田や田中が主催するグループ展に縄やアスファルトを用いたオブジェ（素材における九州派との共鳴が興味深い）などを出品しており、北九州市立美術館・学芸員の小松健一郎は「山麓の小屋とはいえ、制作に自由に使える格好の「アトリエ」だったのかもしれない」と推測する。[34]

森山の足立山での山籠り生活は、序章で言及したヘンリー・ソローの「森の生活」を彷彿とさせる（とはいえ森山の行為は放棄された建物を占拠する「スクウォッティング」に近く、前近代を生きたソローの暮らしと異なる部分も多いことも指摘しておきたい）。その思想家は1845年にウォールデン湖畔に小屋を仮設し、森のなかでの自給自足の生活を開始した。ソローの思索と実践が、数多くのアーティストやミュージシャンに深遠なるインスピレーションを与えてきたことは序章でふれた通りである。「歩く（Walking）」と題されたエッセイで、彼は「すべてのよいものは野生的であり、自由である」と書いている。[35] また、別の箇所でソローは「絶対的自由と野生」を「自然」と互換的に用いている。[36]

文化人類学者の今福龍太は「ソローが「野生」wildness という言葉を書きつけるとき、そこにはいつもある不思議な「揺らぎ」が感じられる」と述べ、「ソローが語ろうとする「野生的なもの」the wild という事柄が、私たちがふつうに（略）理解しているような概念と、うまく合致しないことがしばしばある」と指摘する。[37] そのため今福はソローの「野生」が「たんなる原生の自然環境や動物の存在様態」に還元されうるアイデアではなく、「動物的本能に還ろうとするプリミティブで野蛮な心性の発露」を指しているのではないかと示唆する。[38] こうした心性は、事物や場所などの物質的な存在に仮託して実在論的に措定することの不可能なものであると考えられる。

それゆえ、自然環境のなかで暮らすこと自体がソローにとって野生へとむかうための必須条件というわけではなかった。事実、彼は「森の生活」を始めて2年と数ヶ月ほどあとにウォールデンを離れている――「私は森に入った時と同じ理由でそこを去った」という言葉とともに。[39] 今福の述べる通り、「人間に屈服していないからこそ生気にあふれたものである野生を、どこかで人間は自らの生命の維持のために欲している。人間は、人間の臨界を超える力に触れたときに、より人間としての全体性を獲得する」ということをソローは確信していた。[40] 人間は物質的充足に取り囲まれてもなお――あるいはそれゆえにこそ――、生命運動のためのエネルギーとしての野生を求めるのかもしれない。

とはいえソローの時代からさらに時を経て、とりわけ後期近代以降には地球上のほとんどの場所で野生的なものを感得することがきわめて難しくなった。先の引用で今福は野生を「野蛮な心性の発露」と規定していたが、近代化と不可分に結びつく文明化・都市化はそもそも世界から野蛮なものを殲滅《せんめつ》していくことを意味した。そうした精神の明瞭な具現化が、ソロー没後から十数年を経た1875年に上梓された福沢諭吉の『文明論之概略』に看取できる。同書の福沢は「そもそも文明は（略）野蛮の有様を脱して次第に進むものをいう」、すなわち文明化が野蛮（野生）状態から離れて人類が進歩するプロセスであると明言している。[41] こうした経緯もあり、近代以降にはしばしば「野生への回帰」という振る舞いには反近代の意が陰に陽に込められるようになった。

その極端な一例が、ジャーナリストのジョン・クラカワーによるルポルタージュ『荒野へ(Into the Wild)』の基となった出来事である。同ルポルタージュはアメリカでベストセラーとなり、2007年には俳優のショーン・ペンによって映画化もされた。その題材は実際に起きたある青年の死であり、それはアラスカの地方新聞でひっそりと報じられた。その夭逝した青年の名を、クリス・マッカンドレスという。

裕福な家庭に生まれたマッカンドレスは、幼少期から「資本主義社会に対するはげしい糾弾、原始の世界への賛美、多数の下層民への擁護」などに特徴づけられる心性を抱えていた。[42]彼は物質的には非常に恵まれた生活を送っていたが、あらゆる事柄が金銭を対価になされる現実に嫌気が差していく。そして、大学進学のための学費預金を全額寄付して誰にも告げずにアラスカへと旅立った。マッカンドレスは同地の荒野に足を踏み入れ、極寒のなかで打ち捨てられたバスの車内で遺体となって発見された。この事件は全米に衝撃を与え、ルポルタージュも映画も世界中で大きな話題を呼んだ。この事実は、多くの人々が近代的な物質文明のなかで野生的なものを渇望していることを暗に示す。

こうした身振りを通して追求される心性を、ここでは「反近代としての野生」と名指してみたい。森山自身はこうした心性を特に意識してはいなかったようで、これまでになされたインタビューでも足立山で暮らしていた時期のことはあまり掘り下げて語られていない。また、森山をインタビューする側の人々もこの時期のことにさほど深入りしてはいないように思われる。

だが足立山での経験は、集団蜘蛛／後述する「15年間の沈黙」／その長い沈黙を破って出現した絵画という3つの位相を貫く一筋の線の原点となっているのではないか。筆者の見解は、森山の「森の生活」は「反近代としての野生」という心性を彼の身体と精神の深い部分に刻み込んだというものだ。その心性は、森山をして芸術を通して野生的なものだけがもつ「人間の臨界を超える力」（今福）へとむかわせた。ゆえに彼は東京／地方という二項対立——それは九州派が強くこだわっていたものであった——に固執することなく、「北九州から一歩も出ることなく」（『機關』16号の帯文より）自身の特異な活動を展開することができたのではないだろうか。

いみじくもソローはウォールデンを去るとき、『森の生活』（１８５４）の結びに「蜘蛛」の比喩を登場させている――「たとえ私が一日中屋根裏の片隅で蜘蛛のように幽閉されようとも、自分の思想を持ち続けるかぎり、世界が広大であることは私にとって変ることがないだろう[43]」。北九州という屋根裏の片隅に幽閉された「蜘蛛」にとって、そこは何よりも――東京よりも、そしてアメリカよりもはるかに――広大な世界であったに違いない。ただし、ソローもマッカンドレスも性（性欲、性行為）の問題は徹底して忌避していたが、森山はこれにも正面切って対峙していた点には相違があることは付言しておきたい。

足立山での生活の最中、森山は（主流派ではなかったが）メンバーの働正を通じて九州派と接点をもった。彼は働から情報を得て、１９６２年に百道海水浴場を舞台になされた「英雄たちの大集会」にも実際に足を運んでいる。この「大集会」は――ジャスティン・ジェスティの見方では――「グループを再活性化し、そのダイナミズムを取り戻すための、（略）桜井孝身による土壇場の（last-ditch）努力」であり、「その地方の中心地である福岡の外側の人里離れた砂浜における一連のハプニング」であった[44]。とはいえ、森山が九州派の正式メンバーになることはなかった。「大集会」には糸井貫二、刀根康尚、小杉武久、風倉匠、ヨシダ・ヨシエら東京からのゲストも多数参加しており、森山は九州派に東京という「中心」に対する過剰なまでの意識を嗅ぎ取ったからかもしれない。

その後、森山は足立山にある円通寺で檀家の子どもたちに絵を教えることになる。そして、そのことが縁となって絵画教室を開くことになった。後に生涯の伴侶となる女性と知り合ったのもこの頃で、幼稚園での仕事がきっかけであった。その女性との同棲を機に、森山は足立山を離れて市内の和菓子屋の倉庫の2階に移り住んだ。

この時期、森山は「糞便標本や（略）人体標本などを元に、紙粘土と石膏で「標本オブジェ」なる作品（略）を制作し、「読売アンデパンダン展」に出品しようとしていた」ことが判明している。[45] ここには後の集団蜘蛛につながる「糞便」への興味が垣間見えるが、小松は「「標本」という本物そっくりな作品制作の背景にはポップ・アートへの関心もあった」のではないかと分析する。[46] また、東京で開催されていた大規模な「読売アンデパンダン展」への出品（同展は1964年に中止となり、その計画は頓挫した）を考えていたという逸話も、後年の森山の活動からは埋め難い隔たりを感じさせる。

だが一方で、同時期に後々のハプニングに直接的に接続されるような実践もなされていることは見逃せない。1963年、森山は街中に出て糞便を詰めたマッチ箱を通行人に配るという「テロリズム的」行為を敢行している。この行為には「糞便とテロル」という、とりわけ後期の集団蜘蛛を特徴づけるエッセンスが凝縮されており示唆的である。先述した集団蜘蛛の前身「ZELLE」が結成されるのはそれから5年後の1968年、そのとき森山はすでに32歳を迎えていた。

森山の沈黙と銀色の絵画

壮絶なる「自死」のタイミングをねらっていた森山は、「天神交差点ハプニング」から4ヶ月後にその絶好機と遭遇する。そのときにはすでに、集団蜘蛛は実質的に森山のソロ・プロジェクトになっていた。1970年6月、福岡県の伝習館高校で「左翼偏向教育」を行ったとされた3人の教師が解雇されるという出来事が起きた。この出来事は『土着』をうたい、最高裁まで闘った教育裁判」である、足かけ20年に及ぶ通称「伝習館裁判」へと雪崩れ込んでいく[47]。

解雇された教師のなかには、「集団〝へ〟」の新開一愛の師であった茅嶋洋一もいた。この事態を受け、同年7月と11月に支援者たちによる大規模な抗議デモが催された。それらのデモの混乱の最中、デモ隊や学校関係者からの再三の注意を無視して、森山は新開とともに校舎の屋上に上がって局部を露出したり、男性器（のような何か）が描かれたムシロ旗を掲げて行進したりとやりたい放題の様相を呈した（図4-3）。

こうした振る舞いから判断すれば、森山が「伝習館事件」に対していかなる思いを抱いていたにせよ、彼がこの政治的事件を自らのセンセーショナルな自害のために利用したことは否定できない。思惑通り（と言うべきか）、11月29日に行われた「伝習館救援会結成大会デモ」において森山は警察に捕縛された。当時はすでに「「逮捕されればいいんだろ」って腹をくくって」いたという森山は、「いつ、どういうふうに終わるかで、死に場所として伝習館を選んだ」のであった[48]。

図4-3
集団蜘蛛、集団“へ”《伝習館高校三教師懲戒処分反対デモ中の屋上脱衣ハプニング》
1970年7月19日
撮影者不明
画像提供＝福岡市美術館 / DNPartcom

その後、森山は略式裁判で3万円の罰金を支払ったことに対して異議申し立てを行う。こうして1973年まで継続される裁判闘争へと入っていくのだが、冒頭に提示した集団蜘蛛の解散年に関する「複雑な事情」とは、こうした経緯に起因する。すなわち逮捕（1970年）を「そのとき」とみなすか、あるいは結審（1973年）を「そのとき」とみなすかという問題である。筆者としては、後者の見方を支持したい。裁判での森山の冒頭陳述「権力に拮抗する私的DISCOVER JAPANまたは「観光」への誘い」は、体制側に措定された（そして、彼の支援者も無意識のうちに受容していた）近代的枠組みを丸ごと問う転覆的な提言であったからだ。そうした明確な反近代の意識は、ここまで見てきたように集団蜘蛛の芸術実践を貫く一筋の光であるように思われる。『肉体のアナーキズム』での黒田もまた、この裁判期を蜘蛛の「第4期」と捉える。

同時期になされた様々な「芸術裁判」――「悪徳の栄え事件」（1964～1969）や「黒い雪事件」（1967～1969）など――と同じく、森山裁判の争点も文化的表現に対する規制であった。現代美術の有名な事例として、1963年から1970年まで継続された赤瀬川原平の「千円札裁判」がある。この裁判では千円札を模した赤瀬川の作品が通貨及証券模造取締法違反の疑いで起訴され、法廷で争われた。複数の美術評論家が特別弁護人として出廷し、芸術家仲間も弁護側証人として発言したが、最終的には最高裁での有罪が確定した。

この裁判では一貫して自律的な芸術領域における「表現の自由」の観点から弁護がなされた。つまり、「赤瀬川の行為は芸術であり、ゆえに無罪である」という論理である。この論理は

「芸術の自律性」という、優れて近代的な土台から構築されている。自らも裁判に関わった美術評論家の石子順造は闘争を振り返って、1971年に「想念のテロリスト」と題された小論を発表している。そのなかで石子は、本質的に反近代的要素を有した赤瀬川の芸術実践を弁護団が「表現の自由」という枠組みだけに収斂させてしまった矛盾に対する違和を表明している。[49]そうした「自由」は石子に言わせれば、まさに近代になって登場した国家権力によって制度化され保護された近代的な「権利」に他ならないものであった。

森山裁判においても、弁明のために赤瀬川裁判と似たような「近代的」ロジック――「森山の行為は芸術であり、ゆえに無罪である」――が採用された。森山の支援者たちは、彼の逮捕は「表現の自由」の侵害であるという主張を繰り返した。しかし、「支援者と森山の間に（略）当初から意識の差があった」という事実は重要である。[50]森山は冒頭陳述で「表現の自由」という概念は「戦後民主々義概念の中で生きさせられて来た（略）「幻想」の空念仏に過ぎ」ないと断じ、「その範疇に於て才能を開花して来た文化、芸術が、所詮、許させた範疇に限っ」た、「支配の側に吸い取られていく」ものに過ぎないと明言した。[51]

ここで彼が「表現の自由」という近代的産物に対して疑義を呈するのは、反近代というテーゼを貫いた集団蜘蛛の散り際における最後の抵抗とみなすことができる。足かけ3年にも及んだ長い裁判は「公然猥せつ罪、猥せつ図画公然陳列罪」により有罪が決定し、森山は罰金として3万円を言い渡される。本人の言い回しを借りれば、裁判闘争のあとに「被告人［森山］は今後について、いずれ絵を描くと宣言。最後まで残った支援共闘者より批判を浴び」たそうである。[52]

裁判後、先に述べたように森山は長い沈黙期に入った。そして1987年前後、森山はまるで天啓に打たれたかのように突如として絵画を矢継ぎ早に制作し始めた。こうして、彼は衝撃的なカムバックを果たした。そこには冒頭に述べた集団蜘蛛の再評価の口火、菊畑茂久馬による1982年のエッセイ「蜘蛛之巣城物語」が深く関わっている。

先述の通り、森山は集団蜘蛛の結成の前から絵画を制作していた。端的に言えば、彼はどこにでもいる写生の大好きな「絵描きを夢見る」少年であった。蜘蛛のパフォーマンスが急速に過激化・先鋭化していくなかで、森山は絵画を「喪失した」ように思われる。心身ともに疲弊させる長い裁判のあと、彼は落し物を求めて彷徨する子どものような心境であったのではないか。この比喩をさらに展開すれば、集団蜘蛛に対する菊畑の称賛と再評価が最後の一押しをしたことで森山は「遺失物探し」に本腰を入れ始めたといったところかもしれない。長い沈黙から明けたとき、森山は驚くほど多産な画家となっていた。彼がこれまでに生み出した作品は、総計で数百点を優に超える。

集団蜘蛛のパフォーマンスと森山安英の絵画のはざまにある、1973年から1987年頃までの約15年間の沈黙についてはそれほど多くは語られていない。先述した森山の「自筆年譜」では、「以後2、3年は虚脱自失し、人に会うこともなく蟄居閉門と沈黙を己に課し、殆ど仮死状態であった。(略) 再度、絵を描こうとして幾度か試みたが、その後、15年間にわたって空白状態が続き絵は出現することがなかった」と記されているのみである。[53] この空白の期間にもそれ以前のパフォーマンスとそれ以後の絵画に連接しうる重要な要因が存しているのではないかと、筆者は考えている。紙幅の都合上、本章ではこの点を深く掘り下げることはかなわない。しかし、今後の課題として備忘録的にここに記しておく。

1987年に入り、森山がとり憑かれたように制作し出したのが銀色に輝く絵画群であった（図4-4）。このシリーズには「アルミナ頌」というタイトルが付され、その後4年以上にわたって約70点の作品が生み出された。絵の具に含まれるアルミという物質に着目した同シリーズの絵画は、凹凸や穿孔《せんこう》のあるキャンバス全面に塗布された銀色が展示空間に差し込む自然・人工のライティングを取り込んで特異な光の空間を生成する。

筆者は東京のGINZA ATRIUMで初めて「アルミナ頌」シリーズ（1987～1992頃）の絵画数点を実際に鑑賞したが、別の会場で見たら随分と全体的印象が変化するだろうと感じた。その意味で、この一連の作品は（第2章で登場したティモシー・モートンが論じるところの）広く私たちを「取り巻くもの」としての「自然」を絵画へと取り込む試みとも解釈することができるかもしれない。

1990年代に突入すると、森山は新たなシリーズに取り組み始めた。それが「光ノ表面トシテノ銀色」と題されたシリーズであり、これも全面に銀色の絵の具が塗布された絵画群である（図4-5）。一見すると「アルミナ頌」シリーズと「光ノ表面トシテノ銀色」シリーズ（1991～1993）は非常に似通っているが、その相違について小松はこう指摘する。

絵具が突起と衝突する「物質」であることが強調された《アルミナ頌》に対し、《光ノ表面》の盛り上げには絵具が留まらず、流れた軌跡だけが残っている（略）。つまり、絵具という物質そのものよりも、流れた痕跡が生み出す表情の方に主眼が置かれているのだ。その結果、このシリーズは盛り上げを徐々に排し、画面は平滑になっていった。[54]

その後、「光ノ表面トシテノ銀色」シリーズには蛍光色の下地と塗り残し部分が織り成す色と形が導入されていく。次いで森山は「ファインダーレポート」（１９９４～１９９５）、「ストロボインプレッション」（１９９６～１９９７頃）、「レンズの相克」（１９９６）、「非在のオブジエ」（１９９７～１９９８、２００１）、「レンズの彼岸・シャドウ」（１９９９）といったシリーズを次々に打ち出すが、これらはいずれも銀色を基調とした絵画のバリエーションであった。この約10年間に継続して作られた銀色の絵画に関して、森山はこれらの作品を「芸術表現の徹底的解体と15年に及ぶ空無の荒野からの再生、復活とし、〈集団蜘蛛〉の運動の総括とする」ものであると公言している。[55] 彼自身の言葉を使えば、この「総括」以降に森山は「普通の絵」を描く「普通の絵描き」になったという。

２０００年代の森山は「光ノ遠近法ニヨル連作」（２００２～２００８）、「幸福の容器」（２０１１～２０１３）、「窓」（２０１３～２０１７）などの各シリーズを手がけていくが、これらは色も形もモチーフも多彩であった。ゆえに次節では「総括」の期間に位置付けられる１９８０年代末から１９９０年代を通じた銀色の絵画群、とりわけ「アルミナ頌」と「光ノ表面トシテノ銀

図4-5
森山安英《光ノ表面トシテノ銀色 01》1991頃
撮影＝四宮佑次

色」の2シリーズに照準を絞ってさらに考察を進めることにする。

反近代の身振りとしての芸術——松澤宥との比較から

これらの絵画を虚心坦懐に眺めれば、「光」がそのメイン・テーマになっていることはすぐに了解できる。実際、先述の通り「アルミナ頌」と「光ノ表面トシテノ銀色」と題された作品はそれらを視覚的に存在せしめている源泉である光線を取り込むことで成立する。そのインスピレーション源を構成するのは、若き森山が足立山で見た光景ではないか。もちろん反近代を標榜するジェスチャーとしての野生は必ずしも自然環境だけが涵養《かんよう》しうる心性ではないが、近代的な産業化が進む都市環境のなかでは育まれにくいことは確かであろう。そして、森山の絵画における「光」を集団蜘蛛のパフォーマンスを特徴づける「反近代としての野生」という心性の象徴と解釈することはできないだろうか。こうした連関に森山の芸術を貫く共通の糸を見いだすことができるかもしれないと筆者は考える。

現代美術がいまだに引き摺る近代的パラダイムに抗するように、あえてそのコードから逸脱するような実践を展開する若手の現代アーティストも登場している。その一例が、合理的な意味のシステムに回収されない「非生産的」で「無意味」な行為や事物の集積によるパフォーマンスやインスタレーション——あるいは両者の無秩序な融合——である。そうした芸術実践をなす日本の若手作家として、丹羽良徳、泉太郎、武田雄介といったアーティストたちの名が挙げられる。しかし、森山安英との比較対象として最も興味深い芸術家は松澤宥であると筆者は考える。なぜならば、森山との比較は既存の美術史とは全く異なる松澤の芸術実践の側面を同時に開示するように思われるからだ。

1922年に生まれ、森山よりも14歳ほど年長である松澤宥は日本における「概念芸術」の始祖としてつとに知られる。概念芸術は1960年代の欧米で隆盛した「コンセプチュアル・アート」とほぼ同一視されることが多いが、美術評論家の千葉成夫は松澤を「日本概念派」の代表作家に位置付ける。千葉は「日本概念派」という語彙を「欧米のコンセプチュアル・アートの影響をうけながらも、日本の固有の文脈のなかで展開された」動向であると説明し、西洋的な概念芸術との微妙な差異を強調している。[56]

1960年代に夢のなかで聞いた（らしい）「オブジェを消せ」という啓示により、松澤は言葉や意味といった非物質を媒体とする芸術の創作を開始した。また、彼は「メールアート」などの郵便はがきや雑誌の広告欄を利用した新しいコミュニケーションの回路を開拓する芸術の可能性を意欲的に探求した。

拠点としていた長野県下諏訪の自邸で80年ほどに及んだ生涯を閉じた松澤であったが、彼はその山奥で「音会」（1971）や「山式」（1972）などの特徴的なイベントを催している（図4-6）。森山の実践と比較してみたいのは、松澤によるこれらの実験的な営みである。例えば7月10日と11日の2日間にまたがって行われた「音会」イベントは、「諏訪の豊かな自然のなかで、参加者はめいめいの「音」を奏で、同時に自然の音にも耳を傾けつつ、束の間生まれたコミューンの連帯感と自然との一体感を共有する」企てであった。[57]

こうした松澤の「フリー・コミューン」的な実践では、身体的表現行為を媒体として他者そして自然との共感作用を創出する儀式が試みられた。2018年に東京国立近代美術館で開催された「アジアにめざめたら　アートが変わる、世界が変わる 1960-1990年代」展（その後、韓国の韓国国立現代美術館とシンガポールのナショナル・ギャラリー・シンガポールを巡回）の企画を担当した学芸員の鈴木勝雄は「音会」や「山式」を同展の「集団行動とアートの実験」というセクションに組み入れ、それらは「深い自然に抱かれながら、他者や自然との全感覚的な交感を旨とする集団としての芸術的実践を通して、日常的な意識の変革」を志向していたと論じる。[58]

こうした鈴木の読みはきわめて適切であり、松澤の諏訪山中での実践には自身を取り巻くものとの「全感覚的な交感」への関心が確かに見いだせる。そうした関心は自然への回帰、環境との一体化あるいは宇宙的なものとの合一などといった形で松澤の活動には表出している。加えて、これらは近代的な個人主義を超克するための共同体の模索の試みでもあったとみなすことができる。従来、こうした松澤の活動は概して神秘主義的な文脈から眺められがちであった。すなわち、ヒッピー・ムーブメントとも親和性の強い秘教的コミューン作りの実験としての解釈である。

そうした規範的な解釈のなかでは、しばしば松澤は「わけのわからない」不可思議な実験的芸術実践における「グル」のような役割を割り当てられてきた。しかし私たちは1960年代

図4-6
松澤 宥「人類よ消滅しよう行こう行こう」御射山奥社 / 諏訪 1970
撮影＝羽永光利
Courtesy 羽永光利プロジェクト（羽永太朗、ぎゃらり壷中天、青山目黒）

Courtesy of Mitsutoshi Hanaga Project Committee.
(Taro Hanaga, Gallery Kochuten and Aoyama Meguro)

の日本美術を研究するウィリアム・マロッティの見方に倣って、知を通じた自然支配の基盤をなす近代的理性に対する「反文明の蜂起」として松澤が主導した「音会」や「山式」を読み解くことが可能だ。[59] 森山も松澤もともに反近代・反文明的な批評精神を（意識的、あるいは無意識的に）はらみながら、既成の近代美術の枠組みから眺めると「わけのわからない」としか形容できない行為をいたって真剣に遂行していた。こうした点にこそ、一見したところでは大きく異なる松澤宥と森山の芸術表現の本質を結び付けて論じる新しい回路を見いだすことが可能となる——筆者はそのように考える。

加えて集団蜘蛛と森山安英を考えるとき、「九州」という地理的コンテクストが引き合いに出されることがある。例えば、思想史家の森元斎は九州に醸成された特殊な磁場の原因を華々しい近代化の背後でその地域が背負わされてきた役割に見ている。森によれば「近代化を支えていた炭鉱の労働形態は（略）苦々しい、大変過酷なもの」であり、森山の父が務めていた八幡製鉄所はそうした労働の枢軸をなす代表的な場であった。[60] このことは先述の通り、彼の「筑豊コンプレックス」に直結しているだろう。

九州の炭鉱労働者による近代化・資本主義への抵抗運動を組織した詩人の谷川雁は、1954年に発表した詩論「原点が存在する」で「下部へ、下部へ、根へ、根へ」と「力足を踏んで段々降りてゆく」ことで発見できる「初発のエネルギイ」の存在を照らし出している。[61] とはいえ、この「初発のエネルギイ」は炭鉱や労働争議といった事物や事象に実在論的に還元できるものではないだろう。谷川は炭鉱を取り巻く流動的ダイナミズムそれ自体に、そうした原始的活力を同定していたように思われる。この活力は美術家・森山安英を特徴づける力であり、同時に彼にとって「反近代としての野生」を求める原動力でもあると言えるようなものである。

ここまで本章では「反近代としての野生」という心性を概念的な軸として、1960年代前半から1970年代後半における前衛芸術家集団としての──あるいは、その末期には前衛芸術家・森山安英の単独プロジェクトとしての──「集団蜘蛛」のゲリラ的ハプニング・挑発的パフォーマンスから、1980年代後半から1990年代前半における銀色を基調とした森山の抽象的・ミニマリスト的絵画に至る芸術活動──それらのあいだには、一瞥しただけでは架橋し難い溝が横たわっている──を貫通する共通の糸を抽出しようとしてきた。そこには集団蜘蛛の結成に先んじて森山が体験していた、約4年間の足立山での自然に囲まれた原初的な「森の生活」が原風景としてあった──本章が暫定的にではあるがたどり着いたのは、このような結論である。

本章が森山の実践を既存の枠組みから救い出そうとする企てであったとしてもなお、筆者が近代/反近代という固定された二項対立パラダイムに囚われているという批判には一考の余地がある。むしろ、集団蜘蛛や森山の表現はそうした排他的な二者択一の枠組みから逃れ去る側面が濃いと言える。しかし森山の半生にまたがる散逸した行為の集積をある程度のナラティブと一貫性をもたせたうえで語るためには、(筆者の力量では)こうした枠組みを設定せざるを得なかったという事情がある。

また、これまでの見方は本書全体の趣旨に沿うように展開された牽強付会《けんきょうふかい》的な議論であるという批判も当然ながら想定しうる。あるいは、美術史の議論において「野生」という曖昧な概念をもち出すことへの疑義も同様にあるだろう。筆者としては、そうした指摘の適否は読者に委ねたい。

しかし最後に、自作の本質をメタ的に意味付けることを徹底して避けてきた（ように見受けられる）森山が最新のインタビューで「日本の近代美術、現代美術に対する不信感みたいなものが根っこにあった」とはっきりと語っていることはここで強調しておきたい。[62]ちなみに反モダニズムを体現する同世代の芸術家として、森山は当時から中村宏の活動に注目していたと筆者に語ってもいる。「ルポルタージュ絵画」の代表的作家としても知られる中村は１９６４年に盟友の画家・タイガー立石（立石紘一）と「観光芸術研究所」を結成し、都市の雑踏のなかで自作を掲げて行進する路上歩行展などの公共空間での実験的な試みを行った前衛画家である。観光芸術研究所の活動（それはわずか2年での解散という短命に終わったが）からも、彼がモダニズムの近代批評が擁護する芸術の自律性という概念を積極的に危機にさらすような実践を１９６０年代から展開してきたことがわかる。

森山の言う「日本の近代美術、現代美術に対する不信感」とは畢竟《ひっきょう》、「近代」そしてその後継者としての「現代」そのものに対する不信感と通底するだろう。そうしたことを踏まえると、本章の議論は――既存の美術史的言説でしばしばそうされてきたように――政治闘争や社会運動に紐付けられた「わかりやすい」語彙を中心的に用いて集団蜘蛛や森山安英を語るより、はるかに彼自身あるいはその誠実な伴走者たちの証言に寄り添った解釈ではないかと筆者は考えている。

第 5 章

働く者の手が作る芸術

—— 山本鼎の農民美術運動

版画家・山本鼎は1882年10月14日にこの世に生を享け、1946年10月8日にこの世を去った。その64年に及ぶ生涯のなかで、山本は美術を広く民衆の手に取り戻すための2つの芸術運動を組織した――大正時代から昭和時代初期にかけて展開された、児童自由画運動と農民美術運動である。本章では農民美術運動の方に焦点を絞るが、その児童自由画運動との接点も（管見の限りでは）これまでになかった視点から考察する。両者をつなぐ共通のキーワードは「自然」である、と筆者は考える。第2章で敷衍したように、ここでの「自然」は「あるがまま」とほぼ同義である。

徴兵を目前に控えた鼎の長男・太郎（彼は1954年に第一詩集『歩行者の祈りの唄』を刊行し、戦後は詩人として歩み出すことになる）は太平洋戦争が激化の一途をたどる最中、半身不随となって療養中であった父のもとを1945年に訪ねたときのことを次のように述懐している。「おやじは、最後に別れる時にもう一度農民の手を書きたい。デッサンで働く者の手を書きたいと言っていました。その頃には彼自身の手も利かなくなっていました」[1]。ほどなくして山本は腸捻転を患い、その手術の直後に没することとなる。

美学者の伊藤亜紗は「触覚の倫理」を探求した『手の倫理』（2020）のなかで「接触面には「人間関係」があ［る］」と述べ、続けて同書の主題を次のような仕方で説明する。

触覚を担うのは手だけではありませんが、人間関係という意味で主要な役割を果たすのはやはり手です。さまざまな場面における手の働きに注目しながら、そこにある触覚ならではの関わりのかたちを明らかにすること。これが本書のテーマです。[2]

当然ながら、「相手が人間でないからといって、必ずしもかかわりが非人間的であるとは」限らない。[3]それゆえここでの「人間関係」には人間と人間の関係だけではなく、人間と物あるいは人間と自然の関係も含まれることになる。

山本は私たちを取り囲む「あるがまま」の自然世界を認識する器官として、「目」と同程度、あるいはそれ以上に「手」を重視していた。そのことは伊藤が指摘するように、人間にとってしばしば手が世界との接触面を形成する器官であることと深く関わっていたように思われる。若きマルクスは類的存在としての「人間の普遍性は（略）まさしく人間が自然の全体を自分の非有機的身体とする普遍性のうちにあらわれる」と分析し、「本来の労働」は人間と自然の豊かな根源的交流を媒介し増強するものであると論じた。[4]しかし私有財産制の支配が生産の全域に及ぶようになった資本主義社会では、自然主義からも人間主義からも離れた「疎外された労働」が決定的に優勢となる。のちに『経済学・哲学草稿』として日の目を見ることになる文章を執筆していた1844年、弱冠26歳のマルクスは早くからそのような事態を深く憂慮していた。

2020年に上梓した著書（『マルクスの思想と理論』）のなかで、経済学者の伊藤誠は「人類史的視野での奥行き」を備えたマルクスの労働過程論の意義は現在でも古びていないと強調する。

むしろ、「新自由主義的資本主義のもとで深化している人間と自然の荒廃化の人類史的危機」においてその重要性はいや増していると彼は説く。[5] そして伊藤は、マルクスの考える「人間的労働の本質は、ほんらい人間がそなえている内的自然力としての頭脳や手足をもちいて、外的自然との物質代謝を媒介する行為であり（略）同時にそのような労働をつうじ、人間は自らの内部の自然力（天性）を潜勢力として発現し変化させる」ものであると改めて主張するのだ。[6]

山本が理想としていた農民の労働も、そのようなものであった。そして彼（女）らと自然の主な接触面となっていたのは鋤《すき》を握り、種を蒔くその手に他ならなかった（また同時にコロナ禍で手洗いが強く推奨されていることからも明らかなように、私たちと自然の接触面である手はウイルスが人間の体内に「侵入」するための主要な通用口でもある）。人間と自然の結合と交流をさらに強固でさらに奥深いものにしていくような本来的な労働の実践を通じて「植物、動物、石、空気、光などが人間の意識に入りこみ」（マルクス）、人間は「あるがまま」の自然を感得することができる。[7]

山本が主導した児童自由画運動には、彼の「あるがまま」の自然に対する崇敬が最も明白に表出している。「当時の小学校での図画教育は、「臨画」というお手本を描き写し、それが上手かそうでないかで成績が決まって」いたが、それでは「子どもたちの本当の創造力は育たない」（神田愛子）――これが山本の主張であった。[8] そのため彼はただ出来合いの儀範を真似ることを止めて、閉ざされた学舎の外に出て自然を自分が見たままに描くことを子どもたちに強く奨励した。

無論、子どもの目がどれほどありのままに自然を把握することができるのかについては疑問の余地がある。「自然をあるがままに捉える」ことの難しさは、すでに第2章で指摘した通りである。私たちの意識はあまりに多くのバイアスに「汚染」されており、まっさらな心で世界を眺めることは至難の業である。それは程度の差こそあれ、「純粋無垢な」子どもであっても同様だろう。だが、そうした形而上学的な問い――それはそれで重要なものではあるが――はひとまず脇に寄せる。山本は自分自身の身体を使って体験し、その体験を基盤として産出される感覚に至高の価値を置いていたと考えられる。

「自分が直接感じたものが尊い／そこから種々の仕事が生まれてくるものでなければならない」――農民美術運動の始まりの地となった長野県・神川小学校の校庭には、このような山本の言葉が刻まれた記念碑が設置されている（その文字を刻んだのは、若い頃に山本の薫陶を受けた画家・中川一政であった）。それゆえ、農民美術運動も広い意味での「自然」という観点から考えることができるはずだ。だが、そうした観点から農民美術運動を考察した議論はこれまで少ない。山本に関する詳細な伝記を物した小崎軍司が農民美術運動を「貧しい農村の経済を豊かにし、農村の文化水準を高め、そのうえ（略）外貨まで稼ごうという遠大な理想によって創始された」運動と定義していることからもわかるように、（最近になって文化政策などの領域で頻繁に用いられるようになった言葉を使えば）その運動は主に経済的な意味での「地域活性化」の文脈から語られることが多かったように思われる。[9]本章では、これとは少し異なった角度から山本鼎の農民美術運動にアプローチしてみたいと考えている。

公平を期すために述べておくと、山本自身が揮毫《きごう》した「農民美術建業之趣意書」(1919)にも「[農民美術の]建業の目的は、汎く農民をして農務の餘暇を好む處の美術的手工に投ぜしめて、各種の手工品を穫、是れを販賣流布」することであると記されている。ここから少なくとも発足当初においては、農民美術運動のもともとの目的には「産業的」な側面があったことがわかる。だが、同時に山本が同じ文章のなかで「吾が農民美術当面の使命は芸術的であると共に産業的であ[る]」と明言していることにも注意をむけたい。[10]本章がこれから掘り下げていこうとしているのはまさに前者、すなわち農民美術運動の「芸術的」な側面——そのいまだ十分には示されていないポテンシャル——の方である。

美術と工芸

山本の農民「美術」運動は、そのストレートな名称にもかかわらず、しばしば「工芸」の運動と目される。例えば、以下のような具合だ——「モスクワ滞在中に見た農民の制作した美術工芸品に感銘し、冬の長い長野県の農村青年にも美術工芸品の制作を進めたいと考えた(略)」(宮坂勝彦[11])。あるいは、「農民美術(いまそう呼ぶのは妥当かどうかという人もいる)は、現在は木彫工芸品だけになってしまったが、建業当初は家具類、陶器、織物、版画、壁画までを含んで考えていた」(小崎軍司[12])。農民美術運動がこのような捉え方をされる背後には、近代日本における「美術」と「工芸」という2つの概念に関する歴史的経緯が密接に関わっている。

「ぼくの工芸論の決定版」と自認する『美術のポリティクス――「工芸」の成り立ちを焦点として』(2013)のなかで、美術評論家・美術史家の北澤憲昭は「美術」という言葉の系譜学を次のように要約する。

江戸時代には「美術」という語は存在しなかった。現在の絵画や彫刻に類する造形は存在したものの、それらが「美術」の名のもとに概念化されることがなかったのだ。「美術」という語が登場すると、それはあたかも海嘯のように歴史の川をさかのぼり、自らになじむ造形物を次々と呑み込んでいったのである。[13]

「美術」という言葉と概念が明治時代の欧化政策以降に、より正確に言えばそれに相伴って誕生したこのうえなく近代的な産物であることを同書の北澤は詳《つまび》らかにしている。

かつて、「美術」と「工芸」の概念は未分化であった。言い換えれば、「芸術」という包括的カテゴリーのなかで両者は渾然一体と並存していた。であるからして、そもそも近代以前の日本には「美術」と「工芸」という考え方自体が存在しなかった――北澤はそのように主張する。では、それらの概念はいかにして誕生してきたのか。

その問いに対する北澤の答えは、次のようなものだ。1873年のウィーン万国博覧会に際して初めて「美術」という日本語が登場したが、このときの「美術」は「音楽」や「文学」を包含する「芸術」とほとんど同義であった。しかし近代化の推進において「眼視ノ力」(大久保利通）を重視する政府の方針などの要因から、絵画が「視覚的な純度からみてその代表と目されて然るべき存在」として台頭していった。[14] こうして、瞬く間に「視覚」芸術としての絵画を頂点とする「美術」の階層構造が確立されていった。

「視覚」をつかさどる「絵画」が「美術」におけるヒエラルキーの頂点にせり上がってくると同時に、「絵画を階層の頂点に押し上げたのと同じ動因によって」「触覚」と本質的な交わりを結ぶ「工芸」がその底辺あるいは圏外へと追いやられることになった。[15] すなわち、「美術」における「絵画」と「工芸」という2つのカテゴリーの序列は「視覚」と「触覚」という2つの感覚の序列と正確に対応していたのである。

ただしこの現象を叙述するにあたり、「工芸」の権威が失墜して「美術」というカテゴリーの中心から排斥されたと書くことは厳密に言えば適切ではない。なぜならば北澤が指摘するように、「あらかじめ「工芸」なる枠組みがあって、それが貶められたのではなく、『美術』なるものの純粋な在り方が――「絵画」至上主義のかたちをとって――追求されてゆく過程で、いわばそのネガティブとして「工芸」という枠組みが生み出されていったというのが実情」であるからだ。[16] すなわち、「絵画」の隆盛と「工芸」の衰勢は「芸術」における視覚中心主義の伸張という同一の現象の陽画と陰画のごときものとして生起したと言うことができる。

以上のようにして実質上は「絵画」の代替語となった「美術」と「工芸」の分離が起こったわけであるが、この歴史的経緯は北澤が『美術のポリティクス』の10年前に上梓したもう1つの工芸論『アヴァンギャルド以後の工芸――「工芸的なるもの」をもとめて』（2003）における「1920年代の日本でアヴァンギャルド運動と民藝運動が、ほぼ同時に起こったのは決して偶然ではない」という一文に明瞭な理論的説明を与える。[17] マヴォを筆頭とする大正「アヴァンギャルド」の芸術運動は、既成の「美術」概念に激しく揺さぶりをかけた。一方で柳宗悦に率いられた民藝もまた、「美術」概念のオーソリティに対して「周縁」から鋭い疑義を突き付けた「工芸」運動であった。すなわちともに美術と非美術の境界線上に位置する異分子として、「大正期にはアヴァンギャルドと工芸が共通のたたかいを戦っていた」(北澤)のである。[18]

絵画を制作する版画家・洋画家として、山本は一義的には視覚を通じた創造に従事していたと言える。また児童自由画運動では子どもが世界を「あるがまま」に眺める手段としての「目」、つまり視覚を重視していた。しかし「自分が直接感じたものが尊い」と述べるとき、山本はその感覚を視覚に限定してはいなかったはずだ。事実として山本は子どもたちに積極的に屋外に出ることを奨励し、全身を使って自然と交感することを促していた。

さらに冒頭に紹介した「農民の手」をめぐる印象的なエピソードは自らの死期が近いことを悟ったときに思い出すほどに「世界との接触面」としての「手」、すなわち触覚を大切なものと考えていたことを暗示している。北澤の議論に従えば、山本が生まれた1882年頃にはすでに「美術」と「工芸」という概念の登場と(それとほとんど同時に完遂される)序列化は発生し始めていた。しかし山本の考えのなかでは、現在の用例における「美術」と「工芸」はそれほど明確に分化していなかったように見受けられる。

戦後日本では、「芸術」という概念のもとに再び「美術」と「工芸」を結びつけようとする動き――結果として、さほど大きな潮流にはならなかったが――も勃興した。その代表例が、社会学者の鶴見俊輔が1967年に著した『限界芸術論』である。同書の鶴見は「広大な領域で芸術と生活の境界線にあたる作品」を「限界芸術」と位置付け、美的経験をより広い射程で把握する必要性を主張した。[19] 鶴見の定義では限界芸術は非専門的芸術家によって作られ、非専門的享受者によって楽しまれる芸術であるとされる。ゆえにそれは「らくがき、雑談、アダナ、かるたとりなど」、私たちが日常生活のなかで何気なく反復している行いや遊戯の数々を含む。[20]

柳が主導した民藝運動を一言で言い表すと、日常の暮らしに宿る美しさを追求する運動であったと言える。柳は民芸品のなかには「文化の諸問題の明確な縮図」が含まれており、「これを尋討することは、自然や人間の秘儀を解く鍵を与えてくれると思える」(『民藝とは何か』)と考えた。[21] そうした日常性へのまなざしという観点から鶴見は「柳宗悦は、限界芸術の批評に、一つの水準をつくった」と評価し、「美術」と「工芸」を有機的に包含する柳の炯眼《けいがん》を称揚した。[22] とはいえ後述するが、柳は基本的に山本の農民美術運動に対して一貫して批判的なスタンスを保持し続けた。

ここでやや唐突に私的な事情をさしはさむが、筆者は昨年(2021年)の4月から石川県にある金沢「美術」「工芸」大学に籍を置いている(「はじめに」を読めばわかるが、本書を執筆し始めたときは東京藝術大学に勤めていた)。曇天の多い金沢市に学生時代の大半を過ごしたロンドン市街の気候を重ね合わせながら、幼少期以来で久々となる地方都市での暮らしを満喫している。さらに話は脱線するが、しばしば言われるように金沢ではどのレストランや居酒屋に入っても「外れ」はほとんどなく、どの場所でもバリエーションの豊富な美味しい食事を提供してくれる。

よく知られるように、金沢は「工芸」を通じて戦後の復興期を乗り越えた。そのため、この市は自他ともに認める「工芸の町」というアイデンティティを非常に大切にしている。金沢美術工芸大学の前身である金沢美術工芸専門学校は、戦後間もない1946年に設立されている。「美術」と「工芸」の教育という側面から、この学校は戦災からの復興を力強く後押しした(そして、この史実を大学の入学式の式辞で必ず誰かが話題に出すのが慣例となっている)。戦後、柳宗悦の息子・宗理――戦後日本を代表するインダストリアル・デザイナーであり、彼のデザインした「バタフライスツール」はニューヨーク近代美術館のパーマネント・コレクションにもなっている――は約50年間にわたって長らく金沢美術工芸大学の産業美術学科(現在のデザイン科)で教鞭を執った。

そのような歴史的脈絡もあり、金沢では長らく伝統工芸に関する産業が盛んであった。加えて、近年では現在進行形の工芸を現代アートに組み入れて両者の融合を図ろうとする動きが目立つようになっている。例えば海外からの観光客を数多く集める金沢にある現代アートのメッカ・金沢21世紀美術館の館長を2007年から2017年まで務めた秋元雄史は、「現代アートの流れに工芸をのせてみる挑戦」として金沢21世紀美術館で「自由な工芸――金沢の工芸の現在」(2009)、「金沢・世界工芸トリエンナーレ」(2010)、「工芸未来派」(2012)などの展覧会・芸術祭を次々と打ち出した。[23] 特に「ラディカルな展開が期待できる工芸と現代美術をブリッジさせる」ことを目論んだ「工芸未来派」展では、桑田卓郎、青木克世、猪倉高志、竹村友里など、「工芸」と「美術」という2つの領域の境界線を溶解するような実践を行う12名の作家が選抜された。[24] 期せずして、こうした動きはかつて「芸術」という名のもとに一つのものとしてあった「美術」と「工芸」を再接合する役割を果たしている。

秋元は「工芸未来派」展のコンセプトをさらに発展させ、2016年に単著『工芸未来派——アート化する新しい工芸』へと結実させている。彼はそのなかでも、再び桑田卓郎の作品を取り上げている。同書で秋元は、「桑田作品の魅力は、工芸と現代アートの両方にまたがる表現の拡がりにあり、そのボーダレスなところにある」と評する。[25] 1981年生まれの桑田は「梅華皮《かいらぎ》」（朝鮮を起源とする井戸茶碗の高台に焼き付けられた釉薬の縮れ）や「石爆《いしはぜ》」（素地の中の砂が焼成の際に表面に露出した凹凸）といった伝統的な陶芸技術を自己の表現に応用し、《青化粧金彩梅華皮志野埦》（2013）や《赤青化粧金彩梅華皮志野カプセル》（2011）などの作品に見られる独自の視覚言語を生み出してきた（図5-1）。

現在、桑田は安土桃山時代から脈々と継承されてきた茶の湯文化が息づく美濃地方にスタジオを構える。彼はその地で育まれた自然のなかに美を見いだす独特の哲学を自分なりに吸収し、それを一見すると奇抜な陶芸作品を通じて現代的な表現へと昇華させている。桑田の作品は単に伝統性と現代性が調和的に融合するだけではなく、両者が「邂逅し、衝突し、取っ組み合う(meet, crash, and grapple with each other)」特異な場を形成している。[26] これは文学者のメアリー・ルイーズ・プラットが、現代における文化や言語の異種混交性が発生する領域としての

「コンタクト・ゾーン」の概念を提示したときに観察した特質である。桑田のラディカルな実践は、「コンタクト・ゾーン」としての芸術作品において伝統性と現代性の確固たる輪郭が消失する地点まで先鋭化されている。

「工芸」と「美術」を結びつける現代の試みに関連して、金沢の外側に視線を転じてみると村上隆の活動が目を引く。村上は「サブカルチャー、それもとりわけオタクと呼ばれる日本特有の趣味の領域」を現代美術の文脈のなかで援用する戦略を武器に欧米のシーンに殴り込みをかけて成功を収め、世界的なスター作家の仲間入りを果たしたアーティストである。[27]「欧米の芸術の世界は、確固たる不文律が存在しており」、「そのルールに沿わない作品は『評価の対象外』とな［る］」ことを悟った村上は、ベストセラーとなった『芸術起業論』（２００６）のなかで「欧米のアーティストと互角に勝負するために、欧米のアートの構造をしつこく分析」したと述べている。[28]

特に日本画やアニメの特色を異種混交的に現代美術のコンテクストに落とし込んだ、村上独自の概念「スーパーフラット」は欧米の現代アート界隈で人気を博した。２０１７年、村上は青森県の十和田市現代美術館で「村上隆のスーパーフラット　現代陶芸考」と銘打たれた展覧会を開催している。この展覧会では、村上自らが収集した陶芸作品のコレクションから約１、８００点の品々が開陳された。同展には、上述した桑田の作品も含まれた。

村上は異なる個性をもつ複数のスペースから構成される美術ギャラリー「Zingaro」の運営も手がけており、そこでは一般的には「工芸」のジャンルに分類される作品も数多く取り扱っている。「柳宗悦の唱えた『民芸』のコンセプトを援用し、なーんちゃって『民芸』と言うブランディングを行い、カッコつけた清貧スタイルビジネスに糞食らえと思うわけです」というインタビューでの発言からもうかがわれるように、そうした活動は柳の民藝運動を頂点に据えた工芸界のヒエラルキーに外部から挑戦しようとする村上の気概に支えられているように思われる。[29] とはいえ村上自身は先述の「現代陶芸考」展でも柳の民藝運動に言及しており、陶芸史におけるその重要性を折に触れて強調している点は付言しておきたい。

こうした村上の活動は彼自身の現代アート作品に比して、西洋の美術批評家たちからそれほど多くの注目を集めなかった。しかし欧米を頂点とした現代アートのヒエラルキーに挑んだ「スーパーフラット」の概念との相似性を指摘しながら、デザイン史家の菊池裕子は『World Art』誌に掲載された「The craft debate at the crossroads of global visual culture: re-centring craft in postmodern and postcolonial histories」(２０１５)という論文のなかでその重要性をこう語っている――「工芸に対する村上のエンゲージメントに関するこうした無視された側面は、とりわけ日本美術史と交渉する彼の芸術上の戦略を読み解くことにおいてのみならず、日本の若い世代からの彼に対する圧倒的な支持に反映されているそのローカルな意義のゆえにも重要である」[30]。菊池も指摘するように、階層化されたジャンルや歴史化された時代区分の境界を積極的に撹乱していく村上の芸術的手法は日本の若手アーティストたちに大きな影響を与えた。

版画というメディア

さて、山本鼎に話を戻そう。山本は1882年に愛知県の岡崎市で生まれ、その1年後に父・一郎が東京・浅草区の山谷町に移住した。若き漢方医であった一郎は医師の資格を取得するのに必要な西洋医学を学ぶため、医師の森静男（森鷗外の父）の家に書生として住み込み始めたのであった。数年後、鼎は母・タケと連れ立って上京する。小学校を卒業してすぐに山本は親元を離れ、芝区・浜松町にある木版工房で住込み徒弟となった。かくして、彼は幼くして版画職人として自立するための道を歩み始めたのであった。山本は8年間をそこで過ごし、一級品の職人的版画技術を身に付けることになる。現在までキリンビールのラベルに使用されている精巧な麒麟のデザイン画は、修業時代の若き山本が彫ったものであると言われている。

山本が16歳の折、医師免許を取得した父が長野県の小県郡神川村（現在の上田市）に医院を開業した。それに伴って、一家は同地に移住することになる。それ以降は山本にとって上田市は第二の故郷であり、そこは児童自由画運動と農民美術運動の発祥の地ともなった。「町をあるいていると、軒先に小さな看板を下げた木彫工芸品の店がよく眼に入る」「木彫りの町」としての上田市は、山本の農民美術運動に起源をもっている。[31] 山本の死から約15年後の1962年には彼が主導した運動に関わった多くの人々、そして長野県からの賛同と支援を得て上田市に山本鼎記念館が開館した。同館は2014年に設立された上田市立美術館に統合され、同年に閉館が決定された。だが2016年に隣接する上田市立博物館の別館として再開館し、現在も山本鼎記念館の資料は全てそこに保管されている。

木版工房での年季奉公を終えた山本は他人の手による下絵を彫るという職人の仕事に飽き足らず、自身の創造的な版画表現の深化を求めて1902年に東京藝術大学・美術学部の前身である東京美術学校の西洋画科選科予科に入学した。最初期の版画作品にして山本の代表作の一つである《漁夫》(1904)が、22歳の学生時代に雑誌『明星』に掲載された(図5-2)。海辺で働く人々の生活の雰囲気がリアリズム調で描かれた同作には、海を眺めながら静謐に佇む漁師の男性の後ろ姿が力強い彫刻刀捌《さば》きで彫り出されている。山本の《漁夫》は評論家からも高い評価を獲得し、「刀を筆のように使った「刀画」だと(略)賞賛」されたりもした[32]。加えて、後に登場する雑誌『方寸』の第二巻・第五号(1908年7月発行)の表紙絵として山本は海女の姿も彫っている。

かくして在学中から新進の版画家として注目を集めた山本は「作画、彫、刷まで全てを職人の手を経ることなく、画家自らが行[い]」、「より魅力ある作品を責任を持って生み出していく」という「創作版画」のアイデアを打ち出していった[33]。東京美術学校を卒業後に山本は雑誌に挿絵や文章を提供して生計を立てる一方、1907年には石井柏亭、森田恒友、倉田白羊ら美術家の仲間たちと雑誌『方寸』を創刊している。この雑誌は「創作版画」の普及と発展のためのプラットフォームとして設計され、山本たちは1911年の廃刊までに通巻35冊を発行した。当時の美術・文芸界において、同誌は固有の地位を占めていた。

また、『方寸』は「風刺画(カリカチュア)を多く取り上げたことでも知られ、それはとりもなおさず、民衆の日常生活、労働の場を主題とすることにつながった[34]」。同誌の廃刊後も山本

図5-2
山本 鼎《漁夫》1904
上田市立美術館蔵

と石井、森田、倉田らとの交流は続き、なかでも倉田は農民美術運動にも深く関与していく。彼らは北原白秋や木下杢太郎といった文芸誌『スバル』に集まっていた詩人たちとも合流し、1908年に文学と芸術について語り合うサロンとして有名な「パンの会」を立ち上げている。

日本の戦後美術を独自の視点から研究しているジャスティン・ジェスティは『現代思想』誌に寄せた「版画と版画運動」(2007)という論考のなかで、版画を媒体とした戦後日本の芸術運動について検討している。「版画の長所は、経済的、技術・知識的、地理的に、版画制作・版画運動参加への壁がないこと」である、とジェスティは強調する。[35] すなわち「物質的にも技術的にも、版画の創作は誰にでもでき」るし、「ノミを手で握り、その素材と技法へのアクセスはあまりにも簡単だ」というわけである。[36] その特徴的なアクセシビリティの高さのため、戦後に版画は多くの人々にとって入手可能であるような「民衆の芸術」となった。その具体的な例として同論考でジェスティは「京濱絵の会」や「下丸子集団」などの運動に言及するが、より現代的な事例としては覆面アーティストのバンクシーが挙げられるだろう。

バンクシーの名を一躍世界的に有名にした契機は、2003年にロンドン市内で行われたイラク戦争への反対デモであった。バンクシーはこのデモのなかで、あらかじめ作成された型を使って文字や絵柄を複製するステンシルの技法を用いて制作された段ボールのプラカードを参加者たちに無料で配布した。そこに描かれていたのは爆弾を抱えるおさげ髪の少女と大きな「NO」の赤文字、あるいは戦闘機や死に神のモチーフと「WRONG WAR(間違った戦争)」の文字列といった組み合わせであった。社会学者の毛利嘉孝は『バンクシー――アート・テロリスト』（2019）のなかで、ステンシル・アートに固有の高度なリプロダクティビティ（複製可能性）を介して「こうした（略）バンクシーの活動は、政治問題を視覚化するという点で大きな力とな［った］」と指摘する。[37]

前掲論考でジェスティは版画制作と身体を用いた労働――当然ながら、農耕もここに含まれる――の類似について、その相違にも留意しながらこう言及する。

版画家の身振り、いわゆるそのサクサクと彫っていく身振りが製作／制作でも、労働でもある。しかし作品は作家が主体的に創造したもので、他の労働の身振りに似ているものの、質的には異なる。版画には、人の体の内から、労働の身振りの主体性を盗み戻した意義もあると言えよう。[38]

後述するように、農民美術運動の細目のなかにも「版画部」は存在していた。ゆえに「主体性を盗み戻した」労働として再規定される芸術、あるいはそうした芸術を用いた運動の萌芽を戦前の山本の活動に同定することができるのではないだろうか。そして「主体性を盗み戻した労働」としての芸術は（マルクスの言う意味での）「本来の」労働がそうであるように誰にでも開かれたものであり、かつ人間と自然の生き生きとした豊かな交流を媒介するものであると考えられていたはずである。

1912年7月、山本はフランスに旅立った。この旅立ちには、友人であった石井柏亭の妹・みつ――雑誌『方寸』の立ち上げ前後から、山本は彼女に恋愛感情を抱いていた――との結婚を石井家からやんわりと拒絶されたことが深く関わっていた。失恋の痛みを振り切るかのように、彼は肖像画を描くなどしてフランス行きの渡航費を貯めた。そして両親が借金をしてこしらえてくれた金も懐に抱き、山本は神戸港から50日間以上に及ぶ船旅を経てマルセイユに上陸する。その後、彼は芸術の都・パリへと入った。

渡仏した山本は、パリにある「ヴィラ・ファルギエール」――そのアパートメントには当時、たくさんの日本人画学生が滞在していた（その中でも山本は、洋画家の柚木久太と親しく交際したという）――の一室に住み始めた。パリ滞在中に彼は様々な美術館を巡回し、木版画の制作を試みた。また、一時期はエコール・ド・ボザール（美術学校）にも通っている。この時期に山本は与謝野鉄幹・晶子夫妻、満谷国四郎、児島虎次郎、和田三造など多くの文化人とも現地で知り合い、親交を深めている。友人の洋画家・小杉未醒がパリの山本を訪れた際には連れ立って北西部のブルターニュにおもむき、のちに数名の仲間たちも合流してその夏を同地で過ごすあいだに数点の水彩画と油彩画を制作している。

1914年の第一次世界大戦の勃発に伴い、山本は戦火を逃れて一時的にロンドンへと渡った。1916年にイタリア各地の美術館をめぐり、再びパリに戻った山本は日本に帰国するために同地を離れる決意を固めた。この頃の山本は欧州各国を周遊するなかで、「信州での農村の生活や故国の美術を産む土壌の特異性、その改良に思いをはせ［る］ようになっていたという。[39] この頃から彼の頭のなかでは、のちの農民美術運動へとつながるようなアイデアの萌芽が芽生え始めていたと言える。

1916年6月、遂に山本は丸4年間にわたり滞在したフランスを発ち、スウェーデンからロシア経由で帰国する途に就いた。ロンドンを経てスカンジナビア半島を縦断し、モスクワに到着した山本は帰国のための旅費を得るためにそこで約6ヶ月間を過ごした。折しもロシアは翌年に発生する社会主義革命（ロシア革命）の前夜であり、そうした政治革命の空気と呼応し合って発展してきた新鮮な表現上の革新（ロシア・アヴァンギャルド）が台頭していた時期であった。このときのモスクワでの体験は、帰国後に彼が専心することになる児童自由画運動と農民美術運動によりダイレクトに結び付いていくことになる。

モスクワ滞在中、山本は当時の在ロシア日本大使館・総領事であった平田知夫の邸宅に寄宿している。彼はそのあいだに、《モスクワ》（1916）や《サーニャ》（1916）といった油彩画や数点の版画を制作した。

モスクワでロシア文学者の片上伸の知己を得た山本は片上の紹介を通じて現地の農民美術蒐集館を訪問し、ロシア各地の農民が手作りした工芸品の数々を目にした。加えて山本は同時期、これまた片上のすすめに従って19世紀のロシア文学を代表する文豪であるレフ・トルストイの生家（その数年前にトルストイは逝去している）を訪れている。そこで彼はトルストイが農民の子弟を教育したという話を耳にし、いたく感動を覚えた。山本に関連する上田市の郷土史に詳しい小崎軍司は、「農村工芸品展示館［農民美術蒐集館］を観て、農閑期に農民が作った家具や玩具類などのすばらしさに心打たれていた鼎は、トルストイの館を見学して以来、日本に帰ったら長野県の農村で工芸を興したいと漠然と考え出していた」と書いている。[40]
とはいえ山本自身が「日本に帰って制作三昧な生活に駆け込む考えでいた私は（略）階下で白木人形の安いのをちっとばかり買いこんだだけで、やがてモスクワにおいとましてしまった」（「農民美術と私」）と記しているように、「実は、［山本は］陳列館［農民美術蒐集館］では農村手工業について大して興味も覚えなかった」というのが本当のところであったようだ。[41] 山本がロシアでより大きな関心を抱いたのは「既成の形式にとらわれず感興をいきいきと表現している」、「モスクワの街で見かけた少年少女たちの絵の展覧会」であった。彼はこう思ったという――「手本を与え、それをそのまま模写させている日本の図画教育と違って、子どもは思い思いに感じたままをのびのびと表現している。こういう教育をしないと子どもの創造力は発揮されないのではないか」。[42]
そのような思いを抱いて帰国した山本は1918年に上田市の神川小学校で「児童自由画の奨励」と題された講演を行い、翌1919年4月には同校で第一回自由画展の開催にこぎつけた。こうして彼は、ヨーロッパ滞在中に学んだ「実相主義」（西洋的なリアリズムに強い影響を受けた山本は、自らの思想をこう呼んだ）の理念を矢継ぎ早に具現化していったのである。先述した「自分が直接感じたものが尊い」という山本の言葉は、この思想を端的に表現している。自由画の普及を通じて、山本は美術教育のなかで子どもたちを大人たちが押し付けてくる規範の模倣から解放し、本来的に彼・彼女らの内側にある真の創造性を引き出そうとした。

自由主義に方向付けられた当時の「大正デモクラシー」の空気にも後押しされ（そのため、こうした時代背景のなかで上田市では山本以前にも「自由画」的な美術教育の動きが点在していた）、山本の児童自由画運動は全国的に知られるようになった。第一回児童自由画展の会期中には山本や片上を含む識者らによる講演が催され、連日たくさんの人々が県内外から来場した。1919年7月には山本を中心として日本児童自由画協会が設立され、同年9月には早くも第二回児童自由画展が長野県の竜丘小学校で開催されている。第三回展以降は東京や京都を含む各地に巡回し、その後の1920年9月には大阪朝日新聞社の主催による世界児童自由画展が福井県、石川県、富山県の北陸三県で開催された。この展覧会には日本の児童に加え、イギリス、アメリカ、ロシア、中国の児童が参加した。

山本の児童自由画運動は「鈴木三重吉の「赤い鳥」運動や武者小路実篤の「新しき村」運動とならんで、大正デモクラシーの華ともよばれた」[43]。だが故郷の上田市のために山本が構想した農民美術運動とは異なり、この運動は全国の児童を対象としていた。そのため山本が提唱した児童自由画運動は上田市という一地方に根付いたというよりは、戦後にまで続く全国的な美術教育運動のうねりを発生させる契機となったと言える。その後は資金繰りの難航などの理由から――「その頃になると、農民美術運動にそそいだ資金はかなりふくれあがり、事実上二つの運動を同時に押しすすめるわけにはゆかないところまできていた」（窪島誠一郎『鼎と槐多わが生命の焔 信濃の天にとどけ』）――、山本は徐々に活動の比重を農民美術運動の方に移していくことになる。[44]

とはいえ山本は1920年に日本児童自由画協会を日本自由教育協会へと改組し、その機関紙『芸術自由教育』を創刊するなど児童自由画運動を全国的な流れにすべく奔走もしている。翌1921年、山本は羽仁もと子が設立した自由学園における美術科の主任に着任した。羽仁は1903年に『家庭之友（婦人之友）』を創刊した人物であり、日本で初めての女性ジャーナリストとされている。自由学園の解放的な校風のなか、山本は自らが掲げた自由画の理念を実際の教育現場で実践していった。

羽仁と懇意にしていた美術評論家の久保貞次郎は戦前から児童自由画の発展を物心両面から熱心に支え、戦後初期には創造美育協会（創美）を立ち上げて小中学生を対象とした創造的な美術教育の普及に尽力した篤志家であった。高名なマルクス主義歴史学者として戦後史にその名を刻むことになる、もと子の女婿《じょせい》・羽仁五郎は若い時分に久保が主催した児童画公開審査会に審査員として参加している。五郎の息子（つまり、もと子の孫）である羽仁進は戦後にドキュメンタリー映像作家として頭角を現し、創美を題材として『絵を描く子どもたち』（1956）を制作した。この映画は娯楽映画としても広く一般大衆に受容され、創美の名を世に知らしめる重大な契機となった。このような形で、山本が児童自由画運動に込めた自由と解放の精神は美術教育に関わる戦後の潮流へと脈々と受け継がれていった。

農民美術運動

最初の児童自由画展を開催した際、山本が子どもに対する美術教育の改革の必要性を訴えて協力を仰いだのが金井正と山越脩三という2人の人物であった。ともに神川村出身の金井と山越は山本の農民美術運動にも深く共鳴し、その進展を熱心にサポートした。1919年に山本は金井と連名で「農民美術運動の趣意書」を発表し、神川村の人々に運動への参加を呼びかけた。その趣意書には、「農民美術とは、農民の手によって作られた美術工藝品の事であ［る］」という定義が示されていた。だが趣意書を通じた山本らの呼びかけに対する村民たちの反応は鈍く、当初は運動への参加を希望する者はごくわずかしかいなかった。

そうした状況にもめげることなく、1919年12月に山本は神川小学校の教室を借用して「農民美術練習所」を開所した。最初の受講者は、わずか4名からの出発であった。翌年には山本は「農民美術講習の女子部を開講するため手縫刺繍の講師を探しまわり」、西川喜代とその助手として柴田ていを見いだした。[45] そして同年の講習の修了者は男性が7名に対して、女性は14名となった。こうした事実から、上田市立美術館で学芸員を務める小笠原正は「農民美術運動初期における女性の存在は重要である」と強調する。[46] 受講者たちが制作した作品は児童自由画と共に神川小学校で展示され、当時の文部次官を務めていた南弘が視察に訪れたこともあって世間の耳目を集めた（南はそこで「農家副業の奨励について」と題した講演を行っている）。続いて東京の三越本店で開催された「農民美術」作品の展示即売会も、たいへんな好評を博した。即売会の好評により企画された2回目の講習に際して、神川小学校の教室を借りることができなかった。そのため、第2回講習は金井の自宅に敷設された蚕室を会場として実施された。とはいえ、この狭い蚕室は講習のためには不便であった。そこで彼らは新たに「蒼い屋根の工房」と名付けられた専用の工房を建設し、3回目の講習を同所で開催した。

同時に山本は「蒼い屋根の工房」に隣接する研究所の新築に着手し、1923年には「日本農民美術研究所」を立ち上げた。その設計を担当したのは、分離派建築会に所属していた瀧澤眞弓であった。この研究所を舞台に、本格的に農民美術の講習が展開されていくこととなった。「日本農民美術研究所」を新設するため、山本は資金集めに奔走した。農民美術運動は常に資金難に直面していたが、こうした財政的困窮状態は彼らが農民美術講習の受講生から一切の受講料を徴収していなかったことに起因していた。そのため金井や山越は自ら私財を投げ打って、農民美術運動に対する経済的な援助を惜しまなかった。

「農民美術建業之趣意書」には「農民美術、PEASANT ARTは何れの國にもあるが、是れを現に、組織的に國家の産業として奬勵して居るのは露西亞である」という記述があり、そこから山本が農民美術運動の具体的モデルとして参照していた国がロシアであることがわかる。先述の通り、その原風景となったのは山本がモスクワで立ち寄った「農民美術蒐集館」での体験であった。

同館に陳列されていた「農民美術」の作品のなかには、モスクワから400キロメートルほど離れたロシアの西方都市・スモレンスク郊外にあるタラーシキノで作られた品々があった。この領地は、20世紀の初めにロシアの農村手工業を復活させるべく尽力したマリア・テニシェワの本拠地であった。山本は、「どこで手に入れたのか不明であるが（略）『タラーシキノ　テニシェワ公爵夫人の工房の作品』というフランス語の本（一九〇六年出版）を日本へもち帰っ［て］」いたという。[47]

ロシアでも指折りの資本家と結婚したテニシェワは豊かな資産を活かして労働者の子どものための学校を建設したり、後進の画家を育成するための絵画スタジオを設立したりといった篤志活動に励んでいた。夫が買い取ったタラーシキノの「領地とその近隣に住む農民たちの生活を向上させ」るため、テニシェワは養蜂、酪農、野菜の栽培などを農家の子弟に組織的に教える農業学校――そこには大人数を収容可能な寮も併設されていた――を始めた。[48]引き続いて、その学校は次第に農村に伝統的に伝わる手工業の伝承やそれを発展させた新しい様式の工芸品の創造といった役割を担うようになった。タラーシキノの農業学校では、「生徒たちは無償で教育を受け、寮で暮らしていた」(Wendy R. Salmond) という。[49]財政上の苦難にもかかわらず山本が農民美術講習で受講料を貰うことをかたくなに拒んだのは、自らが農民美術運動の模範としていたテニシェワの活動のこうした慈善的側面が深く関係していると推察される。

日本農民美術研究所が建てられると、本格的な講習が行われるようになった。山本と『方寸』をともに立ち上げた倉田白羊は盟友の懇願を受けて長野県に移住し、講師陣の中核的存在となっていた。倉田は、同研究所の副所長に就任した。1924年の白馬山麓での第1回の地方講習会を皮切りに、農民美術運動は県内外に拡大していった。1920年代後半以降の農村での経済恐慌も追い風となり、1932年までに農民美術の地方講習会は長野県内の各地だけではなく北海道から九州にかけて約80ヶ所で開催されている。

一方で1923年には銀座の資生堂で「農民美術展」が開かれるなど、農民美術は次第に一般の人々のあいだでも認知されるようになっていた。翌1924年、山本は農民美術運動の理論的支柱となる雑誌『農民美術』を創刊した。『農民美術』の創刊号には貴族院議員の南も文章を寄せたが、同誌は資金難のために9号で休刊となった。同年、農商務省が農民美術運動への補助金の支出を正式に決定した。そのとき、すでに最初の講習から数えて5年以上の歳月が経過していた。

昭和時代に突入すると、経済状況の悪化——1929年にアメリカで発生した世界恐慌の余波は、やや遅れて日本にも押し寄せた——が農民美術運動の進展に次第に暗い影を落とす。加えて刻々と近付く戦争の足音は、輪をかけて農民美術運動の活動を停滞させていった。山本はその他の事業を手放し、この運動のみに注力することを決意してこの苦境に立ち向かった。しかし戦争のなかで日本が世界から孤立を深めていくにつれて農民美術の作品の販路は狭くなり、国からの補助金も打ち切られてしまう。山本は多額の借金を抱えたまま1940年に日本農民美術研究所を閉鎖し、その建物は売却されることとなった。積み重なった疲労と困窮のなか、1946年に山本は上田市の病院で他界することとなる。

しかし、山本が蒔いた種は決して無駄ではなかった。上田市マルチメディア情報センターがウェブ上で運営する「山本鼎アーカイブズ」(https://museum.umic.jp/yamamotokanae/)には、「農民美術」に関して次のような記述が見られる。「戦後、上小地方に散在したわずかな作者たちが県の協力もあって長野県農民美術連合会を復活させ、後継者の育成とその発展に努め現在に至っている。農閑期の副業として出発した農民美術は地場産業として定着し、昭和五十七年には県の伝統的工芸品の指定を受けて、その素朴でバラエティーに富んだ作品は多くの皆様に親しまれている」。また、「伊豆大島に伝えられていた木片人形などのように、県外でも地方講習会で開発された農民美術品が変形しながら復活した」事例も存在するという。[50]

さらに山本の指導を受けた若者たちのなかには、中西義男や渡辺進など戦後に版画家や画家として活躍した者がいたこともわかっている。最近では長野県の農民美術連合会との連携のもと、上田市立美術館において現代の文脈のなかで農民美術の精神を復興させるような市民に対する試みも意欲的に行われている。例えば「おとなのアトリエ講座」では、老若男女みなが気軽に木工作品を中心とした「農民美術」の制作にトライできるような環境が用意されている。農民美術運動は時代の推移のなかで形や担い手を変えながらも、現代まで続けられていると言うことができるだろう。

すでに述べた通り、民藝運動の創始者・柳宗悦は山本の農民美術運動に対して一貫して批判的なスタンスを保持した。例えば「農民美術と民藝運動」という小文の冒頭で、柳は「農民美術の運動がおこってから、四十年を迎える由、この運動と民藝運動と、よく混同されますが、しかし根本的に相違します」と明言している。[51] 柳は、農民美術が持続性をもち得なかった理由を2点挙げる。1つは農民美術が「本當の農民から生まれた作品ではなく（略）主として北欧の農民藝術の模作であ［る］」点、もう1つはそれゆえに「作る品がいずれも實用性を持つてゐない」点である。[52] しかし具体的には本章の最後となる次節で論証していくが、柳と山本の思想はある根源的な部分で深い共鳴をたたえているように筆者には思われてならない。

柳の主導した民藝運動には、「西洋との間に相互扶助を可能にするような文化の確立を強く意識して、東洋の芸術に目を向け、しかも中国や朝鮮の美とも差異化できる日本の美を探った結果、民芸に開眼し民芸運動を展開するにいたった」（中見真理）という錯綜した経緯がある。[53]「中国や朝鮮の美とも差異化できる」本質的な「日本の美」を探ろうとする柳の目論見は、近代化する西洋の列強諸国からの外圧という当時の日本が置かれていた状況を背景としていた。哲学者の九鬼周造も民藝運動の進展とほぼ同時期に書かれた『日本的性格』（１９３７）のなかで、「西洋文化の浸潤によって醸された国民的自覚の衰退に対して日本文化の特色を強調し日本的性格の構造を解明して国民一般を自覚にもたらさなければならぬという歴史的危機に我々は立たされ」ていると警鐘を鳴らしている。[54]

菊池裕子は柳が帝国日本の「周縁」文化（「中国や朝鮮の美」）を見る眼差しは本質主義的な文化ナショナリズムに囚われていた部分があり、その試みは「日本のナショナルなアイデンティティの創造」に対する危機意識に支えられていたと分析する。[55] 菊池も指摘する通り、柳の文化ナショナリスト的側面はとりわけ沖縄文化に関する議論において明白に表出している。菊池の『日本の近代化と民芸理論——文化ナショナリズムとオリエンタル・オリエンタリズム』(*Japanese Modernisation and Mingei Theory: Cultural Nationalism and Oriental Orientalism*)』（２００４）では、沖縄戦の勃発に際して柳がラジオを通じて「沖縄文化は日本にとって重要である」という理由から徹底抗戦を呼びかけたというエピソードがその傍証として紹介されている。[56]

これと似たような文化的ナショナリズムに関する批判を、山本の農民美術運動に差し向ける論者もいる。その一人である美術史家の池田忍は、自著『手仕事の帝国日本――民芸、手芸、農民美術の時代』(２０１９)のなかで次のように書く。

「吾が農民美術当面の使命は芸術的であると共に産業的であり、『安値』のうちに清新な美術趣味を植えつけていこうとするもの」と述べる時(略)山本の立ち位置は、まぎれもなく洋行帰りの男性美術家のそれであり、帝国日本の中心領域にあった。それは雑誌や単著においてこそ消去され、またそれだけが目的では毛頭なかったが、自身の事業を国家の利益に寄与するものと考え、そのように語りふるまったことも確かである。[57]

この池田による指摘からは、山本の農民美術運動に伏在するマチスモ(男性優位主義)/インペリアリズム/ナショナリズムの連関を見て取ることができる。

山本は確かに故郷に対する真摯な思いから農民美術運動を創始したし、「自身の事業を国家の利益に寄与するものと考え、そのように語りふるまったこと」は資金繰りのための方便という側面も多分にあったに違いない。加えて山本自身は「日本人的に日本特有なものを描かねばならぬといふやうな、馬鹿げた愛国心は賛成しない」と述べ、時代の国粋的風潮に迎合しない姿勢を示したことがあったのも事実だ。[58] そのような人物であっても、その当時の状況の只中では文化ナショナリズムの罠からは逃れ難かったということである。移民や難民の問題に関連して排他的ナショナリズムが世界的に跋扈する現代世界に生きる私たちは、改めてこの事実を重く受け止めなくてはならないだろう。

山本鼎とともに、山本鼎をこえて

最後に、アーティストの中村裕太によって提出された山本の農民美術運動に関する独自の解釈を入り口にして本章の中核へと至りたい。1983年生まれの中村は京都精華大学で芸術の博士号を取得し、理論と実践を有機的に接合するような際立った試みを行ってきた。彼はしばしば工芸に関わる事象を中心に綿密なリサーチを重ね、そのアウトプットとしてユニークなインスタレーションの制作を特色とする。例えば、群馬県のアーツ前橋で2019年から2020年にかけて開催された展覧会「表現の生態系——世界との関係をつくりかえる」で、中村は《群馬工芸の生態系》という作品を発表している（図5-3）。

このインスタレーションは戦前に群馬県・高崎における工芸運動に関わった、高崎生まれの実業家である井上房一郎とドイツ人建築家のブルーノ・タウトという2人の著名な人物を扱っている。そして彼らと戦後に高崎にやって来た東宮稔というほぼ無名の職人の知られざる結びつきに光を当てることによって、中村は群馬の郷土史・工芸史に新たな視座を導入しようとす

図5-3
中村裕太《群馬工芸の生態系》2019
撮影＝表恒匡

る。そうした新鮮な視座は実践と理論を二項対立的に区分けするのではなく、両者を効果的に融合する彼のメソドロジーから生み出されている。博士課程で研究者としてのトレーニングを積み、学術的なリサーチの方法論を取得しながら実作者としても活動する中村は作家としての想像力を駆使して東宮の作った玩具や工芸品の色や形に着目し、大戦前後の群馬に広がっていた有機的ネットワークを同定している。そして、《群馬工芸の生態系》はそれを作品として視覚的な形で豊かに描き出すことに成功した。

中村が山本の農民美術運動を読み解くための重要な参照軸としているのが、宮沢賢治とウィリアム・モリスの思想である。なおその原型となったデザイナーの軸原ヨウスケとの連続トーク企画「アウト・オブ・民藝」は、「「民藝ブランド」の名の下に、そもそもが弱者、民衆の味方として、つまりはカウンターカルチャーとして現れた民藝が、新しいひとつの権威になっていないだろうか」という軸原の疑念から出発している。[59] ここには、先述した村上隆の活動との共通点――「民芸運動を頂点に据えた工芸界のヒエラルキーに対する外部からの挑戦」――を見て取ることができる。

柳による民藝運動の発足とほぼ時を同じくして、童話作家として知られる宮沢は1926年に「農民芸術概論綱要」という文章を書いている。「風の又三郎」、「虔十公園林」、「なめとこ山の熊」などの作品に見られる幻想的な独特の世界観で知られる宮沢は、第2章で論じた画家・本田健にも大きな影響を与えた人物である。「職業芸術家は一度亡びねばならぬ」というラディカルな主張を含むこの文章は青空文庫にも収録されており、誰でもオンライン上で読むことができる。そのなかで宮沢は「芸術をもてあの灰色の労働を燃せ」と扇動し、創造と労働において楽しみを回復することによる両者の総合を奨励している。[60]

「今日デザイナーといわれる人々の仕事のほぼすべての領域にわたる実作者でありアート・ディレクターであった」（小野二郎）モリスは、その多才ぶりから「近代デザインの父」とも呼ばれる。[61] モリスも宮沢と同様に「私の理解する眞の藝術とは、人間が勞働に對する喜びを表現することである」と述べ、芸術と労働の本質的な結びつきを説いている。[62] 続けてモリスは「この眞の藝術とは、それを製作する人にも、それを使用する人にも、幸福なものとして、民衆により、民衆のために作られる藝術である」と言葉を重ね、「民衆の芸術」という自身の講演タイトルの真意を明らかにするのだ。[63]

「ものを作るときに、アイデアがいいとか、手先が器用とか、だけではない第三の要素」として「労働の中に喜びを見出［す］」ことを重視するモリスと宮沢の線に引き寄せて、中村は山本の農民美術運動に関する独自の解釈を提出している。[64] 中村はこう言う——「山本鼎がやろうとしてたことってモリスの「労働の喜び」じゃないですが、いわゆる余暇、農閑期に農家の人が楽しみながら何をするのかという点で近い気がします」。[65] 中村の見解は、山本の農民美術運動が労働のなかに芸術を取り入れることによって労働が本来的に備えていた生き生きした喜びの感情を取り戻すことを目的の一つとしていたというものだ。この見解はこれまでなされてきた経済的「地域活性化」的な解釈とは異なる側面をあぶり出す、実作者のユニークな視点から構築されている。

中村の解釈は既存の「定説」に囚われない、アクロバティックな読みである。中村は、山本自身が「労働の喜び」について語った特定の典拠を引いているわけではない。こうしたダイナミックな読みは、学術的な根拠に乏しく（面白くはあるが）真剣に取り扱うのは難しい見解としてアカデミアのなかで無化されてしまうこともある。だが哲学者の東浩紀はジャン＝ジャック・ルソーの「一般意志」という掴み難い概念をアップデートする自身の構想について「「正しさ」から離れたとしても、とにかくにも魅力的な彼の諸概念を、当時とはまったく異なった文脈と環境に放り込み、別のかたちで蘇らせる、そのような思考実験」、あるいは「書き手の意志を離れて、ときにはあえてそれに逆らって、新たな文脈でテクストを読むこと」を宣言し、創造的「誤読」の可能性を前景化する。[66] 哲学分野のみならず人文科学・社会科学の幅広い領域に衝撃を与えた東のデビュー作『存在論的、郵便的』（１９９８）自体、デリダやソール・クリプキ（論理学者）、クルト・ゲーデル（数学者）らの創造的な読み直しとして意図されていた（と筆者は理解している）。

また漫画家の楳図かずおの作品を包括的に分析した労作『楳図かずお論――マンガ表現と想像力の恐怖』（２０１５）の著者・高橋明彦は、同書のなかで「私は骨董や道具の目利きをする鑑定士ではなく、値段を付けて棚に飾るのが仕事ではない。道具を使い、読み、それとともに生きるのが仕事である」と明言する。[67] このように述べることで、高橋は文化研究者の仕事の要諦がその分析対象から新たな可能性をえぐり出すようなアクチュアルな読み解きにあることを示唆しているのだ。そこで筆者としては――中村、東、高橋らの大胆さには及ぶべくもないが——、彼らに倣って本章の締め括りに山本の農民美術運動のポテンシャルの創造的な抽出を企ててみたい。換言すれば、ここまで概観してきた山本の思想に寄り添いながらも（「山本鼎とともに」）、しかし山本自身がはっきりと自覚していなかったかもしれない領域に足を踏み入れることによって（「山本鼎をこえて」）、彼の農民美術運動が蔵する可能性をさらに押し開いて本章を閉じたいということだ。

それゆえここでは山本が自然のサイクルに則した有機的な円環のなかに芸術を組み入れることによって、労働と芸術の一体化を促進することを志向したのではないかという見方を提案したい。その蝶番《ちょうつがい》となる役割を果たすと考えられていたのが、世界と人間を接続する「手」ではなかったか。すなわち大地を耕し、穀物を収穫し、あるいは繭玉から絹糸を紡ぎ出したその同じ手から作り出される品々のなかに、山本はそうした円環の達成を賭けていたのではなかっただろうか。そのように考えるとき山本鼎が末期に臨んで自ら描くことを強く望み、折に触れて思い出していたのが「農民の手」——大地の上で足を踏ん張って「働く者の手」——であったのは決して理由なきことではないと思えてくる。

ただし、ここでの「自然」は——これまでの他の全ての章と同じように——人間にとって制御可能なものとしては現出していないことには注意が必要である。農業の重要な要素は、コントロールのできない自然のサイクルに人間が歩調を合わせることにある。そのため柳がそのなかに真の美を見いだした工芸品を産出する「無名の民衆」の「手」は「意のままになる道具を意味しては」おらず、ゆえに彼はその手を「自然の手」と名指した。[68]

「旧い道徳や感性に反発し個性に生きる天才に憧れ［る］」情動から出発した柳が、「一九一〇年代半ば以降およそ十年間の思索過程において（略）自然に帰依して作り続ける人間、個人作家によって指導されながらも、結果的には彼ら天才を凌駕してしまう人間という、まったく正反対にも思える作り手のイメージへと、自らの思想の焦点を移していった」ことは示唆的であると哲学者の伊藤徹は指摘している（『柳宗悦――手としての人間』[69]）。この「手としての人間」（伊藤）という柳のイメージは、――柳自身がどれほど手厳しく山本の農民美術運動を折に触れて批判し、両者の違いを幾度も強調していたとしても――本章でここまで見てきたような山本が理想とした「農民の手」と驚くほどの共振を見せているように筆者には思われるのだ。

終　章

世界を再魔術化する芸術

ここまでの小括

倫理学者の佐藤岳詩は「倫理の問題は（略）私たちの日常がゆらいだときに登場する」と述べるが、これは「倫理の問題」だけに限らないのではないか。[1]「明日も同じように続くはず」と素朴に信じていた日常の反復が突如破られるときが、私たちにはある。そのとき初めて、自らの日常を支える土台の脆弱な偶有性――「平穏な日常性は堅固なものではなく、奇跡的といってよい微妙な均衡のうえに辛うじて成立している」（馬渕浩二）こと――が露呈する。[2]そうした偶有性に亀裂が入ることで、私たちは身の回りにある様々な事象に目をむけるようになる。「はじめに」で論じた新型コロナウイルス感染症（COVID-19）が引き起こした「日常性の瓦解」は、その典型例であると言えるだろう。2019年末以降に世界中を襲ったCOVID-19のパンデミックは、日本や世界に伏在していた数々の社会的問題を白日のもとに晒した。そうした問題は、今回のパンデミックを機に突如湧いて出たものではない。もともと日本（国際）社会に見えにくい形でひそんでいた問題が、明瞭な姿をとって現れた――すなわち、可視化された――というのが正確な表現であろう。

とはいえ、こうしたことがすでに完全には元通りに戻ることができない不可逆的な仕方で起こってしまったことは明白だ。そうである以上、私たちは今回の危機を一種の好機と捉えるべきであろう。そして、その危機があぶり出した諸問題の解決にむけて真剣に取り組み始めること――それが私たちに与えられた選択肢のなかで、最適解であると筆者には思われる。本書のねらいの一つは、美術史・芸術学という領域――その領域を画定している境界線は固定的なものではなく、きわめて流動的なものであるが――において筆者なりの仕方でその最適解を選択することであったと言える。

そこで「はじめに」で明示した通り、本書は「人間と自然の交わり」に着目した美術史の試みである。現在も私たちがその只中にあるコロナ禍において、私たちはどのような美術史的ナラティヴを新たに構築することができるだろうか。換言すると、本書は芸術の歴史を「人間と自然の関係の全体の中で位置づけて」（大澤真幸）再考しようとした。それは（やや大げさに言えば）人新世――「人間の活動が地球に地質学的なレヴェルの影響を与えている」（吉川浩満）時代――において「芸術」を再概念化することであり、「ポスト人新世のアート」の輪郭を描き出すことでもある。そしてそのことを通じて、現今のコロナウイルス危機のなかで芸術が果たすことのできる役割――その現在におけるアクチュアルな可能性――を抽出することが最終的に目指された。

人間と自然の関係性を主軸とした美術史は、これまでほとんど企てられてこなかった。あるいはそれを企てようとした人がいたとしても、その企てが歴史のブラインドスポットに落ちて消失したことは容易に推測できる。序章で詳しく論じたように、その根本原因は近現代美術史の規範的語りを支配する人間中心的な眼差しにある。美術史領域の発展過程で男性／白人／西洋中心的な視座に疑問が突き付けられてきたことは、序章で概観した通りである。それまでほとんど無意識的に美術史研究を覆い尽くしていた、多種多様な「中心主義」は今や明示的な批判的対象となった。

　そしてそれらの中心主義を克服するため、芸術の歴史を語る種々の「脱中心的な」形式の記述が考案されてきた。本書は、そうした一連の美術史の「脱中心化」の流れの末席に位置付けられると自負する。ここまでの章では、美術史にまとわり付く根深い「人間中心主義」を解剖台に載せてきたつもりだ。それゆえその絶対的な担い手を人間だけに限定することなく、戦後日本を主要な舞台として展開された芸術作品やアート・プロジェクトを広い意味での「自然」を構成する多様な要素との交わりにおいて検討してきた。

　そうした本書の幕開けとなる第1章では、非人間の生物とのコラボレーションを通じて作品を生み出すAKI INOMATAの芸術実践に焦点を当てた。そこでは人間以外の種に分類される生物との共創から成立するその実践を、異なるアクターとして作動する多様な生命体が織り成す「会話」(マイケル・オークショット)のプラットフォームと捉える見方を示した。同章でも繰り返し指摘したが、しかし人間と動物のあいだに厳然と存在する権力関係から目を背けるべきではない。しかも「芸術」の観念自体が人間の作り出したものである以上、そのコラボレーション的制作過程で人間が強者の立場にいることは否定できない。INOMATAのアート・プロジェクトに「参加」する生き物は、ほぼ間違いなくそこにおいて自らが何を行っているかを理解していないだろう。

　だがこれも第1章で強調したが、INOMATAは制作においてそうしたことにきわめて自覚的に向き合っている。彼女は自身のアート・プロジェクトを完全に統制しようという態度は放棄するが、かといってオーサーシップ（作家性）を全て非人間の生物に委ねるという安易な解決策にも飛び付かない。ゆえにINOMATAのマルチ・スピーシーズな芸術実践は、単に調和的な共創関係だけに立脚しているのではない。それは常に制御と非制御のせめぎ合いから現出する、ぎりぎりの緊張関係の只中から紡ぎ出されているのだ。

「人間と自然の美術史」の意義

では、人間を唯一の特権的な立場に置かない脱人間中心的な美術史の構築によって何が達成されるのか。『自然の哲学史』（２０２１）――古代ギリシアから現代までの「自然」をめぐる思索の歴史を追った大著――の著者・米虫正巳は、そのエピローグにおいて「自然を思考するとは、（略）異他的なものとしての自然を、しかしまさに現実の自然として、現実そのものとして思考することである」と主張している。きわめて捉え難い「自然」を思考する「自然哲学」の未来について、米虫は次のように続ける。

（略）新しいタイプの現実を組み立てるために、それに相応しい新たな諸々のカテゴリーを提示することで〈自然〉の概念をそのつど（再）創造することにこそ、現代的な意味での、そして来たるべき自然哲学は存することになるだろう。[3]

そのうえで「「自然哲学」が何の役に立つのか」という声をあらかじめ制するかのように、米虫はこう断じている――「それ［自然哲学］が果たすべき務めは「自然」を思考するというその能力の意味を思考に思い起こさせるという哲学の本来的な任務以外の何ものでもない」と。[4] しかし「〈自然〉の概念をそのつど（再）創造する」ことは、本当に「何の役に立つのか」という問いに正面から応答することができないのだろうか。筆者はそう思わない。

ベストセラーとなった『沈黙の春』（１９６２）を書いた生物学者のレイチェル・カーソンは、同書で生態系を破壊する科学薬品の危険性を告発した。今も読み継がれている『沈黙の春』のなかで、カーソンは「私たちの住んでいる地球は自分たち人間だけのものではない」と何度も強調する。[5] 第一次世界大戦の遠因をたどれば、それが自然破壊を伴う過剰な産業発展にあることは明白である。各国の対立は、市場としての植民地を獲得するための競争から派生したためだ。だが戦後になっても、そうしたエコロジカルな観点からの反省はほとんどなされなかった。そのため、人類に比類なき惨禍をもたらした戦争のあとも人間による自然収奪は続いた。『沈黙の春』を公表したカーソンは、こうした傾向に対して公的に警告を発した数少ない学者の一人であった。

文化理論・メディア文化論を専門とする清水知子は、同書を「資本主義社会における（略）社会的配置の変動が男と女、文化と自然、理性と感情、人間と動物といった二元論そのものを問い直しながら編み出していった新しい物語」の流れに位置付ける。そして清水は、その核心が「人間による自然界の理不尽な支配と採取――自然を名づけ、所有し、使い果たすことで経済的利益を得る人間の活動――に対し、新たな思考を問うていくこと」にあると論じる。[6]厳密に言えば、カーソンの『沈黙の春』は米虫が想定する意味での「自然哲学」とは異なるかもしれない。しかしそれは確かに「〈自然〉の概念をそのつど（再）創造する」、（文字通り）創造的な自然哲学の思考としての側面を有していたと論じることができる。

本書第2章では遠野在住の画家・本田健の芸術実践に着目し、彼の作品には「自然」概念の絶えざる再創造（想像）の契機がはらまれていると主張した。そして、その絵画に含まれるポテンシャルを「自然なき風景画」という表現を用いて敷衍した。本田の絵画やドローイングは、一見したところ「自然」の風景を対象としているように思われる。だがそれをじっくり観察すると、私たちが「自然」を眺めるときに避け難く入り込む取捨選択の眼差し――無意識のうちに何が景観の「重要な」要素で、何がそうでないかを選別するヒエラルキー的視線――がそこにはほとんどないことに気付く。すなわち本田の自然理解は、（例えば）「花鳥風月」に象徴されるわかりやすい要素に基づいていない。そうではなく、彼は自らの生を「とりまくもの」（篠原雅武）として自然を捉えていると考えられる。

本田は四半世紀以上にわたって遠野の山奥に居を構え、ほとんど毎日何時間も山中を歩き回ることを欠かさず続けてきた。彼のユニークな自然観は、そうした生き方のなかで育まれてきたと言える。筆者によるインタビューのなかで、本田が「生き方そのものを芸術にしたい」と繰り返し語っていたことが印象に残っている。本田の作品に現れているのは、これまでに見たことがないような新奇な「自然」表象ではない。しかし彼が作り出すイメージは、私たちがいまだに知らない「自然」――あるいは、「自然ならざるもの」――の様相を映している。本田はそのようにして、「〈自然〉の概念をそのつど（再）創造する」のだ。

世界の再魔術化と芸術

「アートは我々を掴みどころのない別の場所へと運んでいくく魔術にも似た力をもっている」――セルジュ・ラトゥーシュはそう指摘する。[7] 1940年生まれのラトゥーシュは現代フランスの代表的な経済政治学者であり、脱成長運動の提唱者・推進者として国際的に知られる人物である。「脱成長運動」は永続的な経済発展という考えをイデオロギー的幻想としてしりぞけ、そこからの離脱を目指すものだ。本節冒頭に掲げた「アート」に関する彼の見解も、この文脈のなかでこそ適切に理解できる。

脱成長社会を実現するためには、世界の「再魔術化」がなされなくてはならないとラトゥーシュは声高に主張する。彼によれば、「再魔術化」は「脱成長という宗教を発明しなければならないのだ」という強迫観念ではない。そうではなく、その言葉は「聖なるものの意味を再発見し、人間の精神的次元――このスピリチュアリティは完全に世俗的なものでありうる――に再び正当性を与え、さらには［世界の美しさに］驚嘆する能力を回復することが重視されるべきだ」ということを意味するとラトゥーシュは述べる。[8] そして「掴みどころのない別の場所へと運んでいく魔術にも似た力をもっている」芸術は、世界の再魔術化において代え難い役割を果たす。そうラトゥーシュは考えるのだ。

事実、彼は本書でも登場したウィリアム・モリスやヘンリー・ソローなどの創造者・表現者に言及する。それはラトゥーシュが、モリスやソローを脱成長運動の思想的先駆者として高く評価するためである。ラトゥーシュは半世紀近くに及ぶ自身の思索を『脱成長』（2019）にまとめあげ、その集大成である同書を次のように締め括る――「脱成長は、生きるための技法《アート》でなければならない。それは、世界と調和して良く生きるための技法《アート》、芸術と共に生きる技法《アート》である」[9]。

「再魔術化」における芸術の役割について考察を進めるため、歴史家・社会批評家のモリス・バーマンが1981年に上梓した『世界の再魔術化（*The Reenchantment of the World*）』という著作を参照したい。同書において、バーマンは16・17世紀に西洋で起こった科学革命以前の世界を「魔法にかかった世界」と表現する。魔法にかかった世界は――彼の見方では――「魅惑と驚きに満ちた世界」、「醒めた意識が見据えるのとは異質の、不思議な生命力をたたえた世界」であり、そのなかでは「岩も木も川も雲もみな生き物として、人々をある種の安らぎのなかに包んでいた」という[10]。

そのうえでバーマンは、世界が科学革命を経て前近代から近代へと移行していく過程を「しだいに「魔法」が解けていく物語」と捉える[11]。彼によれば近代の「科学的意識」は「自己を世界から疎外」し、「自然への参入ではなく、自然との分離に向かう意識」である。近代人たちは、前近代を特徴付けていた「参加する意識」――「自分を包む環境世界と融合し、同一化しようとする意識」（バーマン）――を世界から一掃しようとした。そのため、「主体と客体とがつねに対立し、自分が自分の経験の外側に置かれる結果、まわりの世界から「私」が締め出されて」てしまったとバーマンは分析する。[12]

「主体と客体とがつねに対立し（略）まわりの世界から「私」が締め出され」ていくプロセスの先に、物象化の感覚に基礎付けられた近代的な世界観が打ち立てられていった。こうした世界観は現在、行き詰まりを迎えているとバーマンは強く感じていた。その感覚が誤りではなかったことは、人新世において可視化された様々な危機――現在のコロナ禍もその一例である――を見るにつけてより一層明らかだ。近代の科学意識とコロナ禍に代表される近年の政治・社会的問題のひとかたならぬ絡み合いは、本書の「はじめに」で具体的に論述した通りである。

とはいえ近代的な科学的意識が陥る袋小路を突破するため、単に前近代的な意識や世界に回帰するという解決案はあまりにもナイーヴであろう。そうした解決案はおそらくさほど有効ではないし――実際のところ、バーマンもそのように考えていた――、そもそもほとんど不可能に近い。私たちは長いあいだ、近代科学のもたらす恩恵に（無批判に）あずかってきた。先人たちが積み重ねてきた科学的知を全て放擲《ほうてき》することは、人類（そしておそらく、地球に生存するあらゆる種類の生命体）にとって大きすぎる損失となるだろう。ゆえに真に効果的な策は、私たちが世界と（今とは）別様に関わることを可能にする新しい認識論を手にすることではないか。その実現のため、今こそ芸術を通じた「世界の再魔術化」の試みが求められているのではないかと筆者は考える。

序章で述べたことの繰り返しになるが、ルネ・デカルトやフランシス・ベーコンに代表される近代科学の精神は主体としての人間を客体としての世界（自然）からひき剥がすことに成功したと言える。「自然は気ままにさせておくよりも、技術により尋問し拷問にかけることによってより明瞭にその姿を現す」（古川安『科学の社会史』）と信じる近代科学の精神は、実験と観察という「拷問」を通じて「自然」から未知の部分を漸減させることを目指した。[13] 自然から「未知」が消失すれば、「火、水、空気、星、天空その他われわれをとりまくすべての物体の力や作用を（略）それぞれ適切な用途にもちいることができ「る」」（デカルト）と近代人たちは考えたのである。[14] 換言すると、近代人は自然に関する科学的知識の発展と蓄積によって自然をほぼ完璧にコントロール可能にできると考えていた。

よく知られているように、近代社会を形成してきた精神を理解する鍵概念が「魔術からの解放」すなわち「脱魔術化」であると分析したのが社会学者のマックス・ウェーバーであった。脱魔術化を意味する「entzauberung（エントツァウベルンク）」は「魔術からの解放」、「呪術剥奪」、「魔法が解ける」などの様々な日本語に訳されるが、政治学者の野口雅弘によれば「ウェーバーの著作でこの言葉がはじめて用いられたのが、『理解社会学のカテゴリー』（1913年）だった」という。[15] ウェーバーは近代という時代区分を考察するうえで、この「脱魔術化」が重要な鍵概念の一つであることに確信を抱いていた。

ウェーバーは1917年に大学生むけに行われた講演「仕事としての学問」のなかで、近代になって「世界の魔法が解ける」とはどのような現象を指すのかについてわかりやすく説明している。彼は、「世界の脱魔術化」とは「（略）秘密に満ちた、計算不可能な力など原理的に存在しないということ、むしろすべてのものを原理的に計算によって支配できるということ、こうしたことを知っており、また信じている、ということ」を意味すると述べる。[16] ゆえに脱魔術化のプロセスを通して世界から計算不可能なものや支配不可能なもの、すなわち「闇」や「魔」のようなものが「原理的に」消失する。脱魔術化が完遂された世界＝近代社会は「いわば〈魔のない世界〉」であると社会学者の見田宗介が言うのは、そのような理由からである。[17]

ウェーバーが理論化した脱魔術化と芸術の関係について、テオドール・アドルノが死後出版された『美の理論』（1970）において論じている。近代美術批判の急先鋒であったアドルノは「芸術の魔力」を強調する一般的な理解に反対して、「芸術はマックス・ウェーバーによって命名された世界の非魔術化の過程に、つまり合理化の過程に組みこまれている一契機を形成している」と指摘した。[18] 近代において、芸術とその極北にファシズムの支配体制を有する合理主義はイデオロギー的な共犯関係を結んできた――戦後に「アウシュヴィッツ以後、詩を書くことは野蛮である」と極言したアドルノは、そのように考えた。

そうした経緯を踏まえ、「脱魔術化」された世界――それは（ウェーバーが論じたように）近代科学が主導し、（アドルノによれば）芸術がそれに手を貸すことで成立した世界である――の「再魔術化」という営みについて再度考えてみたい。本書の文脈ではそれは自然に内在する理解不可能性・コントロール不可能性を前景化し、それらを人々に提示してみせることではないだろうか。すなわち、自然を私たちにとって再び未知なる存在に変貌させるということだ。バーマンも指摘していることだが、前近代的世界は自然の未知性に対する驚嘆と畏怖の念に満ちあふれていた。

なお、アンダーグラウンド・カルチャーとそれに関連する思想に造詣の深い文筆家の木澤佐登志は紀元前の古代ユダヤ教の律法などを例に挙げながら、「「脱魔術化」のプロセスは、必ずしも近代に特有の現象ではなく、（略）西洋世界に連綿と流れる精神史上のプロセスであった」と指摘する。[19] さらに木澤は文化研究者の渡邉拓哉による論文に依拠しつつ、1960年代のアメリカを中心に勢力を増したカウンター・カルチャーのエートスとしての「反脱魔術化」――「脱魔術化の社会への抵抗や反動によって特徴づけられる」――とその商業化された――「消費文化に取り込まれ堕落した」――形態としての「再魔術化」を峻別している。[20] しかし本書の脈絡では「脱魔術化」を科学的合理主義に彩られた近代に支配的なプロセスとして捉え、「再魔術化」をそれへの批判的態度を基盤とするプロセス（すなわち、木澤や渡邉の言う「反脱魔術化」に近い概念）を示す言葉として用いたい。

第3章で詳述した前衛集団「天地耕作」（村上誠、村上渡、山本裕司）の実践――1980年代末以降、静岡・浜松を拠点に展開された芸術制作プロジェクト――は、まさに自然の理解不可能性・コントロール不可能性を前景化する試みであったと解釈できるのではないか。その根拠は、天地耕作の解散後に行われた村上渡と兄の村上誠との対談に見いだすことができる。村上渡は自然の未知性を「闇」と表現し、「天地耕作では、いつも闇の世界をつくってきた」と兄に語る。そして、彼はこう続ける。

〈闇〉は〈野生〉の世界だよね、同時に〈死〉の世界でもある。そこは怖いんだけど避けたまま生き続けるわけにはいかない。人間にはいくら闇を消そうとしても、闇は決して消えてはくれないし、一時的に消えたように思えることがあっても、それは錯覚で、闇はいつも人間を呼びこもうとしているし、人間の内側では闇を希求するものがいつも蠢いている。[21]

この発言に対して、村上誠は「アートでは闇の世界に出会えなかった」と応じる。[22]ここで彼が述べる「アート」は、西洋を中心に発達した「近代美術」――あるいは、その正統な後継者としての「現代美術」――を意味しているだろう。それゆえにこそ彼らは、既成の「近現代美術」概念そのものの焼き直しを企図したのである。世界から人間に理解や制御のできない領域(「闇」)を抹消していくことを目指した近代の進展のなかで、「美術」はラトゥーシュの言う「魔術にも似た力」を喪失してきた。

そのような意味で、天地耕作はそうした「魔術にも似た力」を通じて世界や自然にひそむ「闇」を浮かび上がらせようとしたとみなすことができる。ただし、彼らはそこに「光」を当てることで「闇」を消滅させようとしたのではなかった。天地耕作はあたかもネガとポジを反転させるがごとく、「闇」を「闇」のままに浮かび上がらせようとした。それゆえ、天地耕作の芸術実践は本質的な意味できわめて反近代的な性質をはらんでいたと言えるのではないだろうか。

「反近代的な性質」は、第4章で取り上げた「集団蜘蛛」――森山安英を中核に1960年代後半の北九州で結成され、最後は彼のソロ・プロジェクトのような様相を呈した前衛芸術集団——にも明白に見られる。その章では反近代的な心性としての「野生」——示唆的なことに、先の引用のなかで村上渡も同じ言葉を使っている——という視座から、挑発的で過激な集団蜘蛛のパフォーマンスを読み解いた。

原始的心性としての野生を取り戻すことは、自然を近代意識が作り出した主客二元論の枠組み——代表的な例が、「人為」と「自然」という二項対立である——のなかで捉えるのを拒むことにつながる。だがこのことは、前近代的生に回帰することと必ずしも同義ではない。第4章で紹介したヘンリー・ソローの「森の生活」は、多かれ少なかれほぼ隅々まで都市化が浸透した現代世界では不可能に近い営みである。筆者との個人的な対話のなかで北九州市立美術館・学芸員の小松健一郎が指摘したことだが、同章でふれた森山の足立山での山籠り生活も都市のインフラを巧みに利用しながら維持されていた。

ゆえに前近代的野生のエートスを受け継ぎながらも、未来にむけて新しい形の「野生」を彫琢していくことが私たちに求められているだろう。そのような点でこそ、集団蜘蛛と森山安英が（文字通り）その身をもって示した「反近代としての野生」の精神は意義深い。蜘蛛（森山）のパフォーマンスは芸術の「魔術的な」力を保持したまま、前近代的野生の感覚を現代的にアップデートした実践の一例と考えることができるのではないか。

デカルトやベーコンに象徴される近代科学の世界観に対して、バーマンはグレゴリー・ベイトソンのオルタナティブな世界観を肯定的に対置する。バーマンは、ベイトソンの世界観が近代科学の陥ったデッド・エンドを突破する鍵となるパラダイムと考えるからだ。グレゴリー・ベイトソンは遺伝学者のウィリアム・ベイトソンを父にもち、1904年にイギリスで生まれた。彼は人類学、精神医学、生物学、言語学、情報理論など様々な分野の知識を吸収した多才な人物であり、『精神の生態学』(1972)や『精神と自然』(1979)をはじめとした多数の著作を世に送り出した。

バーマンの見方では、近代科学の世界観のなかで世界に流れる時間は「直線的な時間」である。そうした時間は世界や自然を完全に知悉することが可能とする「無限の進歩」を人間に約束する——そうバーマンは考える。それに対してベイトソンが提示する世界観のなかには「循環的な時間」が流れているため、私たちは原理的に世界や自然をあくまで部分的にしか知ることはできない。そのような世界観のもとでは、自然は常に人間との関係において初めてその姿を見せる。こうした自然と人間の関係性には、前近代を特徴付ける「参加する意識」(バーマン)が付帯している。

本書第5章では、版画家・山本鼎が大正時代から昭和時代初期にかけて展開した「農民美術運動」を題材にした。その章では、山本の農民芸術運動を「自然のサイクルに則した有機的な円環のなかに芸術を組み入れることによって、労働と芸術の一体化を促進することを志向した」運動と捉える解釈を提出した。言い換えれば、山本は農業や蚕業といった営みが立脚していた「循環的な時間」のなかに芸術を組み込もうとしていたのではないだろうか——筆者はそう捉えた。

もちろん先の「森の生活」同様、大正・昭和時代初期になされていた労働形態を現代に再現することはほぼ不可能に近い。様々な点で、農業や蚕業もニーズの変容やテクノロジーの発達に対応しながら現代的に変化し続けている。しかしそれでもなお、芸術を通じた自然との関わり方について私たちが山本の農民美術運動から歴史的に学ぶことのできる教訓は数限りなくあると筆者は信じる。

結語

「自然」というエレメントを統合した美術史、すなわち「人間と自然の美術史」を作り出そうとする本書の試みもついに終わりに近付いてきた。筆者はコロナ禍を決定的契機として、自然との関係性という文脈のなかで芸術の歴史を記述する新しい形のナラティブの必要性に開眼した。パンデミック以後、似たような問題意識を抱いた研究者は少なくないだろう。しかしコロナ禍以前から、そうした言説の構築が求められていることを主張していた先人たちもいた。一例として、美学者の佐々木健一の名を挙げたい。

佐々木は『エスニックの次元』（１９９８）のなかで、近代西欧の進歩史観的イデオロギーに基づいて発展してきた芸術と、そうした芸術を考察する美学・芸術学が重大な転換点にあることを早くから予見していた。今から20年以上も前に書かれた本のなかで、彼は次のように述べていた。

過去二世紀のあいだ、人びとは自然を物質的な資源として開発し続けてきた。そして生活の新しい安楽を生み出す創造性が、自然に対する破壊力として機能してきた（略）。その結果、近代哲学が課題として思案したのとは別の意味で、それも遥に深刻かつ緊急の意味で、自然との関係が再び問題となってきている。われわれは、自らの生存の基盤が人類共通のものであることを、否応なく認識せざるをえない。この認識を欠いて局地的なエゴを通すならば、自らの首を絞めるような結果になる、そのような状況にわれわれはいるのである。今日における広義での創造的活動は、この大きな共同体的な次元のことを考慮に入れることが、絶対に不可欠である。藝術とても例外ではない[23]。

この佐々木の提言は、紛れもなく先見の明と洞察力に富んでいる。だが本書の視点から、一点だけ付け加えておきたいことがある。それは本書——特にAKI INOMATAを論じた第1章——でも折に触れて指摘したこととも関わるが、私たちは佐々木の言う「人類共通の」「この大きな共同体的な次元」に人間以外の様々な種の生命体を包摂していかなくてはならないということである。なぜなら、「私たちの住んでいる地球は自分たち人間だけのものではない」（カーソン）のだから。筆者がとりわけINOMATAの実践の分析を通して示唆したように、非言語的な芸術はそのポテンシャルを大いに秘めた営みであると言える。

本書で試みた「人間と自然の美術史」の構築は、まだ緒に就いたばかりである。これは当該領域で長らく支配的であった人間中心主義を相対化し、美術史を脱人間中心化する試みと把握できる。その内実がいかなるものであれ、「芸術」は人間の作り出した営為としてある。そうである以上、「美術史を脱人間中心化する試み」が一筋縄ではいかない難題であることは明らかである。

だが先にふれた佐々木健一の意見からもわかる通り、「自然との関係」を考慮に入れた芸術を構想していくことの必要性もまた明白だ。そして、そうした芸術を批評的に論じる学問的思索の確立の緊急性も論を俟たない。そこにおいて多角的な視座から構築された「脱人間中心化された美術史」は、人新世以後の芸術――「ポスト・アントロポセンのアート」――のあり方に重要な示唆を与えるだろう。

20世紀中国思想史の代表的な研究者・許紀霖《キョキリン》は「現代東アジアの政治的連帯」という難しい課題に関して、「重要なのは可能かどうかではなく、「欲すべき」かどうか」であると言う。その課題は「人間と自然の美術史の構築」とはまた別の理由や位相でこのうえなく困難な試みだが、許はあらゆる困難な試みの「可能性」は「「可欲性（欲すべき）」から生まれ育ってくる」と強く主張するのだ。[24] 彼の考えを筆者なりに敷衍すれば、困難な試みを実現するためにはイメージの力が大切となる。仮に不完全な形であっても、具体的なイメージを想像すること――そして、それを共有していくことが求められる。「人間と自然の美術史」と呼べる何かに値する具体的イメージを本書が少しでも提示できていたとすれば、この本の意図はひとまず達成されたと言えるだろう。

「はじめに」で説明したように、新型コロナウイルスの全地球的拡大をきっかけとして本書の執筆は開始された。その思索は、いったんここで区切りを迎えることになる。しかし、人新世における切迫した危機のなかで現代アートを「人間と自然の関係の全体の中で位置づけ［て］」（大澤真幸）深く熟考していく必要性は残っている。そうした作業を今後さらに推し進めていくことは、当然ながら急を要することである。この終章を通して論じてきたように、その鍵となるのは「世界を再魔術化する芸術」の可能性――自然の未知性を開示していくアートの「魔術にも似た力」（ラトゥーシュ）――ではないだろうか。それは芸術を通した「近代」の根底からの問い直しであり、ひいては「近現代美術」自体の根本的な再概念化の試みでもある。そうしたことを、本書で扱ってきたアーティストやアート・コレクティブの特異な実践は教えてくれる。このことを暫定的な――しかし、確固たる――結論として、本書を閉じたい。

あとがき——さらなる「人間と自然の美術史」にむけて

何らかの形で知の生産に関わっていれば、それがほとんどいつも共同的に生産されることに異を唱える者は少ないだろう。ある日、一人の天才が世界を一変させるということが頻繁に起こると仮定しよう——歴史的に見れば、そのような事態もごく稀に発生してきた。そうであるならば、筆者のような凡人にできることは限られている。それは、ただひたすら座して天啓の瞬間を待つことだけだ。

しかし残念ながら、現実はそうではない。だからこそ、研究者は勇気をもって自らの研究成果を公表する。そして内心では怯えながら、それに対する反応を世に請うのである。

当然ながら、そうした反応は必ずしもポジティブなものだけではないだろう。おそらく、辛辣な批判も含まれるはずだ。だがそれが真摯な検討の結果として出されたのであるならなおさら、そうした批判的な吟味には耳が傾けられるべきである。なぜなら、そこを起点に開始される議論はきっと生産的なものであるに違いないから。そのような生産的な議論を通して、一冊の書物は人類の知を鍛え上げることに貢献していくのだと信じている。そして本書の趣旨に照らせば、そうやって精錬された人類の知をいかにしてあらゆる生命体の利益へと拡張していくかがこれから問われていくだろう。

すなわち書物が知の練り上げに寄与するためには、それを批評的に検証するたくさんの他者を必要とする。ある書物が公刊されたとき、著者自身も一人の他者になる。そのような感覚が筆者にはある。言い換えると、著書出版後は書き手自らがその本を手厳しく検証する――そして、（単線的な「発展」とは異なる）さらなる知の豊穣化・多様化にたずさわっていく――役割を期待される他者の一人に連なると筆者は考える。

だから、自分が書いた本もいったん形になれば批判的吟味の対象である。最初の単著は、2019年に中公新書の一冊として出版された『現代美術史――欧米、日本、トランスナショナル』であった。本書第3章でも述べたが、その「おわりに」では同書が無意識に前提としていた（とみなすことのできる）「大都市中心主義」が自己反省的に槍玉に挙げられている。今後何らかの形でそうした反省点を踏まえ、アップデートをほどこした改訂版が出される可能性もないとは言えない。とはいえ現在までのところ、この本は「芸術の歴史は大都市を中心に紡がれる」という近現代美術の規範的な前提を現状追認的に強化してしまっている。この点は、率直に言って認めざるを得ない。

とはいえ、何の不足も瑕疵もない「完璧な」書物など存在しない（と筆者は思う）。これは言い訳でも開き直りでもない。ちなみに、不足や瑕疵がないことが「完璧さ」を担保するのかも筆者にとってはきわめて疑わしい。過去の自分の議論に対して、他者としてその批判的吟味に加わること——それが研究者の大切な責務ではないだろうか。不足や瑕疵ゆえの批判を過度におそれて、自己の研究の成果や思索の軌跡を公表することをはばかることはしたくないと考えている。

そうした考えから『現代美術史』がすでに出版された今では、筆者はこの本に対して他者として対峙している。他者は、批評的で未来志向的な読みを要請される。そのような姿勢で取り組んだ論考が、『美術手帖』誌・2021年9月号に掲載された「芸宿試（私）論」であった。この論考は、『現代美術史』の言説に対する自己批判に対して、自ら建設的なオルタナティブをもって応答するパフォーマティブな試み」として構想された。[1]

その詳細については、ぜひ本誌を手に取って読んでみていただきたい。要約すると、「芸宿試（私）論」は2010年代初めに金沢で立ち上げられ、現在まで続くアーティスト・ランのオルタナティブ・スペース／コミュニティ「芸宿」を扱っている。芸宿の歴史を「（大）都市」と「地方」の避け難い緊張関係、あるいは両者の流動的な相互交流の視点から論じた。そうすることによって、筆者は「（大）都市」と「地方」という固定化された二項対立に囚われない（「脱・大都市中心的」な）現代美術史の語りを提示しようとした。こうした絶えざる自己批判と、それを乗りこえるための建設的な対案を出すこと——それらのミッションは筆者が曲がりなりにも「研究者」を自認する限り、これからもコンスタントに自らに課していきたい。

本書は、筆者にとって2冊目の単著となる。数ヶ月に及んだ推敲を経てもなお、十分に論じられなかったのではないか、ベターな記述があったのではないかと感じられる点は残る。だが、現時点ではこれが筆者の限界である。それゆえ自らを含む他者にむけて、今後の課題を明示しておきたい。それは、本書のなかで実現しきれなかった要素である。

第一に、本書では自然と政治が交差する接点に十分に光を当てることができなかった。「自然と政治が交差する接点」には、自ずと環境問題が浮かび上がってくる。とりわけエコロジー思想の政治的側面を考察するうえで、1960年代後半以降に世界中で議論されるようになった「公害」というテーマは避けて通れない。日本を例にとれば、その明確な表出がいわゆる「四大公害」である。

1933年生まれの芸術家・中谷芙二子は、1972年に《水俣病を告発する会―テント村ビデオ日記》という映像作品を制作している。水俣病は1956年に正式に認められた疾患で、第二水俣病（新潟水俣病）、イタイイタイ病、四日市ぜんそくと並んで日本の四大公害の一つとされる。これらは1950年代後半から1970年代にかけての高度経済成長期に日本で発生した多数の公害のうち、特に被害が甚大であった事例である。《水俣病を告発する会―テント村ビデオ日記》は、東京で行われた水俣病患者の支援者たちによる座り込みの抗議行動のある一日を追ったものである。

中谷の映像作品は現在に至るまで、生態系の破壊が引き起こした悲劇の犠牲者による抵抗活動を記録した貴重な資料の一つとなっている。中谷は、公共空間で人工的に生成した霧を使った「霧の彫刻」で国際的に知られる作家である。彼女はなぜこの時期、なぜ水俣で起きた出来事に目をむけたのか。そして、なぜ映像というメディアを用いたのか。今後さらなる発展が期待される「人間と自然の美術史」において、これらは重要な問いであるように思われる。

また、中谷とほぼ同世代にあたる磯辺行久（1936年生まれ）の芸術実践も注目に値する。1960年代に渡米した磯辺は、ニューヨークで最先端の環境工学を学んだ。帰国した彼はエコロジカル・プランナーとして働きながら、1970年代以降から現在まで一貫して芸術の視覚表現と生態学の知見を統合したユニークな活動を展開している。中谷や磯辺といった作家を筆頭として、今後「人間と自然の美術史」をさらに豊かなものとして発展させていくために考察すべきアーティストはまだまだ数多くいる。

加えて「はじめに」で明記した通り、本書は日本での事例に焦点を絞った。今後は国外での諸事例、そしてそれらの国境をまたいだ相互関係にも着目していきたい。そのようにして「人間と自然の美術史」のナラティブをトランスナショナルに拡張していくことは、必ずや有意義な成果を生むに違いない。

さらなる「人間と自然の美術史」の発展にむけて、上記の論点は重要な指針となるはずだ。筆者自身も一人の他者としてこれらの課題を引き受け、引き続き探求していきたい。

美術史における「人間と自然」というテーマに取り組むきっかけとなった出来事は、『美術手帖』・2020年6月号に論考「エコロジーの美術史」を寄稿したことであった。同論考の執筆を依頼してくださった、美術手帖・編集部の福島夏子さんに感謝を申し上げる。以文社より近刊予定の論集『新しいエコロジーとアート 「まごつき期」としての人新世』には、この論考に大幅に加筆・修正を加えた章が収められる予定である（タイトルは同じく「エコロジーの美術史」）。

同書の編者を務める長谷川祐子さんは、本書『ポスト人新世の美術論』を執筆し始めたときに助教として勤務していた東京藝術大学大学院国際芸術創造研究科（GA）で教授を務めている。国際的に知られるキュレーターである長谷川さんは筆者がGAに就任した当初から「一緒に『アートとエコロジー』の問題に取り組んでほしい」と誘ってくださり、多くの刺激的な講演会や読書会に招いてくれた。また、本書に登場した重要な実践者や理論家の何人かを紹介してくれたのも彼女である。そのような意味で、長谷川さんは文字通り本書の端緒を開いてくれた人物である。深謝したい。

GAでの同僚の先生たち／非常勤講師の方々／助手・助教のみなさん、そして様々な国や地域から集まった才能豊かな学生らには非常に大きな刺激をいただいた。こうした多国籍かつ領域横断的な研究・教育環境は何ものにも代え難く、筆者の視野をこの上なく拡大・深化させてくれた。GA在籍時に関わった全ての人々に対して、改めて感謝の気持ちを伝えたいと思う。

本文中でもふれたが、筆者は2021年4月から金沢美術工芸大学（美術工芸学部美術科芸術学専攻）に移籍した。そのため、本書の第3章以降は基本的に金沢で執筆したものである。期せずして、ロンドン芸術大学（UAL）の博士課程に在籍していたときの指導教官である菊池裕子先生と同僚となった――筆者が博士課程を取得した翌年に、先生は金沢美術工芸大学へと移籍されていた。国内外の工芸史に造詣の深い菊池先生には山本鼎を主に論じた第5章の草稿を読んでいただき、とても有益なフィードバックをくださった。

金沢美術工芸大学の同僚の方々、多様な問題意識と関心をもつ学生たちからも重要な示唆を得た。小さな大学であるため、専攻外のみなさんともお話しする機会に恵まれていることはたいへんありがたい。一般教育等で准教授を務めておられる渋谷拓さんには、第3章で重要な作家として登場する彫刻家・遠藤利克さんの作品についてご教示いただいた。渋谷さんは、埼玉県立近代美術館に学芸員として務めていたときに遠藤さんの個展を企画している。また、作品画像の掲載許可に関する問い合わせ先についても教えてくださった。

第1章ではAKI INOMATAさん、第2章では本田健さん、石田克哉さん、第3章では村上誠さん、村上渡さん、本阿弥清さん、渡辺俊夫さん、第4章では森山安英さん、宮川敬一さん、小松健一郎さん、第5章では小笠原正さんに特にお世話になった。木村奈緒さんと岡田宇史さんには草稿全体に丁寧に目を通していただき、的確な指摘ととても勇気付けられるコメントを頂戴した（木村さんからご指摘いただいた、「戦後日本における反芸術運動の旗手・工藤哲巳の芸術実践をエコロジーの観点から考える」という発想は筆者にとって盲点であった）。それ以外にも有形無形のサポートを与えてくださった方々の名前を挙げればきりがない。またさまざまに進行をサポートしていただいた美術出版社の合田有作さんに感謝したい。こうしてお世話になった方々を列挙していくと、改めて本研究がいかに他者に依存しながら共同的に形成されてきたものであるかがはっきりと理解できる。みなさん、ありがとうございました。

とはいえ、ここに名前を出した方々が本書の議論全部に同意しているわけではない。当然である。それゆえ本書の内容に問題があるとすれば、その責任は全て筆者に帰すことは言うまでもない。

本書の編集を担当してくださった穂原俊二さんにも、心からのお礼を言いたい。穂原さんは、筆者が学生のときに目を皿にして読んだ書籍を多数手がけた編集者である。各章の草稿が書き終わるたび、穂原さんとは――最初は対面で、途中からコロナ禍のためにオンラインを中心に――意見交換を行った。どの面談も、緊張感のあるエキサイティングなものであった。穂原さんは時に妥協のない議論という形で、時にかけ値なしの称揚という形で筆者の執筆作業に最後まで伴走してくださった。本書が少しでも意義のある著作になっているとしたら、その貢献は一言では言い表せないほど大きい。

こうしたあとがきにおけるクリシェのようで恥ずかしい気持ちもあるが、やはり今回も（前著同様）家族に謝辞を述べたい。本書の内容に関して、家族からは示唆を受けていない。というより、そもそも中身がどのようなものかも話していない。だが筆者の全生活――それはこの研究が立脚する基盤である――において、家族は精神的な安らぎとモチベーションを与えてくれた。この点に関して、深く感謝している。

献本した前著は、みんなであとがきを読んだと聞いている。『現代美術史』というタイトルに相応しい気もするが、その後は実家のリビングに現代アート作品のように鎮座している。それでも自分の書いた本が実家に飾られることは気恥ずかしくもあると同時に、少し誇らしい気分にさせてくれる。本書が2つ目の現代アート的なオブジェとなることにはやぶさかではないが、今回はこの「おわりに」に加えて「はじめに」だけでも——欲を言えば、関心のある章を1章だけでも——読んでもらえたら嬉しい。

前著『現代美術史』を世に送り出した後、祖父が一人亡くなった。96歳での大往生だった。残りの祖父母はみな90歳をこえたが、今も元気に暮らしている。本書が書籍という形で世に出るのを3人に見届けてもらえたことを、本当に喜ばしく思う。これからも長生きしてもらいたい、と心の底から願っている。

本書を通じてその一角に新しい光を投げかけようとした「人間と自然の美術史」という領域は、茫漠と広がる沃野である。そこには、まだ知られざる未開の地が大量に残されているはずだ。この本は、その長い探索の始まりにすぎない。それでもなお、本書がささやかながらその確かな一歩を踏み出す研究となることを切望している。

章別脚注

はじめに

1 宮沢、二〇二〇、六五頁
2 アガンベン、二〇二〇、九頁
3 Klein, 2020
4 クライン、二〇一一、五頁
5 岡田、二〇二〇
6 厚生労働省、二〇二〇
7 Harari, 2020
8 Harari, 2020
9 RadicalxChange, 2020
10 ライアン、二〇〇二、一一頁
11 大塚、二〇二〇
12 ルーンバ、二〇〇一、一三三頁
13 上野・毛利、二〇〇〇、一六五頁
14 本橋、二〇〇五、v頁
15 モーリス＝スズキ、二〇一四、三五頁
16 平田、二〇二〇、一二九頁
17 ジョルダーノ、二〇二〇、一一二頁
18 高橋、二〇二〇
19 小長谷、二〇二〇、三一頁
20 宮崎、二〇一五、七六－七七頁
21 リャン、二〇〇五、四五頁
22 美馬、二〇二〇、六〇頁
23 古賀、二〇二〇、二四頁
24 古賀、二〇二〇、六八頁
25 蔵屋、二〇二〇
26 ティアンポ、二〇一六、二六頁
27 小池、二〇二〇
28 椹木、二〇二〇、七五頁
29 フィッシャー、二〇一八、一〇頁
30 アンダーソン、一九九七、二六頁
31 柄谷、二〇二一、八四頁
32 斎藤、二〇一九、四頁
33 美馬、二〇二〇、二〇－二一頁
34 マクニール、二〇〇七、五一頁
35 見市、二〇二〇、二四頁
36 ケック、二〇一七、一六頁
37 スコット、二〇一九、一九八頁
38 スコット、二〇一九、一六六頁
39 アパドゥライ、二〇一〇、一二頁
40 大澤、二〇二〇、一一頁
41 ジジェク、二〇二〇、六八頁
42 渡辺、二〇一六、iv頁

序章

1 ピアジェ、一九六八、五九頁
2 ベンヤミン、一九六九、一一八頁
3 ギンズブルグ、二〇一六、二二一頁
4 ベンヤミン、二〇一五、一二六頁
5 グハら、一九九八、一一頁
6 コンラート、二〇二一、一六二頁
7 グハら、一九九八、四頁
8 Shih and Lionnet, 2005, 2
9 メイヤスー、二〇一六、六二頁
10 齋藤、二〇〇〇、八七－八八頁
11 ノックリン、一九七六、八二頁
12 ノックリン、一九七六、八二頁
13 吉原、二〇一三、三五頁
14 フックス、一九九七、一三頁
15 フックス、一九九七、五二頁
16 Diaspora Artists, 2014
17 山本、二〇一九、一三四－一三七頁
18 梁、二〇二〇、一七三－一七四頁
19 Crenshaw, 1989, 149
20 清水晶子、二〇二一、一五六頁
21 清水晶子、二〇二一、一五七頁
22 Orland, 2016, 11
23 Orland, 2016, 84-88
24 ティアンポ、二〇一六、二七頁
25 Mosquera, 2005, 314
26 Mosquera, 2005, 318
27 マッシー、二〇〇五、一二五頁
28 ラトゥール、二〇一九、一五頁
29 吉川、二〇一八、一六七頁
30 McNeill and Engelke, 2016, 4
31 篠原、二〇一八、一六頁
32 篠原、二〇一六、四六頁
33 ディーモス、二〇一九、一二〇頁
34 ディーモス、二〇一九、一二二頁
35 ディーモス、二〇一九、一二四頁
36 ゴルツ、一九八三、四〇頁
37 斎藤、二〇二〇、一四〇頁
38 Moore, 2016, 5
39 モートン、二〇一八、二八頁
40 ハーマン、二〇二〇、一二頁
41 ハーマン、二〇二〇、一二頁
42 メイヤスー、二〇一六、二四頁
43 メイヤスー、二〇一六、一九頁
44 齋藤、二〇二〇、二〇八頁
45 ベーコン、一九六六、二九四頁

46 デカルト、一九九七、八二頁
47 ツァラ、二〇一〇、八頁
48 塚原、二〇〇三、一六頁
49 リヒター、一九八七、一九頁
50 塚原、二〇〇三、八七頁
51 Kaprow, 1965, 189
52 ケージ、二〇〇九、一〇四頁
53 ソロー、一九九七、一〇六頁
54 今福、二〇一六、六一頁

第1章

1 INOMATA・港、二〇二〇、一三八－一四〇頁
2 足立・逆巻、二〇二一、一一八頁
3 逆巻、二〇一九
4 ハラウェイ、二〇一三a、三三頁
5 ハラウェイ、二〇一三a、三八、四七、六七頁
6 逆巻、二〇一九
7 ハラウェイ、二〇一三b、七頁
8 ハラウェイ、二〇一三b、六頁
9 ハラウェイ、二〇一三b、一五頁
10 ハラウェイ、二〇一三b、三六－三七頁
11 山本、二〇一九、四四頁
12 カストナー、二〇〇五、六九頁
13 Lippard, 2014, 88
14 ハラウェイ、二〇一三b、三九頁
15 山本圭、二〇二一、三頁
16 逆巻、二〇一九
17 INOMATA、二〇二一
18 INOMATA、二〇二一
19 INOMATA、二〇二〇、三六頁
20 INOMATA、二〇二〇、三六頁
21 INOMATA、二〇二一
22 アンダーソン、一九九七、二四、二六頁
23 INOMATA・港、二〇二〇、一四一頁
24 ホッブズ、二〇一四、五三頁
25 ヘルダー、一九七二、五六頁
26 INOMATA、二〇二〇、七四頁
27 ルソー、一九七〇、二一頁
28 温、二〇一八、三四頁
29 ソシュール、一九七二、九八頁
30 アガンベン、二〇一一、六七頁
31 INOMATA、二〇二〇、二〇頁
32 ハラウェイ、二〇一三b、一一頁
33 INOMATA、二〇二〇、八八－八九頁
34 チン、二〇一九、三三頁
35 チン、二〇一九、三三頁
36 INOMATA、二〇二〇、一一二頁
37 INOMATA、二〇二一
38 ゴドフリー、二〇〇一、一二頁
39 福住、二〇一七、二八頁
40 Stimson and Sholette, 2007, 10
41 ルロワ、二〇一九、九頁
42 アリストテレス、一九七三、一八〇頁
43 ルロワ、二〇一九、九頁
44 中沢、二〇一一、一一七頁
45 デカルト、一九九七、七七頁
46 コンディヤック、二〇一一、九七頁
47 コンディヤック、二〇一一、一七二頁
48 シンガー、二〇一一、二七頁
49 シンガー、二〇一一、三〇七頁
50 ワディウェル、二〇一九、二五頁
51 ワディウェル、二〇一九、四六頁
52 ロレッド、二〇一七、二六頁
53 ロレッド、二〇一七、三三頁
54 田上、二〇二一、一二四、一三四頁
55 田上、二〇二一、九五頁
56 デリダ、二〇一四、一六五頁
57 レステル、二〇二〇、六一、六三頁
58 レステル、二〇二〇、九八頁
59 逆巻、二〇一九
60 テイラー、二〇二〇、三二九頁
61 テイラー、二〇二〇、三三七頁
62 長倉、二〇二〇、一〇四頁
63 濱野、二〇一九、一五頁
64 田上、二〇二一、一七四－一七五頁
65 萱野、二〇一九
66 Zheng, 2021, 167
67 マンクーゾ＋ヴィオラ、二〇一五、二〇一頁
68 小林、二〇二一、一〇二頁
69 INOMATA、二〇二一
70 オークショット、一九八八、一三八頁
71 井上、二〇二一、一五二頁
72 オークショット、一九八八、二四二頁
73 オークショット、一九八八、二四〇頁
74 オークショット、一九八八、二四八頁
75 井上、二〇二一、二五六頁
76 ローティ、二〇一四、四五五頁

第2章

1 山本、二〇二〇b、四九八頁
2 森、一九六九、一三頁
3 李、二〇〇八、五七頁
4 李、二〇〇八、二〇頁

5 谷、二〇〇二、一六－一七頁
6 フッサール、一九六五、三四－三五頁。
7 Groys, 2014
8 山下、一九九八
9 山下、一九九八
10 山下、一九九八
11 山下、一九九八
12 柳田、二〇一四、一〇頁
13 石井、二〇〇九、三〇頁
14 柄谷、二〇一三、一一七頁
15 大野、二〇一三、八頁
16 山下、一九九八
17 ソルニット、二〇一七、四五二頁
18 大野、二〇一三、七頁
19 山下、一九九八
20 藤枝ら、二〇〇七、三六二頁
21 山下、一九九八
22 森、二〇〇二、七二頁
23 西田、一九五〇、一七頁
24 西田、一九五〇、一一〇頁
25 江澤、二〇二一、三三－三四頁
26 山下、一九九八
27 森、二〇〇二、七三頁
28 藤枝ら、二〇〇七、三六二頁
29 Landry and MacLean, 1996, 4
30 藤原、二〇一九、五六頁
31 ユクスキュル／クリサート、二〇〇五、七－八頁
32 バイイ、二〇一三、一一二－一一三頁
33 カンギレム、一九九一、原注一頁
34 中沢、二〇一〇、六頁
35 モートン、二〇一八、三九六頁
36 モートン、二〇一八、四七頁
37 千葉、二〇二〇、七一－七二頁
38 北澤、二〇二〇、四九頁
39 クレーリー、二〇〇五

第3章

1 山本、二〇一九、三〇八頁
2 山本、二〇二〇a
3 Tomii, 2016, 117
4 建畠、二〇一八、一五三頁
5 山下、二〇一七、二〇二頁
6 沢山、二〇一九、四五頁
7 静岡市美術館、二〇一九
8 尾野、二〇〇三、六五頁
9 Contemporary Artists Review、一九九二、四頁
10 嶋田、二〇一九、一五一－一五二頁
11 嶋田、二〇一九、一五二頁
12 石田、二〇〇五、二三四頁
13 Contemporary Artists Review、一九九二、四頁
14 村上ら、一九九〇a
15 村上ら、一九八八
16 村上ら、一九八九a、七〇頁
17 静岡市美術館、二〇一九
18 村上ら、一九八九a、七〇頁
19 村上ら、一九九五
20 村上ら、一九九五
21 Contemporary Artists Review、一九九二、六頁
22 村上ら、一九九一
23 村上ら、一九九二
24 村上ら、一九八九a、一〇頁
25 村上ら、一九九三
26 正木、一九九二、九七頁
27 杉山、二〇〇二、一五頁
28 田口、二〇一五、二三二頁
29 Jesty, 2018, 193
30 中ザワ、二〇一四、二六頁
31 北澤、二〇二〇、一九三頁
32 クレーリー、二〇〇五、四八頁
33 クレーリー、二〇〇五、三六頁、二一頁
34 椹木、二〇一五、六〇頁
35 尾野、二〇〇三、六七頁
36 村上ら、一九八九b
37 安藤、二〇一四、三頁
38 安藤、二〇一四、四頁
39 富井、二〇一八、一二六頁
40 Jesty, 2018, 256
41 Jesty, 2018, 5
42 尾野、二〇〇三、六七頁
43 Contemporary Artists Review、一九九二、六頁
44 富井、二〇二〇、一二四頁
45 Tomii, 2016, 16
46 村上ら、一九九〇a
47 静岡市美術館、二〇一九
48 渋谷、二〇一七、七二－七三頁
49 遠藤、二〇一七、一八頁
50 遠藤、二〇一七、一六頁
51 沢山、二〇一九、四三頁
52 石田、二〇〇五、二五五頁
53 本波ら、一九九七、二頁
54 本波ら、一九九七、三－四頁
55 尾野、二〇〇三、六六頁

56 本波ら、一九九七、三一頁
57 本波ら、一九九七、三八頁
58 Contemporary Artists Review、一九九二、八頁
59 Contemporary Artists Review、一九九二、八頁
60 村上ら、一九八九c
61 ハイデッガー、二〇一三、二二九頁
62 ハイデッガー、一九六三、二四頁
63 戸谷、二〇二〇、四一頁
64 戸谷、二〇二〇、四一頁
65 村上誠、二〇一四、六頁
66 村上誠、二〇一四、一〇頁
67 村上、二〇二一、六〇頁
68 本阿弥、二〇一六、一〇六頁
69 村上ら、一九九〇b

第4章

1 黒ダライ児、二〇一〇、四四二頁
2 黒田、一九九九、八二頁
3 北九州市立美術館、二〇一八、二四五頁
4 北九州市立美術館、二〇一八、二四五頁
5 菊畑、二〇〇七、一四八頁
6 今泉、二〇一七、二一六頁
7 北九州市立美術館、二〇一八、二四五頁
8 黒ダライ児、二〇一〇、四〇頁
9 黒ダライ児、二〇一〇、四四二頁
10 北九州市立美術館、二〇一八、一一二頁
11 黒ダライ児、二〇一〇、四四三頁
12 黒ダライ児、二〇一〇、四四三頁
13 黒ダライ児、二〇一〇、四四四-四四五頁
14 黒ダライ児、二〇一〇、四四六頁
15 黒ダライ児、二〇一〇、四四九頁
16 北九州市立美術館、二〇一八、一五〇頁
17 北九州市立美術館、二〇一八、一三七頁
18 菊畑、二〇〇七、一五四頁
19 黒ダライ児、二〇一〇、二七一頁
20 山本、二〇一九、一四二頁
21 北九州市立美術館、二〇一八、一四四頁、一四九頁
22 黒ダライ児、二〇一〇、四四九頁
23 山本、二〇一九、四五頁
24 働、一九九九、七〇頁
25 森山、一九九九、六二頁
26 フィッシャー＝リヒテ、二〇〇九、一六九頁
27 藤野、二〇二〇、三五頁
28 バタイユ、二〇〇三、八一-八二頁
29 岡本、二〇一六、四六頁
30 北九州市立美術館、二〇一八、一五四頁
31 北九州市立美術館、二〇一八、一〇二頁
32 北九州市立美術館、二〇一八、一〇九頁
33 北九州市立美術館、二〇一八、九九頁
34 北九州市立美術館、二〇一八、九九頁
35 ソロー、一九九七、一五〇頁
36 ソロー、一九九七、一〇六頁
37 今福、二〇一六、四九頁
38 今福、二〇一六、五〇-五一頁
39 ソロー、一九九一、四六三頁
40 今福、二〇一六、五一頁
41 福沢、一九九五、五七頁
42 クラカワー、二〇〇七、七五頁
43 ソロー、一九九一、四七一頁
44 Jesty, 2018, 191-192
45 北九州市立美術館、二〇一八、一〇〇頁
46 北九州市立美術館、二〇一八、一〇〇頁
47 森、二〇二〇、一八〇頁
48 北九州市立美術館、二〇一八、一九〇頁
49 石子、一九七一
50 北九州市立美術館、二〇一八、一八六頁
51 森山、一九九九、八一頁
52 森山、一九九九、六八頁
53 森山、一九九九、六八頁
54 北九州市立美術館、二〇一八、一一頁
55 北九州市立美術館、二〇一八、一三頁
56 千葉、一九八六、一〇八頁
57 東京国立近代美術館、二〇一八、一五一頁
58 東京国立近代美術館、二〇一八、一五一頁
59 マロッティ、二〇一七
60 森、二〇二〇、二四頁
61 谷川、一九六八、四二-四三頁
62 北九州市立美術館、二〇一八、二二三頁

第5章

1 宮坂、一九八八、一二〇頁
2 伊藤亜紗、二〇二〇、七-八頁
3 伊藤亜紗、二〇二〇、六頁
4 マルクス、二〇一〇、一〇〇頁
5 伊藤誠、二〇二〇、一一頁
6 伊藤誠、二〇二〇、四二頁
7 マルクス、二〇一〇、一〇〇頁
8 神田、二〇〇九、七九頁
9 小崎、一九七九、一一三頁
10 小崎、一九七九、一二一頁
11 宮坂、一九八八、九二頁
12 小崎、一九七九、一一三頁
13 北澤、二〇一三、一二頁

14 北澤、二〇一三、一六頁
15 北澤、二〇一三、一六頁
16 北澤、二〇一三、一六頁
17 北澤、二〇〇三、一一頁
18 北澤、二〇一三、八頁
19 鶴見、一九九九、一四頁
20 鶴見、一九九九、四四六頁
21 柳、二〇〇六、一三－一四頁
22 鶴見、一九九九、三九頁
23 秋元、二〇一七、六五頁
24 金沢21世紀美術館、二〇一二、七頁
25 秋元、二〇一六、三三頁
26 Pratt, 1998, 76
27 椹木、二〇〇一、八八－八九頁
28 村上、二〇一八、一〇頁
29 村上隆、二〇一四
30 Kikuchi, 2015, 105
31 窪島、一九九九、七頁
32 小崎、一九七九、二〇頁
33 宮坂、一九八八、三三頁
34 池田、二〇一九、一九六頁
35 ジェスティー、二〇〇七、一五二頁
36 ジェスティー、二〇〇七、一五三頁
37 毛利、二〇一九、三二頁
38 ジェスティー、二〇〇七、一五八－一五九頁
39 宮坂、一九八八、四六頁
40 小崎、一九七九、八八頁
41 遠藤、二〇〇七、五三頁
42 小崎、一九七九、八八－八九頁
43 窪島、一九九九、三七六頁
44 窪島、一九九九、三七七頁
45 小崎、一九七九、一一五頁
46 小笠原、二〇一九、四九頁
47 遠藤、二〇〇七、三頁
48 遠藤、二〇〇七、一四頁
49 Salmond, 1996, 116
50 宮坂、一九八八、九七頁
51 柳、一九八二、一七一頁
52 柳、一九八二、一七一頁
53 中見、二〇一三、六一頁
54 田中、二〇二〇、三一一頁
55 Kikuchi, 2004, 194
56 Kikuchi, 2004, 163
57 池田、二〇一九、二一五－二一六頁
58 小崎、一九七九、二九頁
59 軸原・中村、二〇一九、四頁
60 宮沢、一九七五、一〇－一三頁
61 小野、一九七三、九頁
62 モリス、一九五三、二五頁
63 モリス、一九五三、三一頁
64 軸原・中村、二〇一九、二九頁
65 軸原・中村、二〇一九、三九－四〇頁
66 東、二〇二一、二〇二頁
67 高橋、二〇一五、一八七頁
68 伊藤、二〇〇三、一一八頁
69 伊藤、二〇〇三、一二八頁

終章

1 佐藤、二〇二一、三一九頁
2 馬渕、二〇二一、二六頁
3 米虫、二〇二一、四二二頁
4 米虫、二〇二一、四二三頁
5 カーソン、一九七四、三八一頁
6 清水知子、二〇二一、二七四頁
7 ラトゥーシュ、二〇二〇、一四一頁
8 ラトゥーシュ、二〇二〇、一四一頁
9 ラトゥーシュ、二〇二〇、一四二頁
10 バーマン、二〇一九、一五－一六頁
11 バーマン、二〇一九、一六頁
12 バーマン、二〇一九、一六頁
13 古川、一九八九、三五頁
14 デカルト、一九九七、八二頁
15 野口、二〇二〇、一四六頁
16 ウェーバー、二〇一八、四三頁
17 見田、二〇〇六、六三頁
18 アドルノ、一九八五、九四頁
19 木澤、二〇二二、九三頁
20 木澤、二〇二二、一〇一－一〇二頁
21 村上誠、二〇一四、一〇頁
22 村上誠、二〇一四、一〇頁
23 佐々木、一九九八、一九一頁
24 許、二〇二〇、vi頁

おわりに

1 山本浩貴、二〇二一、一九四頁

参考文献

・足立薫、逆巻しとね（二〇二一）「すべてがサルになる　種社会論とダナ・ハラウェイが出会うとき」『たぐい』vol.3、亜紀書房、一〇七‐一二三頁
・テオドール・W・アドルノ、大久保健治訳（一九八五）『美の理論』河出書房新社（原著一九七〇）
・ジョルジョ・アガンベン、岡田温司・多賀健太郎訳（二〇一一）『開かれ　人間と動物』平凡社（原著二〇〇二）
・ジョルジョ・アガンベン、高桑和巳訳（二〇二〇）「エピデミックの発明」『現代思想』四八巻七号、青土社、九‐一〇頁
・秋元雄史（二〇一六）『工芸未来派　アート化する新しい工芸』六耀社
・秋元雄史（二〇一七）『おどろきの金沢』講談社
・ベネディクト・アンダーソン、白石さや・白石隆訳（一九九七）『増補　想像の共同体　ナショナリズムの起源と流行』ＮＴＴ出版（原著一九八三）
・安藤礼二（二〇一四）『折口信夫』講談社
・アルジュン・アパドゥライ、藤倉達郎訳（二〇一〇）『グローバリゼーションと暴力　マイノリティーの恐怖』みすず書房（原著二〇〇六）
・アリストテレス、高田三郎訳（一九七三）『ニコマコス倫理学（下）』岩波書店（原著前三〇〇頃）
・東浩紀（二〇二一）『ゆるく考える』河出書房新社
・ベーコン、服部英次郎訳（一九六六）『ノヴム・オルガヌム』河出書房新社（原著一六二〇）
・ジャン＝クリストフ・バイイ（二〇一三）『思考する動物たち　人間と動物の共生をもとめて』出版館ブック・クラブ（原著二〇〇七）
・ジョルジュ・バタイユ、中山元訳（二〇〇三）『呪われた部分　有用性の限界』筑摩書房（原著一九七六）
・ヴァルター・ベンヤミン、高原宏平訳（一九六九）『ヴァルター・ベンヤミン著作集１　暴力批判論』晶文社
・ヴァルター・ベンヤミン、鹿島徹訳・評注（二〇一五）『［新訳・評注］歴史の概念について』未来社（原著一九四〇）
・モリス・バーマン、柴田元幸訳（二〇一九）『デカルトからベイトソンへ　世界の再魔術化』文藝春秋（原著一九八一）
・ジョン・ケージ、小沼純一編（二〇〇九）『ジョン・ケージ著作選』筑摩書房

・ジョルジュ・カンギレム、金森修監訳（一九九一）『科学史・科学哲学研究』法政大学出版局（原著一九八三）

・レイチェル・カーソン、青樹簗一訳（一九七四）『沈黙の春』新潮社（原著一九六二）

・千葉雅也（二〇二〇）「絵画を見ることは、描くことの追体験である」『美術手帖』一〇八五号、美術出版社、七〇 - 七三頁

・千葉成夫（一九八六）『現代美術逸脱史　1945 - 1985』晶文社

・エティエンヌ・ボノ・ド・コンディヤック、古茂田宏訳（二〇一一）『動物論　デカルトとビュフォン氏の見解に関する批判的考察を踏まえた、動物の基本的能力を解明する試み』法政大学出版局（原著一七五五）

・ゼバスティアン・コンラート、小田原琳訳（二〇二一）『グローバル・ヒストリー　批判的歴史叙述のために』岩波書店（原著二〇一六）

・Contemporary Artists Review（一九九二）「天地耕作　村上誠・村上渡＋山本裕司」『Contemporary Artists Review』no. 6、スカイドア、二 - 九頁

・ジョナサン・クレーリー、遠藤知巳訳（二〇〇五）『観察者の系譜 視覚空間の変容とモダニティ』以文社（原著一九九〇）

・Crenshaw, K. (1989) "Demarginalizing the Intersection of Race and Sex: A Black Feminist Critique of Antidiscrimination Doctrine, Feminist Theory and Antiracist Politics", *The University of Chicago Legal Forum* 1(8): 139–167

・T・J・ディーモス（二〇一九）「人新世にようこそ！　人新世に抗して　視覚文化と今日の環境」『美術手帖』一〇七四号、美術出版社、一一九 - 一二八頁

・デカルト、谷川多佳子訳（一九九七）『方法序説』岩波書店（原著一六三七）

・ジャック・デリダ、マリ＝ルイーズ・マレ編、鵜飼哲訳（二〇一四）『動物を追う、ゆえに私は（動物で）ある』筑摩書房（原著二〇〇六）

・Diaspora Artists. (2014) "Claudette Johnson" (http://new.diaspora-artists.net/display_item.php?id=98&table=artists)

・遠藤三恵子（二〇〇七）『ロシアの農民美術　テニシェワ夫人と山本鼎』東洋書店

・遠藤利克（二〇一七）『空洞説　現代彫刻という言葉』五柳書院

・江澤健一郎（二〇二一）『中平卓馬論　来たるべき写真の極限を求めて』水声社

・マーク・フィッシャー、セバスチャン・ブロイ／河南瑠莉訳（二〇一八）『資本主義リアリズム』堀之内出版（原著二〇〇九）

・エリカ・フィッシャー＝リヒテ、中島裕昭・平田栄一朗・寺尾格・三輪玲子・四ツ谷亮子訳（二〇〇九）『パフォーマンスの美学』論創社（原著二〇〇四）

・藤枝晃雄・谷川渥・小澤基弘編（二〇一七）『絵画の制作学』日本文教出版
・藤野裕子（二〇二〇）『民衆暴力　一揆・暴動・虐殺の日本近代』中央公論新社
・藤原辰史（二〇一九）『分解の哲学　腐敗と発酵をめぐる思考』青土社
・福沢諭吉（一九九五）『文明論之概略』岩波書店（原著一八七五）
・福住廉（二〇一七）「美術批評と動向 日本編」『美術手帖』一〇六二号、美術出版社、二四－二九頁
・古川安（一九八九）『科学の社会史』南窓社
・カルロ・ギンズブルグ、上村忠男訳（二〇一六）『ミクロストリアと世界史　歴史家の仕事について』みすず書房
・パオロ・ジョルダーノ、飯田亮介訳（二〇二〇）『コロナの時代の僕ら』早川書房（原著二〇二〇）
・トニー・ゴドフリー、木幡和枝訳（二〇〇一）『コンセプチュアル・アート』岩波書店（原著一九九八）
・アンドレ・ゴルツ、高橋武智訳（一九八三）『エコロジスト宣言』緑風出版（原著一九七五）
・Groys, B. (2014) *On the New*. Verso
・ラナジット・グハ、ギャーネンドラ・パーンデー、パルタ・チャタジー、ガヤトリ・スピヴァック、竹中千春訳（一九九八）『サバルタンの歴史　インド史の脱構築』岩波書店（原著一九八八）
・濱野ちひろ（二〇一九）『聖なるズー』集英社
・ダナ・ハラウェイ、高橋さきの訳（二〇一三a）『犬と人が出会うとき　異種協働のポリティクス』青土社（原著二〇〇七）
・ダナ・ハラウェイ、永野文香訳（二〇一三b）『伴侶種宣言　犬と人の「重要な他者性」』以文社（原著二〇〇三）
・グレアム・ハーマン、上尾真道・森元斎訳（二〇二〇）『思弁的実在論入門』人文書院（原著二〇一八）
・ユヴァル・ノア・ハラリ、柴田裕之訳（二〇一九）『21 Lessons　21世紀の人類のための21の思考』河出書房新社（原著二〇一八）
・Harari, Y. N. (2020) "In the Battle Against Coronavirus, Humanity Lacks Leadership". *Time*. (https://time.com/5803225/yuval-noah-harari-coronavirus-humanity-leadership/) 15th March 2020
・勯正（一九九九）「肉体と言語の間で　森山安英の行為をめぐって」『機關』一六号、海鳥社、七〇－七七頁
・マルティン・ハイデッガー、辻村公一訳（一九六三）『放下』理想社（原著一九五九）
・マルティン・ハイデッガー、関口浩訳（二〇一三）『技術への問い』平凡社（原著一九五三）
・ヨハン・ゴットフリート・ヘルダー、大阪大学ドイツ近代文学研究会訳（一九七二）『言語起源論』法政大学出版局（原著一七七〇）

・平田周（二〇二〇）「広範囲の都市化を通じたウイルスの伝播」『現代思想』四八巻七号、青土社、一二六－一三〇頁
・ホッブズ、角田安正訳（二〇一四）『リヴァイアサン 1』光文社（原著一六五一）
・本波清、杉山恵一、村上誠（一九九七）『エコロジカルスカルプチャーは可能か？』エコロジカル・スカルプチャー研究会
・本阿弥清（二〇一六）『「もの派」の起源　石子順造・李禹煥・グループ「幻触」がはたした役割』水声社
・ベル・フックス、清水久美訳（一九九七）『ブラック・フェミニストの主張　周縁から中心へ』勁草書房（原著一九八四）
・エドムント・フッサール、立松弘孝訳（一九六五）『現象学の理念』みすず書房（原著一九五〇）
・池田忍（二〇一九）『手仕事の帝国日本　民芸・手芸・農民美術の時代』岩波書店
・今泉省彦、照井康夫編（二〇一七）『美術工作者の軌跡　今泉省彦遺稿集』海鳥社
・今福龍太（二〇一六）『ヘンリー・ソロー　野生の学舎』みすず書房
・AKI INOMATA、港千尋（二〇二〇）「生き物との協働から社会と芸術をとらえる　AKI INOMATA×港千尋」『美術手帖』一〇八〇号、美術出版社、一三八－一四三頁
・AKI INOMATA（二〇二〇）『AKI INOMATA: Significant Otherness　生きものと私が出会うとき』美術出版社
・AKI INOMATA（二〇二一）「曖昧な「作者」を追い求めて。CAFAA2020 ファイナリスト・AKI INOMATA インタビュー」『ウェブ版美術手帖』(https://bijutsutecho.com/magazine/interview/promotion/23845) 二〇二一年五月二九日
・井上達夫（二〇二一）『増補新装版 共生の作法　会話としての正義』勁草書房（原著一九八六）
・石田正（二〇〇五）『環境美学への途上　存在論美学から環境美学へ』晃洋書房
・伊藤亜紗（二〇二〇）『手の倫理』講談社
・伊藤誠（二〇二〇）『マルクスの思想と理論』青土社
・伊藤徹（二〇〇三）『柳宗悦　手としての人間』平凡社
・石井正己（二〇〇九）『「遠野物語」を読み解く』平凡社
・石子順造（一九七一）『俗悪の思想　日本的庶民の美意識』太平出版社
・ジェスティー・ジャスティン（二〇〇七）「版画と版画運動」『現代思想　十二月臨時増刊号』第三五巻第一七号、青土社、一五二－一六一頁
・Jesty, J. (2018) *Art and Engagement in Early Postwar Japan*. Cornell University Press

・軸原ヨウスケ、中村裕太（二〇一九）『アウト・オブ・民藝』誠光社

・金沢21世紀美術館（二〇一一）『工芸未来派』梧桐書院

・神田愛子（二〇〇九）『山本鼎物語　児童自由画と農民美術　信州上田から夢を追った男』信濃毎日新聞社

・Kaprow, A. (1965) *Assemblage, Environments and Happenings*. Abrams

・柄谷行人（二〇一三）『柳田国男論』インスクリプト

・柄谷行人（二〇二一）『ニュー・アソシエーショニスト宣言』作品社

・ジェフリー・カストナー編（二〇〇五）『ランドアートと環境アート』PHAIDON（原著一九九八）

・萱野稔人（二〇一九）『リベラリズムの終わり　その限界と未来』幻冬社

・フレデリック・ケック、小林徹訳（二〇一七）『流感世界　パンデミックは神話か？』水声社（原著二〇一〇）

・Kikuchi, Y. (2004) *Japanese Modernisation and Mingei Theory: Cultural Nationalism and Oriental Orientalism*. Routledge

・Kikuchi, Y. (2015) "The craft debate at the crossroads of global visual culture: re-centring craft in postmodern and postcolonial histories". *World Art* 5(1): 87–115

・菊畑茂久馬（二〇〇七）『新装版 反芸術綺談』海鳥社（原著一九八六）

・北九州市立美術館（二〇一八）『森山安英　解体と再生』grambooks

・北澤憲昭（二〇〇三）『アヴァンギャルド以後の工芸　「工芸的なるもの」をもとめて』美学出版

・北澤憲昭（二〇一三）『美術のポリティクス　「工芸」の成り立ちを焦点として』ゆまに書房

・北澤憲昭（二〇二〇）『文庫版 眼の神殿　「美術」受容史ノート』筑摩書房（原著一九八九）

・木澤佐登志（二〇二二）『失われた未来を求めて』大和書房

・ナオミ・クライン、幾島幸子・村上由見子訳（二〇一一）『ショック・ドクトリン　惨事便乗型資本主義の正体を暴く　上・下』岩波書店（原著二〇〇七）

・Klein, N. (2020) "Coronavirus Capitalism: And How to Beat It". *The Intercept*. (https://theintercept.com/2020/03/16/coronavirus-capitalism/) 17th March 2020

・小林武彦（二〇二一）『生物はなぜ死ぬのか』講談社

・古賀太（二〇二〇）『美術展の不都合な真実』新潮社

・小池寿子（二〇二〇）「小池寿子が紐解く「死」の表現史　巨人の肩車に載って私たちは何を見るのか」『ウェブ版美術手帖』（https://bijutsutecho.com/magazine/series/s25/22241）二〇二〇年七月四日
・米虫正巳（二〇二一）『自然の哲学史』講談社
・小長谷正明（二〇二〇）『世界史を変えたパンデミック』幻冬舎
・小崎軍司（一九七九）『夢多き先覚の画家　山本鼎評伝』信濃路
・厚生労働省（二〇二〇）「新型コロナウイルス感染症の現在の状況と厚生労働省の対応について（令和2年6月24日版）」（https://www.mhlw.go.jp/stf/newpage_12062.html）
・ジョン・クラカワー、佐宗鈴夫訳（二〇〇七）『荒野へ』集英社（原著一九九六）
・窪島誠一郎（一九九九）『鼎と槐多　わが生命の焔 信濃の天にとどけ』信濃毎日新聞社
・蔵屋美香（二〇二〇）「新館長・蔵屋美香が語る横浜美術館の展望　「新しい星座を描きたい」」『ウェブ版美術手帖』（https://bijutsutecho.com/magazine/interview/21661）二〇二〇年四月一一日
・黒田雷児（一九九九）「「集団蜘蛛」―その崇高な愚行」『機關』一六号、海鳥社、八二‐八八頁
・黒ダライ児（二〇一〇）『肉体のアナーキズム　1960年代・日本美術におけるパフォーマンスの地下水脈』grambooks
・許紀霖、中島隆博・王前訳（二〇二〇）『普遍的価値を求める　中国現代思想の新潮流』法政大学出版局
・Landry, D. and MacLean, G. M. (ed.) (1996) *The Spivak Reader: Selected Works of Gayatri Chakravorty Spivak*. Routledge
・セルジュ・ラトゥーシュ、中野佳裕訳（二〇二〇）『脱成長』白水社（原著二〇一九）
・ブルーノ・ラトゥール、伊藤嘉高訳（二〇一九）『社会的なものを組み直す　アクターネットワーク理論入門』法政大学出版局（原著二〇〇五）
・李禹煥（二〇〇八）『新版　出会いを求めて　現代美術の始原』美術出版社（原著一九七一）
・アルマン・マリー・ルロワ、森夏樹訳（二〇一九）『アリストテレス　生物学の創造　上』みすず書房（原著二〇一四）
・ドミニク・レステル、大辻都訳（二〇二〇）『肉食の哲学』左右社（原著二〇一一）
・Lippard, L. R. (2014) *Undermining: A Wild Ride Through Land Use, Politics, and Art in the Changing West*. The New Press
・パトリック・ロレッド、西山雄二・桐谷慧訳（二〇一七）『ジャック・デリダ　動物性の政治と倫理』勁草書房（原著二〇一三）
・アーニャ・ルーンバ、吉原ゆかり訳（二〇〇一）『ポストコロニアル理論入門』松柏社（原著一九九八）

・デイヴィッド・ライアン、河村一郎訳（二〇〇二）『監視社会』青土社（原著二〇〇一）
・馬渕浩二（二〇二一）『連帯論　分かち合いの論理と倫理』筑摩書房
・ステファノ・マンクーゾ＋アレッサンドラ・ヴィオラ、久保耕司訳（二〇一五）『植物は〈知性〉をもっている　20の感覚で思考する生命システム』NHK出版（原著二〇一三）
・ウィリアム・マロッティ、嶋田美子訳（二〇一七）「不思議な輝き　松澤宥　文明的統合から反文明の蜂起へ」嶋田美子編『ニルヴァーナからカタストロフィーへ　松澤宥と虚空間のコミューン』オオタファインアーツ、八–一六頁
・マルクス、長谷川宏訳（二〇一〇）『経済学・哲学草稿』光文社（原著一八四四）
・正木基（一九九二）「野を開く鍵」『美術手帖』六六一号、美術出版社、八九–九七頁
・ドリーン・マッシー、森正人訳（二〇一四）『空間のために』月曜社（原著二〇〇五）
・McNeill, J. R. and Engelke, P. (2016) *The Great Acceleration: An Environmental History of the Anthropocene since 1945*. Harvard University Press
・ウィリアム・H・マクニール、佐々木昭夫訳（二〇〇七）『疫病と世界史　上・下』中央公論新社（原著一九七六）
・カンタン・メイヤスー、千葉雅也・大橋完太郎・星野太訳（二〇一六）『有限性の後で』人文書院（原著二〇〇六）
・見市雅俊（二〇二〇）『コレラの世界史』晶文社
・美馬達哉（二〇二〇）『感染症社会　アフターコロナの生政治』人文書院
・見田宗介（二〇〇六）『社会学入門　人間と社会の未来』岩波書店
・宮坂勝彦編（一九八八）『信州人物風土記・近代を拓く　第一期全二十二巻　第十三巻　退路なき夢もて／山本鼎』銀河書房
・宮崎揚弘（二〇一五）『ペストの歴史』山川出版社
・宮澤賢治（一九七五）「農民芸術概論綱要」『校本　宮澤賢治全集第十二巻（上）』筑摩書房、九–一六頁
・宮沢孝幸（二〇二〇）「新型コロナウイルスは社会構造の進化をもたらすのか」『思想としての〈新型コロナウイルス禍〉』河出書房新社、六四–六八頁
・Moore, J. W. (2016) "Anthropocene or Capitalocene? Nature, History, and the Crisis of Capitalism", Moore, J. W. (ed.) (2016) *Anthropocene or Capitalocene? Nature, History, and the Crisis of Capitalism*. PM Press, 1–13
・森元斎（二〇二〇）『国道3号線　抵抗の民衆史』共和国

・森三樹三郎（一九六九）『「無」の思想　老荘思想の系譜』講談社
・森芳功（二〇〇二）「本田健　自然に包まれる経験」徳島県立近代美術館編『自然を見つめる作家たち　現代日本の自然表現と伝統』徳島県立近代美術館、七〇‐七五頁
・森山安英（一九九九）「森山安英自筆年譜」『機關』一六号、海鳥社、四五‐六九頁
・ウィリアム・モリス、中橋一夫訳（一九五三）『民衆の芸術』岩波書店（原著一八七九）
・毛利嘉孝（二〇一九）『バンクシー　アート・テロリスト』光文社
・テッサ・モーリス＝スズキ、田代泰子訳（二〇一四）『過去は死なない　メディア・記憶・歴史』岩波書店（原著二〇〇五）
・ティモシー・モートン、篠原雅武訳（二〇一八）『自然なきエコロジー　来たるべき環境哲学に向けて』以文社（原著二〇〇七）
・Mosquera, G. (1992) "The Marco Polo Syndrome: Some Problems around Art and Eurocentrism", *Third Text* 6(21): 35–41
・本橋哲也（二〇〇五）『ポストコロニアリズム』岩波書店
・村上誠、村上渡、山本裕司（一九八八）『耕作だより1』天地耕作事務局
・村上誠、村上渡、山本裕司（一九八九ａ）『天地耕作』天地耕作事務局
・村上誠、村上渡、山本裕司（一九八九ｂ）『耕作だより4』天地耕作事務局
・村上誠、村上渡、山本裕司（一九八九ｃ）『耕作だより5』天地耕作事務局
・村上誠、村上渡、山本裕司（一九九〇ａ）『耕作だより7』天地耕作事務局
・村上誠、村上渡、山本裕司（一九九〇ｂ）『耕作だより8』天地耕作事務局
・村上誠、村上渡、山本裕司（一九九一）『天地耕作・弐』天地耕作事務局
・村上誠、村上渡、山本裕司（一九九二）『耕作だより10』天地耕作事務局
・村上誠、村上渡、山本裕司（一九九三）『耕作だより12』天地耕作事務局
・村上誠、村上渡、山本裕司（一九九五）『耕作だより14』天地耕作事務局
・村上誠編（二〇一四）『四つの域、三つの対話』ギャラリー CAVE
・村上誠（二〇二一）『あそびが、育つ。　循環成長型アートプログラム、その実践記録 2003–2019』こどもスタジオ出版
・村上隆（二〇一四）「アーティスト・村上隆氏（カイカイキキ）に聞く」『panorama』（二〇一四年一二月）(http://panorama-index.jp/webmag/interview_ge_ozzingaro/)

・村上隆（二〇一八）『文庫版 芸術起業論』幻冬社（原著二〇〇六）
・長倉友紀子（二〇二〇）「エコフェミニズムとアート」『美術手帖』一〇八二号、美術出版社、一〇四－一〇七頁
・中見真理（二〇一三）『柳宗悦　「複合の美」の思想』岩波書店
・中ザワヒデキ（二〇一四）『現代美術史日本篇　1945-2014』アートダイバー
・中沢新一（二〇一一）『鳥の仏教』新潮社
・中沢新一（二〇一〇）「変容の岬」東京都現代美術館編『トランスフォーメーション』ACCESS、五－一四頁
・西田幾多郎（一九五〇）『善の研究』岩波書店
・リンダ・ノックリン、松岡和子訳（一九七六）「なぜ女性の大芸術家は現われないのか？」『美術手帖』四〇七号、美術出版社、四六－八三頁（原著一九七一）
・野口雅弘（二〇二〇）『マックス・ウェーバー　近代と格闘した思想家』中央公論新社
・マイケル・オークショット、嶋津格・森村進・名和田是彦・玉木秀敏・田島正樹・杉田秀一・石山文彦・桂木隆夫・登尾章・川瀬貴之訳（一九八八）『［増補版］政治における合理主義』勁草書房（原著一九六二）
・小笠原正（二〇一九）「女性たちの農民美術　学び、そして、創ることのよろこび」『日本人形玩具学会誌』第三〇号、四八－五五頁
・岡田玄（二〇二〇）「ブラジルのコロナ死者5万人超える　世界の死者の1割」『朝日新聞デジタル』(https://www.asahi.com/articles/ASN6Q2GDQN6NUHBI031.html) 二〇二〇年六月二二日
・岡本太郎（二〇一六）『文庫版 原色の呪文　現代の芸術精神』講談社（原著一九六八）
・温又柔（二〇一八）『増補版 台湾生まれ 日本語育ち』白水社（原著二〇一六）
・小野二郎（一九七三）『ウィリアム・モリス　ラディカル・デザインの思想』中央公論新社
・尾野正晴（二〇〇三）「「天地耕作、まで」展報告」『静岡文化芸術大学研究紀要』四号、静岡文化芸術大学、六一－六九頁
・大野正勝（二〇一三）「自己と他者のあいだ」岩手県立美術館（大野正勝、根本亮子、伊藤聡子）編『冬のみず、山あるき　―東島毅＋本田健―』岩手県立美術館、四－九頁
・大澤真幸（二〇二〇）「不可能なことだけが危機をこえる　連帯・人新世・倫理・神的暴力」『思想としての〈新型コロナウイルス禍〉』河出書房新社、二一－三二頁
・大塚英志（二〇二〇）「感染拡大せず「日本スゴイ」　80年前と重なる嫌な流れ」『朝日新聞デジタル』(https://www.asahi.com/

articles/ASN6N54S3N6HUPQJ006.html）二〇二〇年六月二〇日
・Orland, S. (2016) *British Black Art: Debates on the Western Art History*. Dis Voir
・ジャン・ピアジェ、滝沢武久訳（一九六八）『思考の心理学　発達心理学の6研究』みすず書房（原著一九四七）
・Pratt, M. L. (1998) "Arts of the Contact Zone", in Fitzgerald, K., Bruce, H., Vogt, A. and Stasney, S. (ed.) Conversations in Context: *Identity, Knowledge, and College Writing*. Harcourt Brace, 74-87
・RadicalxChange. (2020) "Yuval Noah Harari, Audrey Tang, and Puja Ohlhaver on the Future of Democracy, Identity & Technology". (https://www.youtube.com/watch?v=tRVEY95cI0o) 2nd July 2020
・リチャード・ローティ、室井尚・吉岡洋・加藤哲弘・浜日出夫・庁茂訳（二〇一四）『プラグマティズムの帰結』筑摩書房（原著一九八二）
・ハンス・リヒター、針生一郎訳（一九八七）『新装版 ダダ 芸術と反芸術』美術出版社（原著一九六五）
・ルソー、小林善彦訳（一九七〇）『言語起源論』現代思潮社（原著一七八一）
・ソニア・リャン、中西恭子訳（二〇〇五）『コリアン・ディアスポラ　在日朝鮮人とアイデンティティ』明石書店
・梁英聖（二〇二〇）『レイシズムとは何か』筑摩書房
・逆巻しとね（二〇一九）「生きものとともにつくる作品に結晶する生と死。逆巻しとね評「AKI INOMATA 相似の詩学──異種協働のプロセスとゆらぎ」展」『ウェブ版美術手帖』（https://bijutsutecho.com/magazine/insight/21103）二〇一九年一二月二五日
・齋藤帆奈（二〇二〇）「石のチューリングテスト　思考する物質として生きること」『現代思想』第四八巻第八号、青土社、一九六－二〇八頁
・齋藤純一（二〇〇〇）『公共性』岩波書店
・斎藤幸平（二〇一九）『大洪水の前に　マルクスと惑星の物質代謝』堀之内出版
・斎藤幸平（二〇二〇）『人新世の「資本論」』集英社
・Salmond, W. (1996) *Arts & Crafts in Late Imperial Russia*. Cambridge University Press
・佐々木健一（一九九八）『エスニックの次元　《日本哲学》創始のために』勁草書房
・佐藤岳詩（二〇二一）『「倫理の問題」とは何か　メタ倫理学から考える』光文社
・フェルディナン・ド・ソシュール、小林英夫訳（一九七二）『一般言語学講義』岩波書店（原著一九一六）

・椹木野衣(二〇〇一)『増補　シミュレーショニズム』筑摩書房(原著一九九一)
・椹木野衣(二〇一五)「美術《テロス》と放射《エンテレケイア》・能　「Don't Follow the Wind」展の旗が立つ位置《トポス》」Chim↑Pom＋椹木野衣＋Don't Follow the Wind実行委員会編『Don't Follow the Wind　展覧会公式カタログ２０１５』河出書房新社
・椹木野衣(二〇二〇)「ポスト・パンデミックの人類史的転換」『思想としての〈新型コロナウイルス禍〉』河出書房新社、六九－七五頁
・沢山遼(二〇一九)「複数のメディウム　80年代という交差点」『美術手帖』一〇七六号、美術出版社、四〇－四五頁
・ジェームズ・C・スコット、立木勝訳(二〇一九)『反穀物の人類史　国家誕生のディープヒストリー』みすず書房(原著二〇一七)
・渋谷拓(二〇一七)「遠藤利克　聖性の考古学」、遠藤利克『遠藤利克　聖性の考古学』現代企画室、七二－七七頁
・Shih, S. and Lionnet, F. (2005) "Introduction: Thinking through the Minor, Transnationally", in Shih, S. and Lionnet, F. (ed.) (2005) *Minor Transnationalism.* Duke University Press, 1–26
・嶋田美子(二〇一九)「現代思潮社・美学校のなりたち」美学校編『美学校 1969-2019　自由と実験のアカデメイア』晶文社、一四九－一五三頁
・清水晶子(二〇二一)「「同じ女性」ではないことの希望　フェミニズムとインターセクショナリティ」『多様性との対話　ダイバーシティ推進が見えなくするもの』青弓社、一四五－一六四頁
・清水知子(二〇二一)『ディズニーと動物　王国の魔法をとく』筑摩書房
・篠原雅武(二〇一六)『複数性のエコロジー　人間ならざるものの環境哲学』以文社
・篠原雅武(二〇一八)『人新世の哲学　思弁的実在論以後の「人間の条件」』人文書院
・静岡市美術館(二〇一九)『Shizubi Project 7 アーカイヴ／１９８０年代－静岡』静岡市美術館
・ピーター・シンガー、戸田清訳(二〇一一)『動物の解放』人文書院(原著一九七五)
・レベッカ・ソルニット、東辻賢治郎訳(二〇一七)『ウォークス　歩くことの精神史』左右社(原著二〇〇〇)
・Stimson, B. and Sholette, G. (2007) "Introduction: Periodizing Collectivism", Stimson, B. and Sholette, G. (ed.) (2017) *Collectivism after Modernism: The Art of Social Imagination after 1945.* University of Minnesota Press, 1–15
・杉山恵一(二〇〇二)『自然環境復元の展望』信山社サイテック
・田口かおり(二〇一五)『保存修復の技法と思想　古代芸術・ルネサンス絵画から現代アートまで』平凡社
・高橋明彦(二〇一五)『楳図かずお論　マンガ表現と想像力の恐怖』青弓社

・高橋そら（二〇二〇）「新型肺炎、各地で広がるアジア人差別　NYで暴行被害」『日本経済新聞』(https://www.nikkei.com/article/DGXMZO55420100Y0A200C2000000/) 二〇二〇年二月八日
・田上孝一（二〇二一）『はじめての動物倫理学』集英社
・田中久文編（二〇二〇）『近代日本思想選　九鬼周造』筑摩書房
・谷徹（二〇〇二）『これが現象学だ』講談社
・谷川雁（一九六八）『谷川雁詩集』思潮社
・建畠晢（二〇一八）「転換期としての80年代」金沢21世紀美術館、高松市美術館、静岡市美術館編『起点としての80年代』マイブックサービス、一五二－一五三頁
・スナウラ・テイラー、今津有梨訳（二〇二〇）『荷を引く獣たち　動物の解放と障害者の解放』洛北出版（原著二〇一七）
・ヘンリー・D・ソロー、佐渡谷重信訳（一九九一）『森の生活　ウォールデン』講談社（原著一八五四）
・H・D・ソロー、飯田実訳（一九九七）『市民の反抗 他五篇』岩波書店（原著一八四九）
・ミン・ティアンポ、富井玲子監訳、藤井由有子訳（二〇一六）『GUTAI　周縁からの挑戦』三元社（原著二〇一一）
・東京国立近代美術館（二〇一八）『アジアにめざめたら　アートが変わる、世界が変わる 1960-1990 年代』東京国立近代美術館
・Tomii, R. (2016) *Radicalism in the Wilderness: International Contemporaneity and 1960s Art in Japan*. MIT Press.
・富井玲子（二〇一八）「日本のコレクティビズム再考　DIY 精神の DNA を〈オペレーション〉に探る」『美術手帖』一〇六六号、美術出版社、一二五－一三〇頁
・富井玲子（二〇二〇）「富井玲子インタビュー　松澤宥から考える絵画史の読み解き方」『美術手帖』一〇八五号、美術出版社、一二一－一二五頁
・戸谷洋志（二〇二〇）『原子力の哲学』集英社
・アナ・チン、赤嶺淳訳（二〇一九）『マツタケ　不確定な時代を生きる術』みすず書房（原著二〇一五）
・塚原史（二〇〇三）『ダダ・シュルレアリスムの時代』筑摩書房
・鶴見俊輔（一九九九）『限界芸術論』筑摩書房（原著一九五六）
・ツァラ、塚原史訳（二〇一〇）『ムッシュー・アンチピリンの宣言　ダダ宣言集』光文社
・上野俊哉、毛利嘉孝（二〇〇〇）『カルチュラル・スタディーズ入門』筑摩書房

・ユクスキュル／クリサート、日高敏隆・羽田節子訳（二〇〇五）『生物から見た世界』岩波書店（原著一九三四）
・ディネシュ・J・ワディウェル、井上太一訳（二〇一九）『現代思想からの動物論　戦争・主権・生政治』人文書院（原著二〇一五）
・渡辺茂（二〇一六）『美の起源　アートの行動生物学』共立出版
・マックス・ウェーバー、野口雅弘訳（二〇一八）『仕事としての学問　仕事としての政治』講談社
・柳宗悦（一九八二）「農民美術と民藝運動」『柳宗悦全集著作篇第十巻』筑摩書房、一七一－一七二頁
・柳宗悦（二〇〇六）『民藝とは何か』講談社（原著一九四一）
・柳田国男、佐藤誠輔訳（二〇一四）『口語訳　遠野物語』河出書房新社
・山本浩貴（二〇一九）『現代美術史　欧米、日本、トランスナショナル』中央公論新社
・山本浩貴（二〇二〇ａ）「『現代美術史』著者・山本浩貴に聞く「コロナ時代の（と）アート」」ウェブ版美術手帖（https://bijutsutecho.com/magazine/series/s25/21734）二〇二〇年四月二二日
・山本浩貴（二〇二〇ｂ）「遠野の本田健さん」『群像』第七五巻第五号、講談社、四九八－四九九頁
・山本浩貴（二〇二一）「芸宿試（私）論」『美術手帖』一〇九〇号、美術出版社、一九四－一九九頁
・山本圭（二〇二一）『現代民主主義　指導者論から熟議、ポピュリズムまで』中央公論新社
・山下晃平（二〇一七）『日本国際美術展と戦後美術史　その変遷と「美術」制度を読み解く』創元社
・山下里加（一九九八）「本田健［インタビュー］」『Artist Interview』第四号、一九九八年一〇月
・吉原令子（二〇一三）『アメリカの第二波フェミニズム　一九六〇年代から現在まで』ドメス出版
・吉川浩満（二〇一八）『人間の解剖はサルの解剖のための鍵である』河出書房新社
・Zheng B. with Stephens B. and Sprinkle A. (2021) "A CONVERSATION BETWEEN THREE ECOSEXUALS", Demos, T. J., Scott. E. E. and Banerjee, S. (2021) *The Routledge Companion to Contemporary Art, Visual Culture, and Climate Change*. Routledge, 164–172
・スラヴォイ・ジジェク、中林敦子訳（二〇二〇）『パンデミック　世界をゆるがした新型コロナウイルス』Ｐヴァイン（原著二〇二〇）

協力　齋藤帆奈
平子雄一
川俣正
遠藤利克
長谷川由貴
畑山太志
久保田智広
中村裕太
桑田卓郎
鄭波

四宮佑次
山本糾
amanaTIGP
HM Archive
MAHO KUBOTA GALLERY
YOSHIAKI INOUE GALLERY
KOSAKU KANECHIKA
KOTARO NUKAGA
TAV GALLERY

アートフロントギャラリー
一般財団法人 松澤宥プサイ（ψ）の部屋
羽永光利プロジェクト
（羽永太朗、ぎゃらり壷中天、青山目黒）
現代企画室
静岡県立美術館
東京国立近代美術館
福岡市美術館
株式会社DNPアートコミュニケーションズ

岩渕貞哉（美術手帖）

——敬称略・順不同

校正　東京出版サービスセンター

DTP　吉﨑梢（美術出版デザインセンター）

編集　穂原俊二
木村奈緒

ポスト人新世の芸術

Art of the Post-Anthropocene

2022年6月27日　初版第1刷発行

著者　山本浩貴

発行人　山下和樹

発行　カルチュア・コンビニエンス・クラブ株式会社
美術出版社書籍編集部

発売　株式会社美術出版社
〒141-8203
東京都品川区上大崎3丁目1番1号目黒セントラルスクエア5F
電話 03-6809-0318（代表）
03-5280-7442（編集）
https://www.bijutsu.press

印刷・製本　株式会社シナノパブリッシングプレス

ISBN978-4-568-20281-6 C0070